MARXISME ET STRUCTURALISME

BIBLIOTHÈQUE SCIENTIFIQUE

COLLECTION SCIENCE DE L'HOMME
DIRIGÉE PAR LE Dr G. MENDEL

LUCIEN SEBAG

CHARGÉ DE RECHERCHES AU C.N.R.S.

MARXISME

ET

STRUCTURALISME

PAYOT, PARIS

106, BOULEVARD SAINT-GERMAIN

1964

POUR JUDITH

MARXISME ET STRUCTURALISME

INTRODUCTION

Le premier pas seul est décisif : du discours ou de la violence, du chaos affectif ou de la raison, que dois-je choisir ? Une fois cette question initiale résolue — et elle l'est puisque j'écris —, ce qui en découle se laisse clairement penser : il n'est maintenant d'existence possible pour moi que conforme à la raison ; ma décision première me circonscrit tout entier ; elle implique que ma vie sera soumise à un système de normes et que ces normes auront été mises en évidence par un savoir.

Il est courant d'opposer jugements de fait et jugements de valeur et d'affirmer que des premiers je ne pourrai jamais déduire les seconds ; l'opposition est certes valable mais d'une vérité qui ne nous concerne pas puisqu'elle reste extérieure à mon projet actuel : les valeurs sont en effet multiples, mais cette diversité peut s'interpréter doublement : entre l'esthétisme, la violence, le silence ou le discours vrai, aucun choix justifié n'est possible puisque l'idée même d'une justification suppose la validité de ce qu'il faut fonder ; le premier pas en lequel se concrétise la décision philosophique reste arbitraire. Mais une fois qu'il a été fait, la variété des normes possibles se donne par définition comme un état transitoire qui renvoie à l'insuffisance du savoir.

La signification du choix philosophique est, en effet, dépourvue d'ambiguïté : il implique que, dans mes actes comme dans mon discours, je me soumettrai à ce qui est, que je reconnaîtrai dans l'Etre la mesure de tout projet ; il implique aussi que ce qui est sera objet de science. Certes, ce à quoi je me conformerai ne se confond pas avec toute forme d'existence empirique ; ce qui apparaît n'est pas toujours réel ; mais la science achevée ne doit-elle pas me permettre de distinguer entre l'essentiel et ce qui ne l'est pas, entre ce qui est conforme à l'être authentique de l'homme et ce qui ne le concerne qu'indirectement.

L'essentiel et le secondaire se donnent pourtant comme liés ; et leur mélange, obstacle que rencontre toute activité politique, nous invite à réfléchir sur le rapport que l'action entretient avec le savoir. Les philosophes ont coutume de déclarer que l'homme est ce qu'il n'est pas et n'est pas ce qu'il est ; ainsi est mise en évidence la puissance négative qui est la sienne et le fait qu'il n'est jamais défini par son actuelle condition. Mais ceci est encore insuffisant : en un langage plus technique, ne faudrait-il pas dire que le concept de l'homme outrepasse toutes ses réalisations empiriques. Mais c'est là le cas de tout concept : celui de meuble n'est pas épuisé par une juxtaposition de chaises, de tables et d'armoires ; posé, le concept ouvre la voie à une gamme infinie de transformations qui en révèlent les possibilités.

L'homme n'échappe donc pas à la règle ; ce qui pourtant le caractérise — et ce n'est là qu'une banalité — c'est qu'il est son propre concept et qu'il peut librement entreprendre de réaliser dans sa vie quotidienne les possibilités qu'implique le concept dont il est porteur. L'activité politique est un des modes de cette réalisation.

Non pas toute forme d'activité politique : celle-ci vise parfois la domination, la puissance, le pur exercice du pouvoir ; je peux, certes, constater que de tels objectifs ne sont pas « humains », mais celui qui les valorise n'admet justement pas que le débat se pose en ces termes. Le choix qui départagera la violence et le discours est antérieur à sa mise en forme dans le discours.

Cependant, le problème ne nous intéresse que postérieurement à cette mise en forme. Qu'en est-il alors des rapports entre science et politique ? Celle-ci vise l'instauration d'une société qui soit conforme à la raison, à l'ordre vrai, à l'essence de l'homme, à sa véritable nature ; suivant les philosophies, les termes ont varié, mais l'intention est toujours restée la même. L'homme est « quelque chose » ; il a une essence et ne se définit pas comme pure existence ; seulement, ce qu'il est, il ne l'est qu'imparfaitement. C'est cette imperfection qu'il s'agit de réduire et l'activité politique a pour but d'arracher l'homme à sa gangue d'impuretés.

Ces remarques ne doivent pas abuser par le vocabulaire qu'elles utilisent ; de fait, toute philosophie — qu'il s'agisse de celles de Platon, de Kant, de Rousseau ou de Marx — se laisse ainsi caractériser. Ce sont des philosophies dans la mesure où elles développent un discours visant à dire ce qui est, cet être que, par ailleurs, l'activité politique se donnera pour tâche de faire exister. Or, ce qui vaut pour cette forme d'action vaut pour toute praxis dès qu'elle accepte de relever d'un système de normes rationnelles qui permettront de statuer sur sa légalité.

Cette dépendance des jugements de valeur à l'égard du savoir a très clairement été aperçue par Husserl qui écrivait, dans *Les Recherches logiques* :

« Considérons le concept de science normative dans son rapport avec celui de science théorique. Les lois de la première de ces sciences, dit-on habituellement, énoncent ce qui doit être, bien que cela ne soit pas et ne puisse pas être dans le cas donné ; les lois de la seconde, par contre, énoncent purement et simplement ce qui est. Restera donc à savoir ce qu'on entend par ce « devoir être » que l'on oppose ainsi au simple « être ».

» ... Quand nous disons : « un guerrier doit être brave », cela ne veut pas dire que nous, ou qui que ce soit d'autre, le désirions ou le voulions, l'ordonnions ou l'exigions. L'on pourrait plutôt y déceler l'opinion qu'en général, c'est-à-dire en ce qui concerne chaque guerrier, un désir ou une exigence de cette nature sont justifiés. « Un guerrier doit être brave », cela veut dire : il n'y a qu'un guerrier brave qui soit un « bon » guerrier, et comme les prédicats « bon » et « mauvais » se partagent la compréhension du concept de guerrier, il en résulte qu'un guerrier qui n'est pas brave est un « mauvais » guerrier...

» ... Toute discipline normative et *a fortiori* toute discipline pratique présupposent comme fondements une ou plusieurs disciplines théoriques, en ce sens qu'elles doivent posséder une teneur théorique dissociable de toute normalisation, qui, comme telle, trouve sa place naturelle dans n'importe quelles sciences théoriques, ou déjà délimitées, ou encore à constituer...

» ... Si la science normative veut, par conséquent, mériter son nom, si elle veut rechercher scientifiquement les rapports des états de choses à normaliser avec la norme fondamentale, elle doit étudier la teneur théorique essentielle de ces relations et, par conséquent, pénétrer dans les sphères des sciences théoriques qui s'y rapportent. En d'autres mots, toute discipline normative exige la connaissance de certaines vérités qui ne sont pas normatives ; mais elle tire cette connaissance de certaines sciences théoriques, ou bien elle l'acquiert en appliquant les propositions ainsi tirées de ces sciences, aux constellations de cas fixées par l'intérêt normatif (1). »

C'est cette dépendance de la normativité à l'égard du savoir théorique que le présent essai voudrait réenvisager ; c'est qu'à bien des égards, elle s'est trouvée contestée ; en effet, la prise de position husserlienne implique, par exemple, que ce n'est pas par référence au contenu immédiat des activités humaines qu'une légitimité quelconque sera introduite ; celles-ci doivent être soumises à un travail de la raison qui révélera l'ordre qui les régit, et l'écart entre celui-ci et les diverses idéologies me permettra de mesurer la vérité de celles-ci.

(1) Prolégomènes aux *Recherches Logiques*, p. 41-51.

Or, l'une des affirmations centrales du marxisme est certainement celle de l'immanence des significations à la praxis sociale conçue comme le centre auquel elles doivent être rapportées (1). Ce faisant, il se situe dans la tradition de la philosophie politique moderne qui, sur ce point essentiel, a rompu résolument avec la doctrine classique. Quoiqu'il soit vain de chercher à dater de telles transformations, c'est dans l'œuvre de Rousseau, que cette rupture apparaît pour la première fois en toute clarté.

Dans la perspective platonicienne, la cité juste n'est telle que par sa correspondance avec un ordre qui régente la totalité de ce qui est. C'est cet ordre qui est pris pour objet de savoir par le philosophe, et toute politique est philosophie dans la mesure où sa réussite dépend de la possession de la vérité. Le sage connaît la science du juste et de l'injuste ; et ce qui fait problème à ses yeux, c'est moins la constitution de ce savoir qui suppose la référence à une norme qui transcende tout donné historique, que l'existence de la violence, c'est-à-dire de sociétés dont la réalité n'est pas conforme à cet ordre qu'il a mis en évidence. Le philosophe, en devenant homme d'État, réinsère la société dans le cosmos, restaure ce qui est ; la science est la condition de cette restauration et par elle-même elle est indépendante de ce qui peut advenir à la cité ; en droit, l'homme peut s'élever à la connaissance dernière dans une cité injuste. En fait cependant, dans la majorité des cas, le philosophe ne peut pas être juste dans un monde où règne la violence ; et la corruption de l'âme qui en découle est corruption de sa possibilité même d'accéder au savoir. En ce sens, philosophie et politique voient leur lien se redoubler en même temps que s'inverser. Le vrai était le fondement de l'ordre dans la cité, mais cet ordre seul permet en définitive que l'apparition du philosophe ne soit pas un simple hasard, sa survie un miracle.

Ce serait là un cercle vicieux si les deux propositions étaient entièrement réciprocables ; il n'en est rien : le primat de la science reste le fondement inébranlable de toute politique juste ; et si les conditions qui sont faites à la pensée pervertissent les naturels les mieux doués, il n'en demeure pas moins que la philosophie reste encore possible ; Socrate ne nous en fournit-il pas la meilleure preuve ?

Or, c'est une telle relation qui se trouve déplacée dans l'œuvre de Rousseau : la référence à l'ordre naturel ne fournit plus le modèle auquel la société pourrait être rapportée ; et cela parce que la nature est comprise comme physis, et non plus comme ordre des per-

_____

(1) Cf. notre Chapitre II : « De la signification du Marxisme », où ce point sera longuement discuté.

fections. Sur ce point, Rousseau pousse jusqu'à ses conséquences extrêmes la révolution accomplie par Machiavel, par Hobbes, et reprise plus timidement par les théoriciens du droit naturel. Du même coup, la culture — pour employer une terminologie plus moderne — ne trouve plus normalement place au sein d'un ordre qui la dépasse ; elle s'instaure à travers une radicale transformation de tous les rapports naturels, transformation qui est si totale qu'elle exclut toute réinsertion complète de l'homme dans la nature, tout recours à un modèle extra-social. Là, tous les textes de Rousseau concordent : sa théorie des passions qui met à jour dans l'homme socialisé une référence structurelle à l'autre, absente dans l'état de nature, aussi bien que son analyse de la constitution de l'état, de la croissance des besoins, de la division du travail (1).

Rousseau cependant ne revient pas à un empirisme sociologique et pédagogique du type de celui défendu par les sophistes ; et c'est en cela qu'il est profondément original et ne se contente pas de développer — à l'encontre de ce que pense Leo-Strauss (2) — une des options comprise en même temps que refusée par la philosophie classique. En effet, si la Norme ne peut plus être trouvée au sein de la nature, elle n'en reste pas moins le fondement indispensable de toute pensée politique. Ce que Rousseau affirmera, c'est qu'une telle normativité ne peut être atteinte que par la mise à jour de ce qui constitue *l'essence même du social*, c'est-à-dire de ce qui, même à titre implicite, est impliqué toujours et partout par toute société. Et ce qui est ainsi impliqué n'est rien d'autre que le contrat, à savoir l'existence d'une réciprocité réelle ou virtuelle. La société juste se définira alors par le fait qu'elle prendra pour fin dernière de ses institutions cette réciprocité et la fera consciemment exister à tous les niveaux.

C'est donc l'être de la société qui devient objet de discussion. La faillite de toute norme transcendante implique que c'est la réalité sociale elle-même qui soit mise au premier plan ; si le projet philosophique a un sens, c'est que cette réalité n'est pas pur chaos, mais obéit à une logique propre qui demande à être mise en évidence. Le problème méthodologique s'inscrit dès lors au cœur de la réflexion éthique. Sous quelle forme ce savoir, qui deviendra le fondement de notre praxis, sera-t-il mis en évidence et de quelle manière pourra-t-il être repris par les protagonistes réels du drame social ?

C'est dans cette perspective que nous avons posé la question des rapports entre le marxisme et le structuralisme, le premier étant

(1) Nous développons ces points dans un article à paraître prochainement, portant sur Rousseau et les fondements de la Philosophie politique moderne.
(2) Cf. *Droit naturel et Histoire*. Plon édit.

compris comme théorie totalisante du phénomène social, le second comme méthode propre à mettre en évidence l'intelligibilité des faits humains. Ce décalage explique, qu'après avoir exposé les grandes lignes du corps de doctrine marxiste, nous n'en discuterons qu'une partie seulement. C'est l'analyse des idéologies qui, de ce point de vue, nous a semblé avoir le plus d'importance ; le structuralisme, en effet, a trouvé ses plus belles illustrations en étudiant les différents systèmes symboliques qu'engendre toute culture ; de plus, la légitimation philosophique de l'action politique revient toujours, en dernière instance, à s'interroger sur la validité des modèles qui guident cette action (1).

(1) Les deux premiers chapitres, les plus courts, seront consacrés au débat entre Hegel et Marx qui sera évoqué dans ses données principales. Le troisième essaiera de formuler les conditions d'une analyse objective des idéologies et confrontera Histoire et méthode structurale sous cet angle particulier ; le quatrième enfin cherchera, en s'appuyant sur les résultats précédents, à dégager certaines des propriétés de la conceptualisation scientifique dans le domaine humain.

Chapitre Premier

PRÉMISSES HÉGÉLIENNES

La cassure introduite entre nature et société, la fin de toute référence à un quelconque ordre des perfections, laissent en quelque sorte la société suspendue dans le vide ; il est certes possible de décrire la manière dont les collectivités humaines se sont progressivement développées à partir d'un état de nature initial ; mais cet état reste profondément différent de tout ce qui peut maintenant exister ; se référer à lui ne permettra pas de peser le juste et l'injuste ; la vie première de l'individu antérieurement à la constitution de tout lien social peut fournir l'image d'un certain équilibre ; mais ce n'est encore qu'une forme qui ne sera remplie qu'après une véritable immersion de l'esprit au sein de la matière historique. La solution de Rousseau, telle qu'il est possible de la dégager (1) du *Discours sur l'origine de l'inégalité* et du *Contrat social*, reste de ce point de vue fort insuffisante ; que la liberté soit impliquée par l'ensemble des actions humaines est pour lui un axiome qui semble se passer de toute démonstration : la diversité des sociétés, des univers culturels, des valeurs, à laquelle déjà Montesquieu accordait une importance essentielle, se trouve ici reléguée au second plan ; toute forme de vie sociale suppose la possibilité d'une réciprocité qui trouve son équivalent sur le plan juridique dans l'idée de contrat social. C'est sur cette réciprocité et sur elle seule que sera fondée la société juste ; elle aura aboli la dissymétrie, l'inégalité des statuts, des fonctions, des pouvoirs, pour ne reconnaître dans chacun des membres du corps social que des unités homogènes les unes aux autres, accédant sur un mode identique à la sphère des droits et des devoirs que suppose toute vie en collectivité.

Critiquant Rousseau, Hegel lui reprochera ce formalisme, la méconnaissance de la réalité concrète qu'est l'esprit d'un peuple

---

(1) C'est d'ailleurs là une entreprise fort délicate. Rousseau dit ce qui est plus qu'il ne légitime les différents moments de sa démarche ; la saisie intuitive du caractère inaliénable de la liberté est si lourde d'évidences que les spécifications de cette liberté, les variations qu'en ce domaine chaque société introduit ne sont pas prises en considération.

s'exprimant dans son art, sa religion, sa vie politique et économique. Il est certes possible au delà de cette variété des univers spirituels de retrouver une unité dernière ; mais ce ne peut être qu'après s'être plongé dans la vie du contenu ; l'abandon à l'objet équivaut à une conversion temporaire de la subjectivité qui se fait autre qu'elle-même ; au terme, la chaîne pourra sans doute être reconstituée dans son intégralité mais chaque fois que je pense un de ces moments il se suffit à lui-même et exclut les autres figures qui l'ont précédé ou qui lui succéderont : du monde grec à la vision chrétienne de l'histoire il n'est pas de passage direct : l'Inde, la Grèce, Rome, le Moyen Age, l'Age des Lumières sont autant de mondes dont il faut reconnaître la richesse et l'originalité. Ce n'est donc pas une affirmation lapidaire valant pour la totalité des sociétés humaines qui me permettra de surmonter leur hétérogénéité. Les concepts de liberté, de nature, de volonté sont eux-mêmes les produits d'une certaine étape du développement de l'Esprit ; et je ne peux en aucun cas les accepter comme allant de soi lorsque ma pensée se trouve confrontée à cette immense matière que constitue l'histoire universelle (1).

Certes la visée ultime reste la même : il s'agit de penser l'Etre de l'Esprit et de saisir le processus à travers lequel la société moderne tend à lui devenir adéquate ; mais cette coïncidence de l'essence et de l'apparence reste fort complexe ; la société juste que décrit le *Contrat social* ne charrie plus aucune disparité : les inégalités économiques, sociales, idéologiques sont bien mentionnées, mais l'égalité politique semble relativement indépendante de ce qui peut se passer à ces niveaux inférieurs ; de la société civile à l'État, il n'est pas de véritable transition. La *Philosophie du Droit*, par contre, s'attache à mettre en forme la réciprocité à tous les étages de la vie de la collectivité ; et le problème n'a de sens que dans la mesure où chaque sphère d'activité véhicule, en fonction même de ce qu'elle est, une inégalité et une disparité potentielle qui ne peuvent en aucun cas être purement et simplement niées.

De fait, la démarche hégélienne répond à une double exigence : il s'agit certes de mettre à jour l'Esprit dans ce qu'il peut avoir d'essentiel, indépendamment de ses réalisations temporaires ; mais dans la mesure où cette possibilité renvoie à la nature même de notre société, il importe de penser l'ensemble des manifestations de cette société dans ce qu'elles peuvent avoir de spécifique.

(1) Il est évident que de Rousseau à Hegel s'intercale une période historique riche en bouleversements ; mais le reconnaître reste insuffisant ; du point de vue qui nous occupe, Montesquieu est plus proche de Hegel que de Rousseau ; celui-ci a par ailleurs séparé explicitement les deux genres de recherche, séparation qui est inconcevable au sein de l'Hégélianisme.

La société juste sera donc bien conforme à l'ordre que véhicule toute forme de vie sociale ; mais cet ordre, actualisé diversement ici et là, n'a pas toujours été accessible ; dès l'origine, l'homme a baigné dans la vérité, mais dès l'origine aussi l'accès à cette dernière lui a été refusé ; c'est parce que ce qui a toujours été est devenu ce qu'il était que la philosophie a pu enfin s'élever au savoir véritable de l'objet. L'inachèvement ou la partialité des discours antérieurs ne sont pas le résultat d'un travail insuffisant, mais le revers de l'inachèvement de l'Etre ; et c'est du « mûrissement » de celui-ci que sortira le dépassement de cette scission du savoir et de la foi qui s'est instaurée avec le criticisme et caractérise encore, sous un de ses aspects, le monde moderne. Cet acte n'est pas le produit de la simple réflexion ; il engage tout le travail de l'histoire universelle ; et c'est dans cette connexion entre la réussite dernière du discours philosophique et le devenir même de l'Esprit que réside la nouveauté radicale de l'Hégélianisme ; trois affirmations centrales peuvent y introduire :

— La société juste sera conforme à l'Etre de ce qui est : la philosophie a pour objet le dévoilement d'un ordre que l'état rationnel met en forme.

— Cet ordre est l'objet d'un savoir qui, après s'être ouvert aux innombrables variations qui sont le fait des différentes cultures, révélera l'unité qui sous-tend cette diversité.

— Enfin, si cette lecture unique est devenue concevable, c'est que l'Esprit a approfondi son propre contenu, le temps étant nécessaire au développement de l'ensemble de ses virtualités.

C'est autour de ces thèmes que partiellement se construit l'édifice hégélien et ce sont eux qui sont exemplifiés dans le chapitre sur lequel s'achève la *Phénoménologie de l'Esprit* ; il s'intitule « Le Savoir absolu » et traite de deux questions essentielles :

D'une part, des rapports entre la Phénoménologie et la Logique ou plus précisément de la relation entre la science achevée que nous livrera la « Grande Logique », préfigurée par ce dernier chapitre, et la dialectique phénoménologique qui a été décrite dans les chapitres précédents.

D'autre part, de l'interférence entre la Science (le terme englobe ici aussi bien la face « objective » que la face « subjective » du phénomène) et la réalité à partir de laquelle elle s'est développée, l'histoire, la nature. Avec Hegel, l'homme sait et il sait absolument ; mais c'est le cours pris par l'histoire humaine, c'est-à-dire le développement effectif de l'Esprit, qui a permis qu'en un temps déterminé un homme puisse savoir et écrire la Grande Logique. Dans ce savoir, l'histoire s'achève-t-elle ? Quelle est la satisfaction qu'à travers lui le sujet atteindra ? La Science est un tout dont les moments s'engendrent nécessairement et qui participe en droit d'une perfection idéale ; mais l'existence immédiate de l'homme, être naturel, être historique, connaît-elle cette même perfection ?

C'est à cette double série de question que la description du Savoir Absolu apporte une réponse ; pour comprendre sa signification, il importe de se reporter à la préface qui définit l'objet même de la Phénoménologie :

« Notre temps est un temps de transition et de gestation à une nouvelle période (1). » L'Esprit a déjà rompu avec son monde précédent et une lente transformation s'est amorcée qui conduit à ce « lever du soleil qui en un éclair dessine en une fois la forme du nouveau monde (2) ». Mais la surgie d'une nouvelle figure de l'Esprit possède aujourd'hui un sens tout différent de celui qui a pu être le sien aux époques précédentes : Le monde romain a succédé à la cité grecque et il a été lui-même remplacé par un univers chrétien, le devenir de l'Esprit se laisse comprendre comme une longue succession de figures incomplètes qui se sont engendrées les unes les autres, se sont niées ou ont coexisté à partir de principes différents, sans que la signification de la totalité du processus soit jamais donnée.

Mais si notre temps est autre, c'est que pour la première fois cette signification *sous-jacente à tout ce qui a été* pourra être reconnue, prise pour objet même de la science. Certes Hegel ne prouvera pas ce qu'il avance dans la préface puisque cette preuve c'est la *Phénoménologie* tout entière qui l'administre. Par contre, le but ultime qui est visé sera défini sans ambiguïté aucune :

« Conduire l'individu de son état inculte jusqu'au savoir... considérer l'individu universel, l'esprit conscient de soi dans son processus de culture (3). »

Cet individu sera en possession du savoir sous sa double forme ; à travers une expérience qui lui a été propre, il aura intégré à son existence l'ensemble des moments du développement de l'Esprit, ce qui signifie qu'il sera en mesure, suivant les termes mêmes de la préface, d'appréhender le vrai non comme *substance* mais comme *sujet*.

Une telle formule imbrique phénoménologie et ontologie : il s'agit pour l'individu de dissoudre l'extériorité de l'objet chosiste, d'abolir la rigidité de la substance et de reconnaître dans ce qui est autre son œuvre propre. La *Phénoménologie* nous fait assister à cette abolition de l'extériorité ; au terme des sept premiers chapitres, l'Absolu sera atteint, visé en son contenu même, quoique sous une forme particulière, celle de la religion chrétienne. Le Savoir Absolu

(1) *La Phénoménologie de l'Esprit*, traduction Hyppolite, I, p. 12.
(2) *Ibid.*
(3) *Idem*, p. 25.

n'aura pas d'autre objet que cette religion ; mais il la pensera dans son contenu ultime, faisant disparaître du même coup toute dualité entre l'objet chosiste — en ce cas extrême Dieu — et la conscience de soi.

Mais si ce dépassement de tout dualisme est possible, c'est que la scission entre l'Etre et le discours n'est qu'un moment d'une histoire dont l'Etre seul est le véritable sujet. L'analyse phénoménologique se trouve donc directement reprise et fondée sur le plan ontologique ; car c'est l'Etre qui — au delà du jeu multiple des individualités — sera conçu comme position de soi-même et négation de cette position, comme extériorisation dans l'objet autre et dissolution de cette altérité dans le devenir du Soi.

Nous ne nous trouvons pas là devant une simple modification apportée à la métaphysique classique en tant qu'elle est régie par la définition traditionnelle de la vérité. Que l'on admette que la connaissance doive se conformer aux objets ou au contraire que ce sont les objets qui doivent se régler sur notre connaissance, on postule encore la dualité de l'Etre et du connaître, leur indifférence relative ; mais cette substance qui se donne à l'individu comme une « nature » immuable et intransformable n'est telle que parce qu'elle n'a pas encore été soumise à un traitement scientifique ; seulement, ce retard n'est pas simple accident dû à des raisons contingentes ; il n'existe que parce que le développement de l'objet n'a pas luimême atteint son terme.

Philosophiquement, Hegel reprend le problème là-même où Spinoza l'avait laissé, en situant au premier plan l'appropriation de la nature totale par l'individu ; mais dans le même temps, il rompt avec tout rationalisme qui concevrait cette appropriation comme simple travail de la pensée découvrant la loi d'un objet de prime abord inconnu ; cette loi régit la pensée elle-même puisque celle-ci n'est que le mouvement par lequel l'Etre se donne la conscience de soi. Certes les propositions spinozistes ne disaient pas autre chose : « L'amour intellectuel de l'esprit envers Dieu est une partie de l'amour infini dont Dieu s'aime lui-même (1) », mais ce double amour définissait l'essence actuelle de Dieu, de toute éternité ; c'est à cette seule condition qu'il pouvait être déduit, le moment de cette déduction étant, de ce fait, un événement contingent ; la rupture hégélienne, correspondant à une ouverture sans précédents à la réalité historique, consiste en cette double proposition :

Si l'objet n'est pas connu, c'est qu'il n'existe qu'imparfaitement.

S'il peut aujourd'hui devenir objet de savoir, c'est qu'il tend vers sa forme achevée, la marque de cet achèvement étant le savoir luimême.

(1) *Éthique*, livre V, proposition XXXVI.

La complexité d'une telle dialectique transforme évidemment la notion même d'erreur. Définir la vérité comme adéquation de l'intellect à la chose est une proposition vide de sens lorsque la non-vérité renvoie à l'inaccomplissement de l'Etre. Non certes que parler d'erreur soit un acte privé de sens ; mais il s'agit alors d'un sens technique, intérieur à un discours déjà constitué. Un jugement est reconnu comme faux lorsqu'il se révèle que le contenu qu'il vise n'est pas ; la Présence est donc la seule norme à laquelle peut se trouver confronté ce qui se dit ; mais qu'est-elle en dehors de ce discours qui la présentifie. L'Etre n'est pas ce point fixe et immuable que la réflexion seule viendrait dissocier mais dans le même temps ce que le discours fait accéder à l'existence et ce qui a permis à ce discours d'être tenu. Dans le langage la réalité se dit, mais c'est pour prendre en charge le langage lui-même.

Au delà de tout conventionalisme, le Discours — envisagé dans la totalité de ses manifestations — est moment de l'Etre lui-même. La parole n'est pas extérieure à ce qui est ; elle en est l'incarnation suprême. La dichotomie que postule toute théorie de la connaissance, au terme, se révèle illusoire. Les deux histoires, celle de la substance et celle du sujet, coïncident dans leur transformation réciproque. Tout effort pour décrire le réel comme un donné est donc nécessairement inadéquat ; il ne s'agit pas d'objectiver mais de recevoir et de réintégrer ; notre tâche n'est pas d'affirmer avec véhémence une parole particulière mais, pour la première fois, au cours de l'histoire universelle, de confronter tous les discours que l'homme a pu tenir.

Si l'inachèvement du savoir renvoie toujours à l'inachèvement de l'histoire où ce savoir prend racine, à l'incomplétude de ce dont il est savoir, la Science achevée appelle une double question : Sous quelle forme conduit-elle ce qui est à l'accomplissement ? Qu'est-ce qui, dans l'Etre, a permis qu'elle vienne à l'existence ? A cette seule condition le système sera légitimé. Ceci explique que la *Phénoménologie de l'Esprit* se développe sur un triple plan : l'appropriation de la substance, sa transformation en sujet supposent trois processus nettement distincts :

a) Parcours des figures singulières de la subjectivité qui conduit à un dépassement de la sphère de l'individualité, à une ouverture au monde de l'Esprit. C'est là l'objet des cinq premiers chapitres.

b) Parcours des figures de l'Esprit, de cet Esprit qui est « l'essence absolue et réelle qui se soutient soi-même (1) » ; elles seules sont effectivement réelles : cité grecque, monde romain, société

(1) *Phénoménologie*, II, p. 11.

féodale, révolution française, autant de moments nécessaires qui ont mené l'Esprit au terme de son développement ; les figures individuelles, évoquées plus haut, ne sont, suivant la formule de Hegel, « que des abstractions de cet esprit (1) ». C'est tout le chapitre VI.

c) Enfin parcours des discours que l'homme a tenus et à travers lesquels l'Etre dans sa totalité s'est dit.

C'est seulement au bout de ce triple mouvement que la Science elle-même devient possible, que le contenu du Savoir Absolu peut être thématisé. Et chacun de ces parcours, ayant une signification particulière, appelle celui qui lui succède.

Le premier volume de la *Phénoménologie de l'Esprit* nous décrit donc ce lent cheminement de la conscience individuelle qui la mène des apparences qui se donnent à elle au cœur du « Geist » hégélien. Ce mouvement n'a rien d'une *analyse rationnelle* pénétrant un objet extérieur ; ceci impliquerait une systématisation des résultats qui ont été acquis, par nature étrangère à une telle dialectique qui est fort éloignée de se mouvoir dans un registre scientifique. Car ce monde auquel l'individu s'oppose n'est que l'ensemble des manifestations extériorisées de sa propre activité ; la connaissance de l'objet est donc tout autant sa suppression ; et l'une et l'autre sont refonte des éléments de la chaîne dans laquelle s'insère l'existence de l'individu.

Ceci explique que cette dialectique ait de prime abord une signification négative ; elle est éprouvée par le sujet comme destruction brutale de ses propres certitudes. Ce qui se joue n'a en apparence aucune rigueur et se présente plutôt sous une forme chaotique. L'objet de l'expérience ne se donne pas comme un produit nécessaire du développement de la conscience de soi mais comme un contenu « trouvé » qui surgit sans raison, accident qui contraint, trouvaille qui oblige. C'est ici qu'on a souvent rapproché la description hégélienne de l'essentiel de l'expérience psychanalytique : ce qui surgit et qui se révélera au terme du processus être loi ultime de la conscience a ce même caractère d'étrangeté que ce que le sujet peut dire de lui-même lorsqu'il se trouve en position analytique. Aucune visée intentionnelle ne suffit à épuiser ce qui accède à l'existence. Ainsi il se révèle que l'individu n'est rien en dehors d'un ordre qu'il incarne certes, mais seulement en s'y inscrivant. Il peut certes affirmer la suffisance qui est sienne lorsqu'il change d'objet, lorsqu'il abandonne telle attitude pour telle autre ; mais il n'en dépendra pas moins de cet au-delà qui lui échappe encore. A travers la pluralité des attitudes possibles se dessine un ordre qui circonscrit les lieux à partir desquels elles deviennent intelligibles ; mais dans

(1) *Phénoménologie*, II, p. 11.

cette vérité, la conscience ne se reconnaît pas et la subit comme une loi étrangère et archaïque ; elle s'accroche alors à ce qu'elle est ou croit être ; mais c'est tout son monde qui vacille ; son inadéquation à la réalité universelle qui se construit, se dévoile dans un tel mouvement.

« Mais comme elle (la conscience) se prend immédiatement plutôt pour le savoir réel, ce chemin a alors de son point de vue une signification négative et ce qui est la réalisation du concept vaut plutôt pour elle comme la perte d'elle-même ; car sur ce chemin, elle perd sa vérité. Il peut donc être envisagé comme le chemin du doute, ou proprement comme le chemin du désespoir (1). »

Ce phénomène tragique apparaît à une pluralité de niveaux : d'une part, l'Esprit ne s'est développé qu'à travers de multiples drames individuels qui sont comme l'écume de son mouvement. C'est dans le monde romain à son apogée que le stoïcisme connaît son essor ; la conscience malheureuse suppose l'institutionalisation de la dualité propre au monde chrétien. La tragédie est alors tragédie réelle, en elle-même insoluble, puisque l'aliénation individuelle n'est que la reproduction microcosmique d'une aliénation plus totale qui est celle d'une figure incomplète de l'Esprit. L'inachèvement de la conscience de soi renvoie à son fondement l'inachèvement de l'histoire.

Mais en un autre sens, un tel processus se déroule tout entier sur une portée imaginaire ; il semble se suffire à lui-même et puiser en son contenu la force de se perpétuer indéfiniment ; c'est le cheminement de l'individu moderne qui, dans ce cas, se trouve évoqué ; celui-ci vit dans un monde en voie d'achèvement ; il peut évidemment le méconnaître et se prévaloir de sa qualité de stoïcien, de sceptique ou de chrétien ; mais de telles figures sont alors décalées par rapport à ce qui est, car le travail de l'histoire universelle leur sert de soubassement et tôt ou tard rend impossible leur maintien. Les modes imaginaires sur lesquels se vivait la conscience de soi se dissolvent alors d'être confrontées à un ordre qui outrepasse leurs certitudes, et qui se manifeste dans le fait que stoïcisme, scepticisme, christianisme sont devenus objet de mémorisation, qu'ils nous sont légués comme autant de « moments culturels ».

Ces mêmes figures, comprises dans leur réalité originale, apparaissent comme manifestation du statut tragique de la conscience singulière, incapable de forger un monde à la mesure de ses désirs et de dépasser l'aliénation présente de l'Esprit. Mais celui-ci ne s'est réduit à aucune de ses phases ; à travers la multiplicité des desseins et des tragédies individuelles, il s'est frayé une voie ; et

(1) *Phénoménologie*, I, p. 69.

ce qui vient à être dit dans le discours du philosophe, c'est que son histoire touche aujourd'hui à son terme et que la configuration de notre monde est telle que l'individu peut reconnaître dans ce qui lui est initialement donné comme extériorité la loi qui a présidé à son évolution. En ce sens, l'aliénation qui est celle de l'individualité moderne est prête à se résorber en et pour soi et à se rabaisser à un moment dépassé ; plus encore, les formes culturelles qui surgissent du passé et auxquelles je peux me référer ne sont plus enracinées dans le sol qui leur a permis de naître et de fructifier ; dire qu'elles sont de simples objets de mémorisation signifie qu'elles peuvent se convertir l'une dans l'autre, effacer leurs limites respectives, s'ouvrir sur autre chose qu'elles-mêmes.

« Dans l'esprit qui est à un stade plus élevé qu'un autre, l'être là concret inférieur est rabaissé à un moment insignifiant ; ce qui précédemment était la chose même n'est plus qu'une trace, sa figure est voilée, et est devenue une simple nuance d'ombre. L'individu, dont la substance est l'esprit à un stade plus élevé, parcourt ce passé de la même façon que celui qui aborde une plus haute science parcourt les connaissances préparatoires, implicites en lui depuis longtemps, pour s'en rendre à nouveau le contenu présent ; il les évoque sans y fixer son intérêt. L'être singulier doit aussi parcourir les degrés de culture de l'esprit universel selon le contenu, mais comme des figures déjà déposées par l'Esprit, comme les degrés d'une voie déjà tracée et aplanie ; ainsi voyons-nous dans le champ des connaissances, que ce qui, à des époques antérieures, absorbait l'esprit des adultes, est rabaissé maintenant à des connaissances, à des exercices et même à des jeux de l'enfance, et dans la progression pédagogique nous reconnaissons comme esquissée en projection l'histoire de la culture universelle. Cet être là passé est déjà propriété acquise à l'esprit universel, propriété qui constitue la substance de l'individu et qui, en se manifestant à l'extérieur de lui, constitue sa nature inorganique. La culture de ce point de vue, considérée sous l'angle de l'individu, consiste en ce qu'il acquiert, ce qui est présenté devant lui, consomme en soi-même sa nature organique et se l'approprie ; mais, considéré sous l'angle de l'esprit universel, en tant que cet esprit est la substance, cette culture consiste *uniquement* (1) en ce que la substance se donne la conscience de soi et produit soi-même son propre devenir et sa propre réflexion (2). »

L'importance de ce texte est grande dans la mesure où il caractérise l'être du monde moderne en même temps qu'il précise la

---

(1) Souligné par nous.
(2) *Phénoménologie de l'Esprit*, I, p. 26.

relation que l'individu entretient aux univers culturels antérieurs. La référence à la pédagogie ne doit pas cependant induire en erreur : la comparaison avec l'apprentissage d'une science ne peut en aucun cas être prise à la lettre ; car lorsque j'ouvre un manuel, je sais dès les premières pages que celles-ci n'acquerront leur véritable signification qu'à la fin de l'ouvrage ; il n'en est rien ici ; à tout moment la subjectivité semble avoir la possibilité de s'arrêter en chemin : après tout, pourquoi ne serais-je pas aujourd'hui stoïcien, bouddhiste ou chrétien ? Or si cela se révèle philosophiquement impossible, c'est que la relation entre chaque facies culturel légué par l'histoire et la réalité présente est telle qu'aucune coïncidence — cette coïncidence que vise le discours philosophique — n'est possible.

Il ne s'agit donc pas dans le premier livre de la seule description d'un itinéraire individuel qui rapprocherait la *Phénoménologie de l'Esprit* de ces romans d'éducation chers au xviiie siècle, mais d'une confrontation permanente entre l'Etre actuel de l'Esprit et les mondes personnels dans lesquels s'est incarnée, aux époques antérieures, la singularité de l'individu ; confrontation dont l'homme moderne est le centre et l'enjeu. Lorsque, en effet, nous nous initions au langage du stoïcien, du sceptique ou de la conscience malheureuse, nous ne sommes pas, malgré les apparences, uniquement guidés par le contenu qui est le leur ; en ce dernier cas, rien n'empêcherait qu'au hasard des rencontres, chacun s'arrête à l'un quelconque de ces mondes. Sans doute sont-ils contradictoires, source de déchirements ; mais ceux-ci sont vivables et peuvent devenir comme tels objets de jouissance : ainsi la conscience sceptique voit dans le processus par lequel s'affirme et s'instaure sa négativité la négation de sa propre réalité ; mais de ce nihilisme elle tire la satisfaction d'exister et ne tarde pas à y saisir la manifestation de son caractère exemplaire ; de même, la conscience malheureuse, sans cesse renvoyée de sa finitude à l'infinité de Dieu et inversement, échappera à l'absurdité en maintenant simultanément tous les pôles de la contradiction.

Or, si cette possibilité pour une étape déterminée de se transformer en un moment unique et privilégié était concrètement réalisable aujourd'hui, s'il était concevable que le mode imaginaire sur lequel peut se vivre la conscience de soi puisse se dissocier de façon permanente du devenir de l'Esprit, il serait vain de prétendre saisir dans le chevauchement des différentes figures l'esquisse d'une assomption dialectique. Seul subsisterait le choix entre plusieurs attitudes possibles, choix que seul justifierait « un acte existentiel libre ». Mais par définition ce n'est pas le cas : l'individu est d'emblée autre qu'il ne se dit ; et il est toujours plus qu'il n'affirme de lui-même ; car le mode sur lequel les anciens mondes sont évoqués indique que déjà l'Esprit les a définitivement dépassés ; et cela même si la subjectivité l'ignore encore :

« Avec l'existence singulière, l'au-delà est en même temps posé dans la conscience (1). »

C'est cet au-delà qui dès l'origine constitue le véritable moteur de la dialectique de la conscience de soi ; et cela parce que l'individu moderne, même lorsqu'il se reconnaît dans des figures grecques ou chrétiennes, est *présence* à la totalité de la société de son temps, en même temps que *méconnaissance* de l'essence de cette société ; cette méconnaissance ne se suffit donc jamais à elle-même ; elle est toujours renvoyée à ce qu'implique la présence. L'objet dont la conscience fait l'expérience n'est pas isolé, mais se donne dans une relation à une norme qui est à la fois extérieure à cet objet et intérieure à la conscience de soi. C'est en ce sens qu'Hegel écrit que l'objet et sa mesure tombent tous deux à l'intérieur de la conscience de soi.

« La conscience est d'un côté conscience de l'objet, de l'autre conscience de soi-même ; elle est conscience de ce qui est vrai et conscience de son savoir de cette vérité. Puisque tous les deux sont *pour elle*, elle est elle-même leur comparaison ; c'est *pour elle* que son savoir de l'objet correspond à cet objet ou n'y correspond pas. L'objet paraît, à vrai dire, être seulement pour elle comme elle le sait ; elle paraît incapable d'aller pour ainsi dire par derrière pour voir l'objet comme il n'est pas pour elle, et donc comme il est en soi ; mais justement parce que la conscience a en général un savoir d'un objet, la différence est déjà présente en elle : à elle quelque chose est l'en soi, et le savoir ou l'être de l'objet *pour la conscience* est un autre moment. C'est sur cette distinction qui est présente que se fonde l'examen. Si dans cette comparaison, les deux moments ne se correspondent pas, la conscience paraît alors devoir changer son savoir pour le rendre adéquat à l'objet ; mais dans le changement du savoir, se change, en fait, aussi l'objet même, car le savoir donné était essentiellement un savoir de l'objet. Avec le savoir, l'objet aussi devient un autre, car il appartenait essentiellement à ce savoir. Il arrive donc à la conscience que ce qui lui était précédemment l'en soi n'est pas en soi, ou qu'il était seulement *en soi pour elle*. Quand la conscience trouve dans son objet que ce savoir ne correspond pas à cet objet, l'objet non plus ne résiste pas ; ou la mesure de l'examen se change si ce dont elle devait être la mesure ne subsiste pas au cours de l'examen ; et l'examen n'est pas seulement un examen

_____

(1) *Phénoménologie de l'Esprit*, I, p. 71.

du savoir, mais aussi un examen de son unité de mesure (1). »

C'est que la dualité entre l'Esprit et ce qu'il connaît, inscrite au cœur de la dialectique phénoménologique comme de toute connaissance, se résorbe dans la mesure où l'objet n'est que la forme extériorisée de l'Esprit ; le changement du savoir qui s'ajuste à une réalité autre est aussi bien transformation de cette réalité qui s'élève à la propre connaissance d'elle-même.

Lorsque l'individu moderne s'affirme donc aujourd'hui tel ou tel, bouddhiste, chrétien ou platonicien, c'est sur le plan « idéologique » que de telles pensées doivent être comprises ; la critique phénoménologique consiste justement à mettre en évidence le décalage entre ce qui s'y dit et l'être même de l'esprit ; ce décalage est directement éprouvé par la subjectivité chaque fois qu'elle s'abandonne à telle ou telle figure ; et parce que celles-ci n'épuisent pas sa réalité, elle s'en détache, la finalité véritable qui la régit n'apparaissant qu'au terme du parcours. La substance peut donc bien se donner comme l'envers de la subjectivité et prendre l'apparence d'un donné naturel rigide, intérieurement elle vit de la vie même de l'individualité agissante. Ce que l'individu s'approprie, c'est l'ensemble des univers spirituels que l'activité humaine a fait accéder à l'existence. Il ne s'agit donc pas seulement de connaître mais de retrouver. Ce que l'homme a fait, il ne le sait pas encore, mais parce qu'il l'a fait, il ne peut pas, il ne pourra jamais se réduire à ce qu'il sait. A travers les progressives transformations de sa science, la conscience accède à la compréhension de la dimension historique qui la régit.

Le second parcours, celui que décrit le chapitre VI, suppose qu'une telle dimension a été acceptée et que l'histoire peut, pour sa part, devenir objet de savoir ; dans la substance, l'individu s'est reconnu, il peut maintenant y lire le travail du négatif ; et les étapes de son évolution passée, toutes marquées du sceau de l'individualité, vont maintenant s'articuler à un autre registre : jusqu'alors ce n'était pas le mouvement de l'Esprit qui avait été décrit, mais ce qui de ce mouvement affleurait à la conscience ; la transformation des figures les unes dans les autres n'était pas réelle, la fluidité de la subjectivité s'opposant ici à la lenteur et aux difficultés du travail de l'histoire. Il en découle qu'il ne peut pas y avoir de rigoureuse correspondance entre l'un et l'autre plan : la conscience malheureuse n'est pas le christianisme, mais l'une des formes de l'intériorisation de l'univers chrétien ; de même, la dialectique du maître et de l'esclave ne recouvre nullement les oppositions réelles entre maîtres et esclaves qui traversent toute l'histoire universelle ;

(1) *Phénoménologie de l'Esprit*, I, p. 74, 75.

dans ce dernier cas, dominants et dominés, consciences nobles et consciences serviles se trouvent caractérisés socialement, culturellement, un contenu se faisant progressivement jour à travers un tel conflit : l'affrontement des consciences de soi, l'exigence de reconnaissance qui surgit de leur rencontre, l'acceptation du risque ultime : la mort au cours de cette lutte, et la différenciation des deux figures en maître et esclave ne peuvent donc pas être compris comme moments de la genèse de la société humaine. Certes, si on admet comme Rousseau qu'à l'origine seuls aient existé des individus isolés, il est possible que cela se soit passé de cette manière ; mais c'est une hypothèse que Hegel ne prend pas en considération ; par ailleurs, tout ce qu'il écrit de l'Esprit, entité réelle qui est première par rapport à toutes les spécifications individuelles qui peuvent intervenir, exclut que du premier au second parcours une quelconque antériorité chronologique ou logique puisse être introduite. C'est parce que le développement de l'Esprit a atteint un certain stade de développement qu'il est possible à la conscience singulière de puiser dans la matière qui lui est ainsi donnée afin de signifier sa propre existence :

« L'esprit est alors l'essence absolue et réelle qui se soutient soi-même. Toutes les figures antérieures de la conscience sont des abstractions de cet esprit. Elles sont du fait que l'esprit s'analyse, distingue ses propres moments et s'attarde aux moments singuliers. Cette action d'isoler de tels moments *présuppose* l'esprit et *subsiste* en lui ; ou elle existe seulement dans l'esprit qui est l'existence. Ces moments ainsi isolés semblent bien *être* comme tels, mais leur progression et leur retour dans leur fondement réel et leur essence révèlent qu'ils sont seulement des moments ou des grandeurs évanouissantes, et cette essence est justement ce mouvement et cette résolution de tels moments (1). »

Parler de robinsonnades comme le fait Georg Lukacs (2) apparaît donc comme une remarque peu adéquate : ce qui se trouve engendré, une fois achevé le périple de la subjectivité, ce n'est nullement la société réelle, l'Esprit, mais la possibilité de s'élever à la connaissance de ce dernier. Les attitudes qui ont permis d'en arriver là sont autant de « modèles » au moyen desquels la conscience peut vivre et penser sa relation à l'extériorité ; chacune de ces attitudes indique que l'écart entre l'intérieur et l'extérieur n'a pas été résorbé mais au terme se dévoile l'unité de l'être en soi et de l'être pour soi, le nouveau sujet ainsi posé ayant en son sein surmonté la dualité.

(1) *Phénoménologie de l'Esprit*, II, p. 11.
(2) Cf. Georg LUKACS : *Der Junge Hegel*. Tout le chapitre sur la *Phénoméno-logie*.

On aperçoit le chevauchement des plans qu'implique la dialectique phénoménologique ; l'amorce en est la scission entre l'individu et son monde, entre la conscience et l'objet qui lui fait vis-à-vis, entre la pensée et ce qu'elle pense. Cette scission doit d'abord se comprendre comme un événement historique. Certes, elle a de tout temps existé virtuellement mais comme le déclare l'*Esthétique*, la culture moderne a porté à son apogée une telle opposition ; le projet phénoménologique ne se conçoit qu'en ce temps de crise, mais en même temps la matière qui sert de support à une telle dichotomie dépasse par son ampleur toute spécification temporelle. Car si notre temps a exacerbé la rupture, la forme de cette dernière dépend de la nature même de ce qui s'est ainsi divisé en une face subjective et une face objective.

La progression se fera donc à plusieurs niveaux ; avant que ne se révèle leur identité finale, le rapport entre la subjectivité et ce qui lui est substance peut être triple : primat de l'objet sur lequel le sujet se règle ; transformation de l'altérité en un simple corrélat de la position de la conscience de soi, laquelle réalise à son niveau propre l'identité du savoir et de l'objet ; enfin, maintien simultané des deux réalités et de leur différence ; à quoi correspond la division en conscience, conscience de soi et raison : l'ensemble des possibilités logiques se trouve ainsi parcouru ; sur le plan formel, le discours hégélien ne laisse rien en dehors de lui-même. Qu'en est-il du contenu ? L'objet extérieur présente deux caractéristiques essentielles : il est multiple et hétérogène et se donne sous une double forme, explicite et implicite.

Cette multiplicité va de soi : elle correspond à la fois au formalisme propre du découpage que le sujet opère — en ce sens tout être : pierre, table, être vivant, homme, œuvre d'art, peut être traité comme un objet quelconque qui est senti, perçu, conceptualisé, etc... — et à la pluralité des ordres qui permet de distinguer plusieurs paliers : de la nature inanimée au monde de la vie, de celui-ci à la culture, il existe une succession de plans dont la fusion seule définit la vie de l'Esprit. Ainsi en fonction de cet étagement se trouve circonscrit un ensemble de rapports possibles à l'extériorité, celle-ci se donnant explicitement dans sa diversité ; mais en même temps, chaque fois que le sujet s'efforce de penser ce qui lui est autre, c'est encore à cet autre qu'il a recours car, sans même le mesurer pleinement, c'est dans l'univers substantiel qui l'environne qu'il puise les concepts, les expériences, les théories qui lui permettent de penser et de vivre l'étrangeté initiale ; certes, il ne s'agit pas d'une similitude rigoureuse : car la vie peut être pensée en termes empruntés aussi bien à la mécanique qu'à la théologie ; mais considéré dans sa totalité, le processus laisse apercevoir une équivalence de ses deux aspects antithétiques. Ce ne sont d'ailleurs pas seulement les concepts qui sont ainsi déplacés, mais la forme même des relations : en principe la sensation, la perception, l'entendement définissent autant de modes de connaissance de l'objet conçu comme réalité physique ; mais l'échelle ainsi choisie n'est pas la seule possible : ce qu'instaure la sensation dans le domaine sensoriel se transpose sans difficultés dans les champs religieux, esthétique, philosophique (1). Ainsi la lecture de la *Phénoménologie de l'Esprit* relève d'une double grille : les objets de l'expérience s'y succèdent suivant un ordre qui est significatif : autrui, la culture comme telle n'interviennent pas avant la seconde partie du premier livre ; mais en même temps, le type de relation à l'objet que met en œuvre chaque figure peut s'appliquer à toutes celles qui lui succéderont. Cependant, c'est dans la mesure où l'inverse n'est pas vrai que nous ne sommes pas plongés en pleine synchronie et qu'il est normal de parler de progrès phénoménologique.

C'est cette identité de l'objet et des moyens de le penser qui rend compte de la synthèse finale ; celle-ci n'est accessible que lorsque rien n'est demeuré en dehors du champ ainsi parcouru ; tout alors se redispose autrement : et ce qui se donnait antérieurement comme inertie à surmonter se trouve maintenant animé d'un dynamisme primordial qui le définit comme son propre auto-devenir. C'est l'esprit lui-même dont l'histoire peut alors être retracée : ainsi le chapitre VI nous conduit-il de la cité athénienne à la révolution française et à l'état napoléonien.

Il ne s'agit pas cependant d'histoire au sens précis du terme, ni même de Philosophie de l'Histoire. Les leçons sur la « Philosophie de l'Histoire » ne sont pas la « Phénoménologie de l'Esprit » ; en s'arrachant à elle-même, la conscience de soi a reconnu dans ce qui lui était le plus extérieur son être le plus intime ; et dans l'immense variété de formes que le temps a déposées et sédimentées, elle a reconnu le travail de l'Esprit s'auto-réalisant, développant l'ensemble de ses virtualités ; en reprenant les étapes d'un tel chemin, c'est sa propre réalité qu'elle reconstitue, déchiffrant d'un bout à l'autre d'un tel enchaînement la présence de significations maîtresses qui viennent maintenant à être dites. Mais du même coup, le problème se renverse ; car ce qui doit être plutôt compris, c'est :

Pourquoi ayant toujours été ce qu'il est, l'Esprit a pu être méconnu ?

----

(1) Dans son *Introduction à la lecture de Hegel*, Alexandre KOJÈVE a donné une série d'équivalences pour chacune des trois phases de la section « conscience ».

Pourquoi aussi cette méconnaissance semble aujourd'hui pouvoir être dépassée ?

C'est à cette double interrogation que répond l'évocation de certaines phases privilégiées du développement de l'Esprit. Le choix opéré (des faits fondamentaux sont à peine mentionnés, alors qu'une importance considérable est attachée à des figures qui ne semblaient pas au premier abord la mériter) ne se justifie que dans la mesure où seuls sont retenus les contenus directement liés au problème posé.

La première question ne fait pas de difficulté : le gland n'est pas le chêne ; le concept n'est pas le tout ; dès l'origine, l'Esprit est son propre concept, mais « aussi peu un édifice est atteint quand les fondements en sont jetés, aussi peu ce concept du tout qui est atteint est le tout lui-même (1) ». Dès l'origine, l'Esprit porte en lui toutes ses virtualités, mais seules certaines d'entre elles se trouvent développées ; il en découle de profondes dissymétries qui voilent la véritable nature de ce qui est.

La réponse à la seconde question découlera donc normalement de celle qui a été apportée à la première ; c'est dans la mesure où un état universel est en voie de réalisation (2), état dont les institutions rendent immédiatement sensible l'être même de l'Esprit, que la dialectique de l'individualité s'appropriant l'extériorité peut toucher à sa fin, son mouvement se révélant être aussi celui par lequel l'Esprit qui a posé l'altérité et ne sait plus qu'il en est l'origine se donne la conscience de soi.

De quoi dépend cette universalité : de l'actualisation de tout ce dont le concept de l'Esprit était le porteur ; cette actualisation terminée, les diverses formes de la réalité sociale s'ordonnent les unes par rapport aux autres en fonction de ce qu'elles sont et non plus du vide qu'elles viennent combler.

On comprend alors que chacune des périodes historiques analysées par la *Phénoménologie de l'Esprit* corresponde à un type possible de dissymétrie. Ainsi en est-il par exemple de la cité grecque. La Polis antique apparaît en effet comme le premier effort d'universalisation d'une communauté humaine qui, en cherchant à s'arracher à l'immédiateté de la vie naturelle, essaiera de rendre l'existence conforme aux lois mêmes de la Raison. Si cependant une telle tentative ne réussit pas, c'est que le concept de la nouvelle organisation politique ne peut devenir réalité ; et cela parce que l'état naissant se brise contre l'institution familiale dont il est sorti après un processus douloureux ; en cette institution se

---

(1) *Phénoménologie de l'Esprit*, I, p. 13.
(2) C'est toute l'œuvre hégélienne qui permet une telle affirmation. Dans la *Phénoménologie de l'Esprit*, cet état est rattaché à l'état napoléonien, dans la *Philosophie du Droit* à l'état prussien ; mais il n'est évidemment ni l'un, ni l'autre.

concrétise le principe de la subjectivité qui demeure extérieur à la sphère de l'activité politique et en constitue la limite permanente. C'est ce conflit qu'illustre l'*Antigone* de Sophocle que Hegel reprend et analyse avec précision ; en se tenant à la formulation qui est la sienne, il serait possible de dire que l'histoire de la cité telle qu'il la conçoit se déploie entre l'*Orestie* d'Eschyle, tragédie construite autour du passage de la loi divine à la loi humaine, du droit coutumier au droit écrit, des actes fondés sur l'appartenance au même sang à ceux découlant des normes abstraites de l'organisation politique, et l'*Antigone* où la puissance du pouvoir vient se briser contre la décision qu'a prise une jeune fille de ne pas accepter pour valeurs suprêmes les différenciations qui sont celles de la lutte des hommes et des États.

L'*Orestie* décrivait la fin du conflit opposant les membres des grandes familles royales, conflit toujours renaissant et toujours semblable à lui-même, en fonction des données qui lui servent de base. *Antigone* révèle que cet ordre archaïque garde encore son poids et qu'aucune contrainte, aucun recours justifié à la raison d'État ne peut en triompher. C'est la signification accordée à la mort qui est l'enjeu de cet antagonisme : en un sens, la mort de tout membre de la cité est un événement contingent qui surprend celui qui est engagé dans la lutte politique et sociale ; elle demeure extérieure à cette lutte, n'en modifie ni son contenu, ni les critères d'appréciation à laquelle elle est soumise ; mais en un autre sens, moment du devenir de la famille, une telle mort est l'image d'une nécessité qui l'outrepasse ; recueillie et acceptée, elle est ainsi sacralisée, devenant le maillon d'une chaîne intemporelle face à laquelle l'histoire perd ses droits. L'Homme peut bien alors être citoyen, travailler au bien de la cité, risquer sa vie en défendant l'État ; en profondeur il n'appartient pas à ce monde. Ce sont ses apparences qu'il abandonne à la vie publique ; quoi qu'il arrive, son lieu spirituel n'est pas là mais au sein de sa famille qui recevra son corps et épurera sa mort de tout ce qu'il peut y avoir en elle de secondaire — mort pour telle ou telle cause, de telle ou telle manière, contre tels ou tels ennemis — pour la rattacher directement à cette continuité ontologique qu'instaure le culte des ancêtres. Or l'homme ne définira son humanité en construisant une communauté rationnelle que lorsqu'il verra dans ses actes et la valeur qui leur est attachée la seule forme de son existence ; mais il importe peu à Antigone qu'Etéocle se soit battu pour défendre la cité et que Polynice ait été le chef de la sédition : l'un et l'autre sont ses frères et ont droit à une sépulture conforme à leur être.

Entre les deux principes, l'un représenté par Créon, l'autre par Antigone, il n'est évidemment pas question de prendre parti ; car du moment qu'une telle division est donnée, ce n'est pas par le choix de l'un des deux pôles qu'elle pourra se trouver réduite. De fait, ce sont les bouleversements intervenus au sein même du monde de la culture qui, en un temps déterminé, rendront inactuel le heurt d'Antigone et de Créon. Mais à son évocation dans la *Phénoménologie de l'Esprit* correspond dans la *Philosophie du Droit* l'analyse de la place et de la fonction de la famille au sein de l'État rationnel.

Ainsi, de figure en figure, à travers le processus de formation qui est le sien, l'Esprit s'achemine vers la conscience de son être propre. Le Savoir Absolu n'aura pas d'autre objet que la matière ainsi déployée ; mais il lui fera subir une nouvelle mutation. Cette connaissance ultime sur laquelle s'achève la *Phénoménologie de l'Esprit*, un troisième parcours l'annonce, celui des discours que l'homme a tenu pour signifier sa condition. Art, religion, philosophie (1) sont alors saisis dans leur engendrement réciproque ; et de l'un à l'autre s'instaure un jeu entre les similitudes et les différences ; celles-ci sont données d'emblée : chaque discours s'est voulu plus ou moins exclusif, plus ou moins ignorant des autres ; il a recouru à des moyens d'expression particuliers, a visé ce que les autres avaient ignoré ; dans ce monde, la guerre des Dieux semble la seule loi. Mais aujourd'hui, s'arrêter à cette constatation participe de l'illusion ; car sous la diversité des langages, qu'il s'agisse de Dieu, de la Nature ou du Concept, il faut reconnaître la permanence de l'Esprit ; dans chacune de ces formes, celui-ci s'est dit tout entier ; et c'est cela qui maintenant vient à être su. Mais pour que cela soit, il a fallu que tout ce qui demeurait d'implicite dans le surgissement de la première figure de l'Esprit s'actualise dans l'histoire (2). La circularité est un critère à la fois logique et ontologique qui outrepasse toute technique de la vérification ; c'est en la rencontrant que la pensée sait qu'elle a épuisé son objet ; mais cette pensée n'est elle-même possible que dans la mesure où l'Esprit n'a rien laissé de ce qu'il était, hors de lui-même ; c'est aux trois niveaux précédemment envisagés, que la référence au cercle s'impose.

Ainsi la dialectique dont l'individu s'est trouvé être simultanément la proie et le moteur doit avoir parcouru la chaîne de toutes les attitudes qui se profilent au sein du champ culturel qui nous est

---

(1) C'est aux diverses formes prises par la religion qu'est principalement consacré ce chapitre ; car celle-ci est bien, à la différence de la philosophie toujours plus privée, l'incarnation « idéologique » essentielle de l'esprit d'un peuple.

(2) C'est la connaissance du supérieur qui permet celle de l'inférieur, écrira Marx ; ce qui signifie que ce qui est n'est pas pensable à tout moment, mais doit d'abord avoir atteint un certain degré de développement. De fait, cet axiome reste l'un des fondements de toute connaissance ; car je ne peux conceptualiser l'objet que si un nombre suffisant de ses variantes m'est donné, me permettant d'ordonner l'ensemble de ses éléments constituants.

donné ; l'ensemble en est fini : ce qui signifie qu'en leur principe évidemment et non pas dans leur contenu et le détail de leurs formulations, il n'est pas d'autre figure de la subjectivité qui soit concevable ; non que la conscience singulière ne conserve pas l'intégralité de ses droits ; elle peut s'en tenir à des moments que le discours du philosophe a intégrés ; elle peut reformuler en un langage nouveau son rapport à la substance. Mais ce qui est impliqué par la construction hégélienne c'est que tout ce qui surgira ultérieurement à son édification ne sera compréhensible qu'en utilisant les catégories qu'elle met en œuvre. Et cela à un double niveau :

La texture logique des nouvelles attitudes sera identique à celle de la matière déjà recensée ;

L'intention qui leur est sous-jacente ne sera compréhensible que par référence au savoir ultime dont est dépositaire le philosophe hégélien.

Dans une telle perspective, les enjeux ultérieurs qui peuvent se faire jour supposent non seulement l'existence d'un tel système mais la reconnaissance plus ou moins explicite de la validité des thèses centrales de la *Phénoménologie de l'Esprit*. Ainsi en est-il, par exemple, de l'œuvre de Kierkegaard : car les problèmes qui sont les siens — Comment peut-on être chrétien ? Quel est le paradoxe insurmontable qu'implique l'existence du Christ ? — n'ont de sens que lorsqu'on ajoute : après qu'un homme a écrit qu'il avait atteint le Savoir Absolu, en faisant de la religion chrétienne la dernière étape sur le chemin ainsi emprunté. La circularité hégélienne ne signifie pas un terme mis à la création, mais la reconnaissance définitive, indépassable de la nature de cette création.

La difficulté se posera dans les mêmes termes dans le domaine historique ; il s'agira alors de comprendre la relation entre la dernière figure de l'histoire et l'écoulement temporel. Se référer à un tel achèvement ne signifie pas en effet qu'avec lui se clôt le devenir, mais qu'il n'est pas d'autre cadre concevable pour l'histoire qui se poursuit que celui mis en évidence au terme du parcours. L'Esprit s'est enfin reconnu ; il connaît son infinie puissance et a su retrouver dans la substance extériorisée le signe de sa propre volonté. C'est de cette réalité que l'État rationnel fait son principe et sa raison d'être (1) ; son histoire se confond avec l'actualisation progressive de ce qui lui sert de fondement.

_____

(1) Sur ce point, Hegel et Marx diffèrent peu : dans l'un et dans l'autre cas, en un temps déterminé, l'homme parvient à mettre à jour la racine de sa condition. Alors s'amorce un processus d'appropriation qui se présente sous une double forme : intériorisation de tout ce qui jusqu'alors était abandonné à l'extériorité, assomption de ce qui constitue l'essence humaine, à savoir le travail, la négativité. Chez Hegel comme chez Feuerbach et chez Marx, le monde moderne est caractérisé par un renversement absolu.

On aperçoit alors la signification qui doit être accordée à la troisième reprise : ce qui se trouve aboli par le discours hégélien, c'est le sacré, c'est-à-dire tout mode privilégié, exclusif, de dévoiler la vérité, d'accéder au sens dernier de l'Etre. Le Savoir Absolu rompt avec un tel particularisme : ce que sait le philosophe, c'est que tout discours s'est cru, dans la mesure où il visait un objet autrement nommé, différent des autres ; le discours qu'il tient n'a, pour sa part, aucune spécificité de ce type : il est d'abord ordination de la totalité des univers culturels que l'homme a forgés, et au travers d'une telle mise en équation, compréhension de ce fait primordial : chacun d'entre eux a articulé une problématique similaire, laquelle ne peut être saisie dans sa pureté qu'à travers les langages qui lui ont donné existence. C'est dans le Discours que l'Etre s'achève : si Hegel refuse toute forme de panthéisme et d'intuitionnisme, si il dépasse toute référence à la simple rationalité scientifique approfondissant normalement ce qui est, c'est que l'Etre porte primordialement la marque du concept; aucune relation immédiate ne peut donc y conduire. La Philosophie est nécessairement histoire, c'est-à-dire confrontation systématique de l'ensemble des réponses que l'homme a pu apporter dans la mesure où ce que l'Etre est se trouve à jamais inséparable de la manière dont l'Etre s'est dit.

C'est à la confluence de l'ensemble de ces questions que s'amorce le dernier chapitre de la *Phénoménologie de l'Esprit* portant sur le savoir absolu ; ses deux versants s'ordonnent en fonction de cette exigence de légitimation.

Dans le Savoir, l'Esprit a clos son développement en figures, car un tel mouvement suppose que l'extériorité n'a pas encore été abolie, que l'opacité de la substance demeure ; la dernière figure, en rendant possible un retournement complet de perspective, marque le dépassement de toute anthropologie : jusque-là, il y avait toujours, pourrait-on dire, un dedans et un dehors ; et l'histoire n'était rien d'autre que leur dialogue permanent. Mais la notion même de leur transformation réciproque se trouve profondément modifiée lorsque c'est leur unité qui est posée comme le terme premier : le Soi, synthèse de l'Etre et du discours, de l'Essence et de l'Apparence, apparaît alors comme le véritable sujet de ce qui s'est donné comme odyssée de la subjectivité ; en son contenu, il sera l'objet de la « Philosophie de la Nature » et de la « Philosophie de l'Esprit » en sa forme de la « Science de la Logique » ; celle-ci traite de l'Esprit ou de la Nature ; mais l'un et l'autre ne se présentent plus comme figures ou comme êtres déterminés, mais comme concepts. Décrivant le rapport du vivant à son milieu, du maître à l'esclave, de l'entendement au monde des lois, la pensée épouse le mouvement du contenu et le suit dans ses moindres variations ; mais les relations introduites entre les êtres, les concepts utilisés à cet effet peuvent eux-mêmes devenir objet de traitement.

« J'ai essayé, dans la *Phénoménologie de l'Esprit*, de décrire la conscience. La conscience est l'esprit, en tant que savoir concret, mais engagé dans l'extériorité. Mais le développement ou progression de ce sujet repose uniquement, comme le développement de toute vie naturelle ou spirituelle, sur la nature des *essentialités pures* qui forment le contenu de la Logique. La conscience, en tant qu'esprit phénoménal, qui se libère, à mesure qu'elle suit son chemin, de son immédiateté et de sa concrétion extérieure, devient savoir pur qui prend pour objet ces essentialités pures elles-mêmes, telles qu'elles sont en soi et pour soi. Elles sont les pensées pures, l'esprit qui pense, son essence. Leur mouvement spontané constitue leur vie ; c'est grâce à lui que se constitue la science qui en est pour ainsi dire l'exposé et la représentation (1). »

Sur le plan phénoménologique, la juxtaposition et l'hétérogénéité des différentes modalités de la conscience se résorbaient dans le mouvement du savoir ; elles n'en perdaient pas pour autant leur distinction : le scepticisme n'est pas le stoïcisme et aucune confusion ne sera jamais possible. Mais sur le plan où se meut la Logique, de telles oppositions n'ont plus cours ; car les essentialités pures qui deviennent maintenant objet d'élucidation ne se trouvent définies que par l'ensemble des relations qu'elles entretiennent entre elles : que telle doctrine se centre autour de la recherche de l'Etre alors que telle autre privilégie toute expérience du Néant implique qu'un écart difficilement franchissable les sépare, elles ne surgiront pas au même moment de l'histoire du monde, feront appel à des expériences, à des techniques qui se recoupent difficilement ; mais si les réalités s'opposent, les catégories qu'elles mettent en œuvre, dégagées de leur gangue sensible, se donnent sous une forme nouvelle. Telle est la signification de l'identité de l'Etre et du Néant affirmée dès les premières pages de la Science de la Logique.

L'aperception du réel se réorganise donc en fonction des lois qui président au développement et à l'enchaînement des purs concepts ; de même s'inverse le rapport entre catégories et histoire. Si chaque figure de l'Esprit apparaît maintenant comme réalisation d'un ordre logique qui demande à être envisagé à son propre niveau, ce n'est pas parce que, comme on le dit trop souvent, l'idéalisme hégélien déduirait le devenir réel des sociétés humaines du mouvement du concept. Ce n'est qu'à la fin de ce devenir que peut s'opérer le

---

(1) *Science de la Logique* (traduction Jankélévitch), tome I, p. 9.

renversement qui marque le primat reconnu à la logique. Ce devenir a une forme qui n'est pensable qu'intégré au système total des
formes ; et celui-ci reconstruit se donne comme l'ensemble des
normes auxquelles nécessairement obéit tout ce qui est.

Entre le système pris globalement et une quelconque existence
empirique, le rapport est celui du possible au réel ; mais dès l'origine, l'Esprit inclut en lui la gamme complète des possibilités ; et
si l'histoire en est le développement, chaque figure se trouve dans
une position identique, virtuellement présente à tout ce qu'elle ne
reconnaît pas explicitement : « Une seule déterminabilité est domi-
nante, tandis que les autres y sont seulement présentées en traits
effacés. » Il y a comme un syncrétisme de l'Esprit qui fait qu'à
chaque moment il est tout entier lui-même et contient ce qui explicité serait sa propre négation. C'est pourquoi Hegel écrit que l'Esprit
« a incarné dans chaque forme, pour autant qu'elle le comportait,
le contenu total de soi-même ». Mais en un autre sens, chacune
de ces formes est négation de ce même syncrétisme. Ce n'est que
lorsque toutes les possibilités sont devenues réalités que le contenu
du concept de l'Esprit peut être saisi dans son intégralité et devenir
objet de savoir.

Ainsi l'identité affirmée entre le concept et le temps acquiert
toute sa signification ; elle conduit directement au second ordre de
problèmes, ceux qui ont trait aux rapports entre la Science et
l'Histoire, ou, suivant les termes qu'emploient à ce propos les dernières pages de la *Phénoménologie de l'Esprit*, entre la nécessité et
la contingence.

La Science en effet ne peut pas être seulement science. Le Savoir
Absolu a été rendu possible par le prodigieux labeur de l'Histoire
universelle ; à cette histoire, il entretient un double rapport :

— il en est le produit et ce qui en son registre propre se présente
comme ordination rigoureuse des concepts, suppose toute une
épaisseur temporelle, marquée du travail du négatif ;

— il en change la configuration, au moment où il surgit, puisque
pour la première fois le discours que le philosophe tiendra sera
effectivement homogène au champ total des significations.

Mais la profondeur de ces liens n'exclut pas la persistance d'un
hiatus entre l'un et l'autre plan, hiatus que Hegel a clairement
aperçu ; ce qui rend compte des résonances tragiques des dernières
pages de la *Phénoménologie de l'Esprit* et de la soudaine apparition
de la notion de sacrifice.

Ne m'est-il pas en effet à jamais impossible d'actualiser en mon
existence présente la totalité des moments du devenir de l'Esprit ;
je suis membre d'une société particulière participant d'une certaine culture et entre cette incarnation contingente qui est celle de

tout homme, serait-il membre de la communauté universelle en voie d'instauration, et le Savoir total qui est mien, se fait jour un non-recouvrement que la mémoire me permet bien de penser mais qui ne peut jamais être réellement surmonté.

L'Homme sait mais pour cela il n'en reste pas moins être naturel — et ce rapport à la nature parce qu'éternel apparaît comme la limite du savoir, son négatif, ce qu'il ne peut abolir — et sujet historique réel, membre d'une communauté déterminée qui possède sa vie propre, exclusive de toute autre. Certes, l'instauration de cette communauté est la condition même de la science ; aussi Hegel écrira-t-il que si l'histoire est aliénation de l'être dans le temps, elle est aussi bien la suppression de cette aliénation ; lorsque le devenir touche à son but, l'esprit sait intégralement ce qu'il est ; il a pu, au delà de la configuration de l'être là, c'est-à-dire des manifestations de son existence déterminée, prendre pour objet de savoir sa propre profondeur. Mais cette concentration de la pensée, inversement, ne peut pas laisser hors d'elle-même la diversité sensible : la transformation de la substance en sujet n'est pas simple connaissance mais appropriation réelle, pratique autant que théorique, de l'extériorité. La chouette de Minerve ne se lève qu'au crépuscule ; le discours du philosophe n'abolit l'inégalité de l'intérieur et de l'extérieur que dans la mesure où a déjà disparu l'opposition entre le maître et l'esclave ; et cela que ce maître soit humain ou divin ; la réussite du savoir suppose la transparence du monde ; et de l'une à l'autre le renvoi est permanent. Le retour à l'immédiateté de l'être là est donc une démarche constitutive de la science elle-même ; mais c'est aussi une démarche qui ne peut jamais être totalement remplie puisque ce monde auquel on retourne est nécessairement limité, participant à jamais de la fragilité de l'événement.

Toute figure est le produit des précédentes, mais elle ne livre pas dans son extériorité le parcours qui l'a rendue possible ; c'est au delà de ce qui est que l'ordre dernier pourra se dévoiler. Dans le système de la science, l'infinité de l'esprit vient se déposer ; mais cette infinité, seule la pensée saura la mesurer ; et ceci impliquera le parcours sans trève de la chaîne des médiations, l'abandon à la dispersion temporelle, toujours niée et toujours renaissante. Cette immédiateté, pourtant, d'autres l'ont connue et l'ont vécue ; c'était celle du mystique, du croyant, de l'inspiré qui se réfèrent à ce qui est, en se situant au delà du langage ; c'est encore celle du Sage qui en une dernière illumination s'arrache à la succession des raisons pour éprouver directement la vérité de l'Etre, s'opposant à la totalité des *doxai.* Plus encore, tous les discours pré-hégéliens sont sous des formes diverses de ce type et chaque culture s'est comprise comme détenant une vérité essentielle que toutes les autres ont méconnue. Mais dans chacun de ces langages, le philosophe a reconnu une interrogation identique ; sa réflexion s'est, de ce fait, située sur un plan où peut s'articuler la totalité des discours que l'homme a tenus.

Une certaine immédiateté de l'objet s'en trouve à jamais impossible ; et entre ce que je sais et ce que je suis s'instaure un décalage définitif. Aussi l'Absolu est-il mémoire et non présence, souvenir et non existence. C'est en se souvenant que l'esprit arrive à se connaître lui-même comme Esprit : mais cette « recollection » du passé est savoir et non vie. L'altérité des autres figures de l'Esprit est bien abolie puisque je les comprends et y reconnais mon propre devenir ; mais non pas — pourrait-on dire en allant au delà du texte de Hegel — leur étrangeté. De fait, si je me souviens de l'homme grec et de l'homme romain, je ne suis moi-même ni l'un ni l'autre, et ignore par exemple cette immersion au sein de la vie naturelle qui a été celle du premier. Ce que je sais imprime à mon existence une réalité particulière qui la distingue de toutes les autres.

L'Esprit se connaît dans sa profondeur, mais il n'existe que sous une des formes possibles qu'il peut prendre ; cette forme est particulière et se sait telle. Nécessité du savoir, contingence de l'histoire s'imbriquent réciproquement, le passage de l'un de ces pôles à l'autre définissant la situation qui est nôtre.

« Le but, le savoir absolu, ou l'esprit se sachant lui-même comme esprit, a pour voie d'accès la recollection des esprits, comme ils sont eux-mêmes et comme ils accomplissent l'organisation de leur royaume spirituel. Leur conservation, sous l'aspect de leur être là libre se manifestant dans la forme de la contingence, est l'histoire, mais sous l'aspect de leur organisation conceptuelle, elle est la science du savoir phénoménal. Les deux aspects réunis, en d'autres termes l'histoire conçue, forment la recollection et le calvaire de l'esprit absolu, l'effectivité, la vérité et la certitude de son trône, sans lequel il serait la certitude, sans vie ; seulement

« Du calice de ce royaume des esprits
Écume jusqu'à lui sa propre infinité (1). »

Les textes où Marx critique l'œuvre de Hegel sont nombreux et datent des différentes périodes de sa vie ; dans la plupart des cas cependant, ces critiques sont épisodiques : ainsi en est-il par exemple des remarques sur la Logique Dialectique qui ouvrent le *Capital*. Marx ne reprend pas la problématique hégélienne ; il la suppose connue et transplante certaines de ses thèses essentielles dans un

(1) *Phénoménologie de l'Esprit*, II, p. 312-313.

autre domaine en leur faisant subir une transformation plus ou moins importante. Une telle méthode est lourde de difficultés ; car que deviennent les parties d'un système séparées de l'ensemble qui les porte ; les concepts de contradiction, de totalité, de néga-tion de la négation sont légitimés par l'ensemble du discours que tient le philosophe ; refuser cette légitimation tout en appliquant les catégories qui lui sont liées à la diversité empirique reste une entreprise fort délicate. Les avatars ultérieurs des fameuses lois de la dialectique s'expliquent en partie par le fait que le problème n'a pas été posé, dès l'origine, dans son intégralité. Il est pourtant deux ouvrages où Marx a confronté directement ses propres positions à celles de son maître ; ce sont les *Manuscrits économico-philosophiques* où il discute de la *Phénoménologie de l'Esprit* et la *Critique de la Philosophie de l'Etat*, où il commente, paragraphe par paragraphe, les derniers chapitres de la *Philosophie du Droit*.

Certes, ce sont les accidents de la vie de Marx qui expliquent cn partie un tel choix ; très longtemps, il a été habité par l'idée de rédiger une théorie générale de la Dialectique qui reprendrait les concepts hégéliens en modifiant partiellement leur contenu et leur point d'application ; et seule l'immensité de la tâche qu'était la composition et la rédaction du *Capital* explique qu'il n'ait jamais véritablement essayé de réaliser son projet. Sur tout un siècle cependant, la stagnation de la pensée marxiste s'explique plus difficilement ; d'autant plus que dans le même temps, les réfé-rences à cette fameuse dialectique ont pris une importance crois-sante.

Dans cette dernière orientation, il faut voir surtout un fait poli-tique, la mise au premier plan pendant toute une période de l'his-toire du mouvement communiste d'une ontologie dogmatique, masquant tout ce qu'il pouvait y avoir de profondément nouveau dans le marxisme. Or cette nouveauté c'est justement dans la dis-cussion de la dialectique phénoménologique et de la théorie de l'état que Marx la rend directement sensible. On comprend pourquoi : sous une forme différente, la *Phénoménologie de l'Esprit* et la *Philosophie du Droit* constituent la légitimation la plus pro-fonde de la science hégélienne ; le développement de cette science est impossible si manque cette légitimation ; or c'est bien celle-ci que Marx met en question ! La discussion de la relation entre Hegel et Marx passe nécessairement par la *Philosophie du Droit*.

Un certain nombre d'équivoques auxquelles cette œuvre a donné lieu sont aujourd'hui dissipées ; en aucun cas tout d'abord, il ne s'agit de la description d'une situation de fait : aucun État existant ne répond à la rationalité immanente à la sphère politique que

Hegel dégage (1), et il est vain de vouloir mettre en question la solution qu'il développe en invoquant la disparition de l'État prussien ou la faillite de l'empire napoléonien.

Que l'œuvre ne corresponde directement à rien de réel ne doit pas étonner ; mais l'accusation d'utopie serait tout aussi injustifiée que la confusion avec ce qui est. L'État rationnel n'existe pas encore, mais toutes les forces, les concepts, les solutions qui le définissent sont déjà à l'œuvre au sein des sociétés modernes. Là encore, le message philosophique postérieur à un certain achèvement du réel ne se réduit pas pour autant à ce qui est. La relation entre le Discours et l'Etre est identique à celle que développait la *Phénoménologie de l'Esprit*. L'idée de l'État n'a pu être dégagée qu'au terme d'une histoire au cours de laquelle ont pris forme les multiples virtualités impliquées par l'émergence de la fonction politique ; mais entre le moment où le modèle de l'État rationnel peut ainsi être dessiné et celui où les sociétés réelles correspondront effectivement à ce modèle, subsiste un important écart temporel. Ce décalage entre l'idéal et le réel n'est cependant pas dirimant car ce n'en sont pas moins les tendances profondes de l'évolution qui sont mises à jour, tendances que les mécanismes normaux du développement historique réalisent progressivement ; les formes de violence et d'irrationalité qui subsistent sont transitoires parce qu'incompatibles à long terme avec la nature même de l'État moderne.

Avec ce qui existe, la pensée entretient un double rapport : elle en dépend puisqu'elle en est le produit et qu'elle le fait subsister dans le langage ; mais ce faisant, elle amène à l'être ce qui n'était encore qu'esquissé :

« Lorsqu'on parle de l'idée de l'État, il ne faut pas représenter des États particuliers, ni des institutions particulières ; il faut regarder l'idée, ce Dieu réel à part. Tout État, quand bien même on le déclarerait mauvais d'après les principes qu'on a, quand bien même on y reconnaîtrait telle imperfection, tout État, particulièrement quand il est du nombre des États développés de notre temps, porte en lui les moments essentiels de son existence. Mais puisqu'il est plus facile de trouver les défauts que de comprendre le positif, on tombe trop facilement dans l'erreur de s'attacher à des côtés isolés et d'oublier l'organisme de l'État. L'État n'est pas une œuvre d'art ; il se tient dans le monde, partant dans la sphère de l'arbitraire, du hasard et de l'erreur, et une mauvaise conduite peut le défigurer sous beaucoup de rapports. Mais l'homme le plus laid, le criminel,

(1) Cf. sur ce point le remarquable petit livre d'Éric Weill : *Hegel et l'État*, Paris, 1947.

l'estropié et le malade sont encore des hommes vivants ; la vie, le positif dure malgré le défaut, et il s'agit ici de ce positif (1). »

A cette démarche, on pourrait comparer celle de Husserl dégageant, dans *Logique formelle et Logique transcendantale*, l'idée de science, des sciences existantes alors qu'aucune de celles-ci ne répond à la norme ainsi obtenue ; aux États comme aux sciences de fait une intentionnalité est sous-jacente qui peut être traitée dans toute sa pureté. Surtout lorsque, comme c'est le cas dans les États modernes, la réalité, en se développant, remplit toujours plus le cadre initial qu'elle a délimité.

Sur quels principes se fonde donc l'organisation de l'État rationnel ? D'abord sur la reconnaissance de la pluralité et de la distinction des ordres. C'est là une affirmation curieuse si on se souvient des critiques libéraux qui, avec vigueur, ont reproché à Hegel d'avoir sacrifié l'individu à l'État et d'avoir méconnu la véritable nature de la subjectivité. Mais ces objections (2) ont confondu deux aspects du problème tout à fait différents : il suffit de se reporter à la *Phénoménologie de l'Esprit* pour se rendre compte qu'en aucun cas une dissolution de l'individualité dans la substance n'est concevable ; tout au contraire, l'aliénation de la conscience singulière est toujours signe éclatant de la finitude d'une communauté historique. Aussi toute rationalité implique-t-elle que les droits du particulier soient reconnus avec le maximum d'ampleur, l'universalité ne surgissant que postérieurement par un renversement qu'il faut comprendre. Mais justement, « le principe des États modernes a cette puissance et cette profondeur extrêmes de laisser le principe de la subjectivité s'accomplir jusqu'à l'extrémité de la particularité personnelle autonome et en même temps de le ramener à l'unité substantielle et ainsi de maintenir une unité dans ce principe lui-même » (3).

Mais en un autre sens, l'individu reste une abstraction en dehors des institutions, mœurs, lois de la communauté dont il est membre ; il n'est pas de subjectivité autre qu'incarnée et le particulier en son être est pétri du travail de l'universel ; la réciprocité entre les deux pôles ainsi délimités est concevable au niveau politique dans la mesure où, ainsi que le montrait la *Phénoménologie de l'Esprit*, leur identité, bien que méconnue, est première.

Le fonctionnement réel de l'État exclut par contre toute fusion des plans ; l'homme est un être multiple qui se définit à une pluralité de niveaux auxquels correspondent des formes différentes d'activité : leur confusion est source de désordres. La cité antique

(1) Éric WEILL : *op. cit.*, p. 29.
(2) Objections que, pour sa part, Marx ne reprendra jamais.
(3) *Principes de la Philosophie du Droit*, trad. A. Kaan, p. 195.

était morte de ne pas avoir pu surmonter la dualité entre la loi divine et la loi humaine, entre la famille et le pouvoir ; mais ne pas reconnaître la fonction médiatrice de l'institution familiale conduirait à l'excès inverse. Il en découle que l'État rationnel implique le chevauchement d'organismes et de comportements diversifiés qui, résolvant à leur échelle les problèmes qui leur sont par définition liés, s'ouvrent cependant sur des sphères plus vastes qui laissent subsister ce qu'elles englobent, tout en étant capables à chaque moment de rééquilibrer ce que l'abandon à une telle particularité pourrait avoir de néfaste. L'égalité et la réciprocité hégéliennes n'existent qu'au sein de la différence ; elles supposent un ajustement des complémentaires. Ce n'est pas en transformant tous les gouvernés en gouvernants que violence et irrationalité ne caractériseront plus le pouvoir, mais en déterminant leurs relations sur la base de leur hétérogénéité.

Ainsi en est-il des rapports entre société civile et État ; à aucun moment, Hegel n'a envisagé la confusion des domaines ; il est un plan où l'intérêt personnel doit pouvoir librement se développer ; ce qui revient à admettre l'affrontement des besoins, des volontés ; mais cet affrontement demande lui-même à être mesuré, car en aucun cas il ne doit marquer le triomphe du particulier. Dans la logique de la pensée hégélienne, il serait possible de dire que ce triomphe pourrait prendre deux formes : soit que la société civile soit abandonnée entièrement à ses propres lois ; soit que l'État fusionne avec elle, devienne à la fois juge et partie. L'État hégélien se veut à mi-chemin de ces deux possibilités.

Marx s'opposera profondément à une telle perspective ; mais l'intérêt du débat provient du fait que la *Philosophie du Droit* contient une étude brève mais complète de ce qu'on qualifie habituellement de « contradictions du capitalisme ». Les paragraphes traitant de la société civile comportent une description de la division du travail, de l'extension du machinisme et du développement du travail parcellaire, phénomènes qui ont pour corrélat l'opposition entre travail manuel et travail intellectuel ; parallèlement est évoquée la dynamique du système, caractérisée par la division de la société en classes inégales, la tendance à la paupérisation, l'existence de crises de surproduction et l'ouverture de marchés extérieurs destinés à l'écoulement des marchandises surabondantes. L'existence de telles différenciations est génératrice de destruction pour le corps social : le paupérisme et la transformation de la masse travailleuse en populace constituent la limite de toute société ; le jeu des lois de la société civile, l'extension du travail tendent à les résorber ; mais si cela n'était pas, l'État lui-même prendrait en charge de tels problèmes.

La société civile, monde des besoins et de leur satisfaction, n'est pas réellement unifiée à son propre niveau ; c'est l'organisation politique qui introduit le véritable principe totalisant ; seul l'État est capable d'universaliser les activités particulières en s'appuyant sur ce qui en elles appelle leur dépassement : « Vis-à-vis de la sphère du droit et de la prospérité privés, de la famille et de la société civile, l'État est d'une part nécessité extérieure, puissance supérieure, à la nature de laquelle les lois et les intérêts de ces sphères sont subordonnés et dont ils dépendent ; mais, d'autre part, l'État est leur fin immanente, et il puise sa force dans l'unité de sa fin ultime universelle et de l'intérêt particulier des individus... »

Cet État s'incarne en un corps de grands fonctionnaires, détachés de toute attache économique et qui, représentants de la chose publique, incarneront à tout moment l'intérêt général. A la diversité des groupes socio-économiques s'opposera l'unité de ce corps qui ne dépendra pas des puissances qui régentent la société civile ; dans sa relation au registre économique, le pouvoir définira les règles du jeu, en veillant à ce qu'elles soient observées. Cette relative hétérogénéité du social et du politique suppose la concentration du pouvoir en une main unique (1) ; les décisions du souverain ne sont jamais le simple reflet de la somme des volontés particulières qui prennent figure à d'autres niveaux ; elles sont animées d'un souci de généralité qui s'oppose à des degrés divers aux intérêts particuliers. Ce n'est pas là ouvrir la voie à l'arbitraire et au bon plaisir (2) ; car un tel système n'est viable que dans la mesure où il reconnaît l'autonomie et l'efficacité des domaines d'activité qu'il recouvre.

Maître de la nature, l'État moderne tend à faire disparaître les diverses formes d'inhumanité pour se poser réellement comme société. L'existence de hiérarchies multiples découle des nécessités du fonctionnement des sociétés complexes et non pas d'une quelconque reconnaissance de l'inégalité naturelle. La meilleure preuve en est qu'en aucun cas les individus ne peuvent être limités à une sphère d'activité déterminée ; la rationalité de l'État implique la possibilité pour tous les membres d'accéder à l'ensemble des postes et des fonctions dirigeantes. En leur principe donc, la différenciation politique, l'inégalité qui sépare les groupes sociaux sont des phénomènes temporaires ne mettant pas en cause les fondements de l'État universel. Ce sont bien plutôt les conditions de l'instauration à long terme d'un véritable système

---

(1) C'est la fameuse déduction de la monarchie à laquelle Marx réservera tous ses sarcasmes.
(2) Si cela était, les sociétés retourneraient en arrière ; les monarchies modernes ne sont en aucun cas assimilables à des formes du pouvoir absolu.

de réciprocité entre tous les individus. Rousseau avait fait de tous les hommes des citoyens en les transformant en gestionnaires directs de la Société. Hegel lui reprochera l'abstraction de son point de vue, c'est-à-dire la méconnaissance des hétérogénéités dont est porteuse toute société complexe. L'État parvient à instaurer un ordre universel, non pas en transformant le contenu de la subjectivité, mais en arrivant — il conserve alors son autonomie et ne devient pas immanent à la société civile — à créer un système de médiations qui met chaque partie en communication avec le tout.

L'existence humaine continue donc à se définir à travers une pluralité d'ordres qui, s'ils ne sont pas opposés fondamentalement — comme c'était le cas dans la cité athénienne ou dans l'empire romain — restent cependant extérieurs l'un à l'autre ; entre les plans, il n'existe pas de véritable prolongement mais une discontinuité que seul surmonte le mouvement de la totalité se déroulant dans le temps. L'homme est agent économique, producteur, consommateur, lié à d'autres individus par les liens de la division du travail et de la jouissance (1) ; il est aussi citoyen, membre de la communauté universelle. Cette double appartenance est certes capitale ; elle révèle que la société n'est pas figée en une hiérarchie statique, divisée en castes ou en ordres vivants repliés sur eux-mêmes. Tout membre de la collectivité productrice peut — possibilité qui, donnée à tous, n'est, par définition, réalité que pour quelques-uns — accéder à ce statut privilégié que confère le service de l'État. Il n'en reste pas moins que ce ne sont pas les mêmes hommes qui travaillent et qui gouvernent et qu'une telle dichotomie est problématique.

C'est en effet sur ce point que Marx se démarquera avec le plus de netteté ; aussi n'est-il pas erroné de voir là le centre de la critique à laquelle il soumet la Philosophie du Droit.

Cette critique appelle plusieurs remarques : elle ne porte pas sur l'ensemble du texte de Hegel mais seulement sur la dernière partie, celle qui a trait à l'organisation de l'État moderne ; et ceci s'explique : Marx ne conteste pas, pour l'essentiel, le contenu des chapitres précédents ; ceux-ci traitent en effet des fondements de toute théorie politique ; il y est dit que l'homme auquel a affaire cette théorie est toujours membre d'une communauté particulière dont il dépend et qui joue à son égard le rôle d'une véritable matrice formatrice ; que cette communauté se définit comme ensemble de lois et d'institutions médiant les échanges inter-humains, que cet ensemble impose des limites aux désirs et à la violence des hommes en canalisant l'action humaine, en l'inscrivant dans des

---

(1) Nous empruntons cette expression au Dr J. Lacan.

réseaux préexistants où elle prend sens. Il en découle que la liberté ne peut jamais se définir absolument mais toujours en relation à une nécessité en laquelle se concrétise le poids de la substance ; cette dernière circonscrit les transformations possibles, la marge d'innovation supportable. C'est sur de telles bases que se construira l'État rationnel ; et en discutant le modèle hégélien, Marx se situe encore dans la même perspective.

D'autre part, la discussion ne sera pas menée dans toute son ampleur à partir du texte de Hegel. De fait, c'est le *Capital* qui fournira la véritable réponse à la *Philosophie du Droit* en analysant les mécanismes réels du développement de la société capitaliste. Ici Marx n'entre pas dans la matière proprement dite ; mais en reprenant l'argumentation hégélienne et la logique qu'elle met en œuvre, il amorce un renversement philosophique capital ; la valeur accordée à l'univers politique va s'en trouver complètement modifiée ; l'État, dans lequel Hegel voyait la seule puissance capable de surmonter les contradictions des autres sphères de la vie sociale, apparaît comme l'expression d'une aliénation aussi profonde que l'aliénation religieuse. La différenciation de la fonction politique n'est pas signe d'unité mais de division ; et ce n'est jamais à son niveau que la totalisation peut s'opérer.

En s'appuyant sur les ouvrages postérieurs, la critique de Marx prend toute sa signification ; elle se poursuit en une double direction : d'une part, montrer l'irrationalité de l'État moderne et du corps qui l'incarne, la bureaucratie ; d'autre part, mettre à jour l'impossibilité de surmonter les contradictions de la société moderne, tant que l'opposition de l'activité économique et de l'activité politique n'est pas résorbée. Et à l'inverse de ce que pensait Hegel, cela ne peut se faire qu'après une transformation profonde de la société civile.

C'est qu'avec Marx, cette dernière se charge d'une richesse toute nouvelle ; elle devient le seul lieu où l'existence de l'homme contemporain prend un contenu (1). Le travail n'est plus seulement le moyen permettant de subvenir à nos besoins toujours croissants, acte inférieur (2) que l'on abandonne à ceux qui ne sont pas des hommes libres ; il devient le principal mode d'extériorisation de l'homme des sociétés industrielles circonscrivant le lieu où il passe la plus grande partie de son temps, les personnes qu'il rencontre, la culture qui sera la sienne. La transformation des conditions de travail, la solution des problèmes que pose son organisation ne

---

(1) Cf. sur tout cela notre chapitre II : « De la signification du marxisme. »
(2) Cette conception nouvelle du travail se trouve déjà chez Hegel, mais elle n'a pas la portée que Marx lui reconnaîtra.

relèvent pas de simples réformes ; elles engagent l'être même de nos sociétés, commandent leur avenir.

C'est que cet univers est dominé par l'affrontement des passions et des intérêts ; la propriété privée des moyens de production y introduit une inégalité qui ne disparaîtra pas d'elle-même.

Cette situation évidemment caractérisée d'une manière bien moins brutale, la *Philosophie du Droit* en confie la charge au pouvoir politique qui aura pour fonction de l'accorder aux fins universelles de l'État. Mais c'est là où réside l'illusion ; il est erroné de reconnaître aux décisions du souverain cette autonomie garante de leur rationalité ; et cela à plus d'un titre : du seul fait qu'il prétend à l'efficacité, l'État s'intègre à la société civile et en devient partie constituante ; la bureaucratie n'est pas simplement un corps compétent que son savoir et ses moyens d'action doteraient d'un statut privilégié ; son action comme sa position la particularisent nécessairement ; aussi son existence oscille-t-elle entre deux pôles : soit, elle se développe à l'extérieur du monde de la division du travail ; elle laisse alors subsister les déchirements de ce monde ; dépourvue de toute puissance économique, elle voit ses possibilités d'intervention réduites au strict minimum ; tel est le cas de la plupart des bureaucraties des États libéraux ; soit, elle ne se réduit pas à un appareil parasitaire pour devenir à son tour agent économique ; elle se dresse alors comme un pouvoir face à d'autres pouvoirs, et mène cette lutte qu'il s'agissait pour elle d'abolir.

Dans les deux cas, la bureaucratie n'est pas cette couche sociale exceptionnelle, en laquelle repose le destin de la communauté universelle ; elle ne peut être comprise que par référence à la société civile, tout en y introduisant une scission (l'économique s'opposant au politique) qui ne fait que sanctionner les inégalités déjà existantes. Marx refusera et cette scission et l'inégalité qui lui est sous-jacente : à ses yeux, l'isolement de la sphère politique est toujours révélateur de la nature contradictoire des rapports de production ; réelle, la bureaucratie devient un des pôles des antagonismes régnants, parasitaire elle reproduit et sanctionne ces mêmes antagonismes. Chaque fois, elle entretient un rapport à la chose publique qui est du même ordre que celui que l'individu développe avec le monde des biens :

« La bureaucratie est l'État imaginaire à côté de l'État réel, le spiritualisme de l'État. Toute chose a donc deux significations, l'une réelle, l'autre bureaucratique (1)... Mais l'être réel est traité d'après son être bureaucratique, d'après son être irréel, spirituel. La bureau-

(1) Claude LEFORT a utilisé avec bonheur ces concepts en analysant le XIXᵉ Congrès du Parti communiste de l'Union Soviétique. Cf. «Le totalitarisme sans Staline », *Socialisme ou Barbarie*, n° 19.

cratie tient en sa possession l'être de l'État, l'être spirituel de la société, c'est sa propriété privée. L'Esprit général de la bureaucratie, c'est le secret, le mystère gardé dans son sein par la hiérarchie et vers le dehors par son caractère de corporation fermée » (1).

La bureaucratie recouvre d'une immense masse de fonctionnaires l'ensemble de la société ; mais l'ambivalence de leur fonction n'est plus à démontrer : ils dépendent de ce qui se fait à chaque instant en dehors d'eux et n'en affirment pas moins que tout ce que l'homme accomplit ne trouve sa véritable signification que dans les cadres de la hiérarchie bureaucratique ; mais en agissant ainsi, ils ne font que doubler sur un mode imaginaire les activités réelles. De fait, pour Marx, l'homo politicus est d'abord un sujet improductif.

Seulement, une telle improductivité est fort difficile à saisir. Non seulement la *Philosophie du Droit* détourne de son sens véritable la relation entre les deux mondes, mais elle fait de la société imaginaire la société réelle et inversement. Alors que Marx s'interroge sur la possibilité de dissoudre l'apparence d'universalité dont se charge l'État, Hegel voit une des preuves de la rationalité de l'État dans la capacité qui est sienne de transformer l'ensemble de la société en communauté politique ; il le fera en réalisant ce qui, dans un langage plus moderne, est qualifié de mobilité sociale maximum. Chaque individu pourra ainsi accéder aux plus hautes fonctions organisationnelles. En fait, cela est évidemment impossible mais en droit chaque citoyen peut, s'il le désire devenir fonctionnaire.

Mais la séparation entre le Droit et le Fait est arbitraire : que tous puissent se transformer en fonctionnaires n'empêche pas que les quelques qui l'ont fait réellement appartiennent à un univers différent :

« Cette possibilité qu'a chaque citoyen de devenir fonctionnaire de l'État est le second rapport affirmatif entre la société civile et l'État, la seconde identité. Elle est de nature fort superficielle et dualiste. Tout catholique a la possibilité de devenir prêtre... La prêtrise s'en oppose-t-elle moins au catholique comme une puissance extérieure ? La possibilité donnée à chacun d'acquérir le droit d'une autre sphère prouve simplement que sa propre sphère n'est pas la réalité de ce droit » (2).

Seule la dissolution de la prêtrise permettra de surmonter la dualité ; mais une telle institution n'est elle-même que la reproduction d'une dichotomie plus profonde qui, pour sa part, demande

---

(1) *Œuvres Philosophiques*, éd. Costes, tome IV, p. 102.
(2) *Id.*, p. 108.

à être abolie. Ainsi la permanence et le particularisme de l'État
s'enracinent dans la structure même de la société civile ; c'est
parce qu'existent des classes antagonistes dont certaines dominent
et possèdent tandis que d'autres sont soumises, que la fonction
politique s'isole ; ce n'est donc pas en légalisant la compétition,
mais en la faisant disparaître que l'unité sera retrouvée ; et pour
cela, il faut s'appuyer sur les forces vives dont est porteur le monde
de l'industrie, forces que la société de demain exemplifiera ; c'est
de la production et des hommes producteurs qu'émanera la souveraineté ; et celle-ci ne sera pas entachée de particularité si l'ensemble de ces hommes constitue un groupe homogène dont les fins
sont identiques dans la mesure où ils entretiennent tous un rapport
similaire aux forces productives, à la richesse générale, au travail.
C'est un tel bouleversement que Marx définit lorsqu'il écrit :

« La suppression de la bureaucratie n'est possible que si l'intérêt
général devient réellement et non pas comme Hegel, purement en
pensée dans l'abstraction, l'intérêt particulier, ce qui ne peut se
faire qu'en ce que l'intérêt particulier devient réellement l'intérêt
général » (1).

Formulées sous une forme encore philosophique, ces formules
annoncent certaines des thèses essentielles du matérialisme historique, à savoir aussi bien l'affirmation que l'apparition de l'État
est liée à la division de la société en classes que l'annonce d'un dépé-
rissement définitif de cette institution qui suivra l'instauration du
communisme. Ce n'est pas à ce niveau cependant qu'elles seront
discutées ici (2) : en effet, en s'opposant à Hegel, et en proposant
une autre interprétation des rapports entre économie et politique,
Marx se situe dans une perspective philosophique profondément
nouvelle, celle-là même qu'il a exposée dans sa critique de la *Phénoménologie de l'Esprit*.

A la pluralité des institutions et des groupes sociaux, la critique
révolutionnaire oppose la praxis unitaire de l'homme producteur,
levain d'où jaillira la société nouvelle ; au mouvement de l'Esprit
se donnant la conscience de soi se substitue l'histoire réelle des sociétés, histoire toujours inachevée qu'aucune synthèse spéculative
ne peut recouvrir dans son intégralité. Ce que Marx reproche à
Hegel, c'est de réduire l'Etre au discours, le réel au savoir de ce

---

(1) *Id.*, p. 104.
(2) Dans la plupart des propositions qui constituent le corps de doctrine du
matérialisme historique, nous voyons une extrapolation opérée à partir d'une
certaine phase de l'évolution du système capitaliste. En ce qui concerne le débat
entre Hegel et Marx, il est vain aujourd'hui de vouloir trancher ; nous nous
situons au delà et notre mode de compréhension est à la fois marqué par l'un et
par l'autre ; la description des sociétés modernes pourrait emprunter certains
de ses concepts à chacune des deux doctrines ; mais de toutes les manières, cela
resterait bien insuffisant.

réel, d'identifier la réconciliation théorique dont la circularité logique serait le signe à la réconciliation effective de l'homme et de son milieu. Cette théologie immanente au devenir du Soi et qui dès l'origine garantit que début et fin se rejoindront n'est qu'un leurre, se construit *a priori* ; l'essence véritable de l'homme, la cristallisation de ses forces vives, il faut la lire dans le développement des forces productives, dans sa domination de la nature. Ce mouvement de conquête est premier, et c'est sur ce tronc que se greffent les antagonismes sociaux toujours liés à un certain état de la technique. La *Phénoménologie de l'Esprit* a bien accordé une certaine place au travail ; elle y a vu un des chemins à travers lesquels se forgeait le monde de la culture ; mais en même temps, elle en a limité les effets et la portée à une telle formation, méconnaissant que c'était là le fondement de toute appropriation, tant théorique que pratique, de l'univers.

De fait, dans son rapport à l'Hégélianisme, la pensée marxiste présente un caractère ambivalent ; elle brise les cadres du système ; l'Histoire n'est plus auto-réalisation de l'Idée, mais mise en œuvre de la négativité humaine (1). Le temps n'est plus seulement mûrissement, mais aussi innovation ; à travers lui s'opère une véritable création. En un autre sens pourtant, cette créativité demande elle-même à être pensée ; l'abandon aux fluctuations du donné n'a jamais rien résolu. Comme Hegel, Marx est philosophe ; il cherche non seulement à dire ce qui est, mais aussi à conformer le réel à l'essence de l'homme. Le privilège accordé à la société capitaliste ne se comprend que dans cette perspective ; et il rappelle par bien des aspects les nombreuses déclarations de Hegel sur la mutation présente de l'Esprit. Or, c'est là que le problème se complique : la rationalité de l'État n'était concevable que dans la mesure où l'Esprit touchait au terme de son parcours ; mais cette dernière idée abandonnée, l'exigence de légitimation se fait sentir avec la même acuité ; elle n'est pas rejetée avec l'Hégélianisme, et cela avec d'autant plus de force que les deux doctrines s'organisent autour des mêmes constatations essentielles, à savoir :

— qu'une communauté universelle est née qui peut effectivement abolir la violence ;

— que cette communauté a pour principe d'existence et pour fin de ses activités cela même qui a toujours été, mais que l'homme n'a reconnu pour la première fois qu'en notre temps ;

— et que le discours que tient l'homme de cette société ne pos-

---

(1) Hegel n'aurait d'ailleurs jamais refusé de telles formules : en un autre langage, son œuvre formule les mêmes thèses, mais il ne s'agit pas seulement de deux manières différentes de conceptualiser la même réalité ; car le passage de la recherche spéculative au défrichement de l'empirie modifie les conditions de validation de tout discours, qu'il soit métaphysique ou sociologique.

sède pas, en raison de son contenu, de répondant direct dans l'histoire.

Le point en litige — le seul qui, en définitive, semble avoir de l'importance — réside dans la manière dont l'universalité de la société moderne est comprise ; mais il ne s'agit pas là de la simple opposition entre conceptions politiques différentes ; ce qui se trouve au centre du débat, c'est la relation que l'homme entretient au travail, au savoir, à son semblable, relation que Marx entreprend de penser sur de tout autres bases.

Ainsi continuité et discontinuité s'imbriquent ; Marx reprend le problème hégélien, réassume l'intention sous-jacente à sa formulation ; mais en même temps, lui donnant une autre réponse, il s'efforce de dégager les raisons philosophiques qui rendent nécessaire ce déplacement dans la solution : la mise au premier plan de la praxis sociale dont l'activité productive fournit le modèle, le privilège accordé à la société industrielle, la reconnaissance de l'ordre régissant le devenir du capitalisme ont leur équivalent dans l'œuvre hégélienne ; mais elles n'ont pas la même valeur démonstrative ; le changement de plan modifie les critères mêmes auxquels se soumet la pensée.

Comprendre cette révolution, c'est saisir ce qui définit en propre l'essence du marxisme.

CHAPITRE II

DE LA SIGNIFICATION DU MARXISME

La critique de la *Philosophie du Droit* à laquelle Marx se livre fait disparaître la pluralité des plans qu'Hegel mettait à jour au sein de la société moderne. L'opposition entre société civile et État aboutissait à fragmenter la communauté, à faire de l'activité politique une activité spécialisée, s'opposant à la vie « privée » dans son ensemble, mais cette dualité n'est que le symptôme d'un monde contradictoire et le philosophe en la reprenant ne fait que penser sur un mode parcellaire ce qui ne peut être compris que comme une totalité.

Ce concept de totalité est capital et nous semble conduire au point à partir duquel le Marxisme, dans son ensemble, devient intelligible. Aussi rien d'étonnant à ce qu'il soit le maître mot de l'ouvrage de Georg Lukacs : *Histoire et Conscience de Classe* (1).

« Ce n'est pas la prédominance des motifs économiques dans l'explication de l'histoire qui distingue de façon décisive le Marxisme de la science bourgeoise, c'est le point de vue de la totalité (2). »

Ce primat reconnu à la totalité définit sans aucun doute certaines conditions auxquelles doit se plier la connaissance pour être connaissance véridique ; mais cette signification épistémologique est dérivée et doit d'abord se comprendre en un autre régistre que celui de la pure théorie de la connaissance. Mettre au premier plan les motivations économiques dans la compréhension du fait social est un conseil qui s'adresse d'abord à l'historien ou au sociologue. Une telle interprétation s'oppose à d'autres interprétations qui reconnaissent au fait religieux ou au fait politique une importance prépondérante, le débat ne pouvant être tranché qu'empiriquement ; seule la fécondité opératoire de la méthode employée permet d'en apprécier la portée et c'est dans le cours même du travail scientifique que s'éprouve la vérité de l'hypothèse avancée. Mais poser la totalité comme catégorie essentielle se réfère à une pra-

---

(1) *Histoire et Conscience de Classe* est sans aucun doute l'ouvrage philosophique qui pousse le plus loin et de la manière la plus cohérente le projet qui souvent implicitement anime l'œuvre de Marx.
(2) *Histoire et Conscience de Classe*, p. 47.

tique d'un tout autre ordre ; car nous rompons du même coup
avec la stricte rationalité de la connaissance pour nous interroger
sur la relation de l'homme à la société prise comme un tout.

En effet Penser le Tout est à jamais hors de portée de l'analyse
scientifique ; et cela pour deux raisons essentielles : d'une part
parce que toute « unité » quelle que soit sa nature ne peut être comprise qu'intégrée au sein d'un système plus vaste dont elle devient
un élément, ce système demandant lui-même à être traité de la
même manière ; le tout véritable n'est alors rien d'autre que le
système dernier incluant en lui tous les sous-systèmes et ne pouvant pas lui-même être pensé jusqu'au bout (1) ; d'autre part
parce que objet scientifique et activité scientifique sont homogènes
l'un à l'autre et que cette activité est toujours, même lorsqu'elle
combine et reconstitue, analytique — travaillant sur des variables
qu'elle a précédemment isolés.

Ces limites pourtant n'ont de sens que du strict point de vue du
projet scientifique elles pourraient se dissoudre si un type de
rationalité supérieur était défini (2) ; et c'est de cela même qu'il est
question dans l'œuvre de Marx : Affirmer la prépondérance du
point de vue de la totalité, c'est admettre la possibilité donnée à
l'homme de s'approprier pratiquement aussi bien que théoriquement la vérité de ce tout. La validité de la méthode employée ne
dépend donc pas, en premier lieu, des résultats qu'elle permet d'ob-
tenir mais des conditions d'existence qui sont celles de l'homme qui
se rapporte à la totalité.

« Penser le Tout » est en effet une formule vide de sens si l'homme
est dans l'incapacité de prendre à son compte la vérité de ce tout,
si la société éclate en fragments disparates et hétérogènes, en
mondes contradictoires dont le sens ne se livre que partiellement
aux membres de la société. Ce que Lukacs affirme donc tout au
long d'*Histoire et Conscience de Classe*, reprenant l'idée centrale de
Marx, c'est la possibilité pour l'homme de la société capitaliste de
se rendre contemporain de la totalité des significations que véhicule cette société. C'est cette possibilité qui s'incarnerait directement dans l'être même du prolétariat.

Aussi « l'essence méthodologique du matérialisme historique ne
peut pas être séparée de l'activité critique du prolétariat (3) ». Le
Marxisme ne surgit donc pas normalement du développement de

(1) Nous développerons ces remarques dans notre chapitre III.
(2) Les débats entre la science et la métaphysique, la science et la religion, la
science et une politique révolutionnaire s'inspirant du schéma marxiste présentent
donc entre eux un certain nombre d'analogies formelles ; dans chacun de ces cas
il s'agit — soit en refusant, soit en intégrant certains thèmes et certaines méthodes propres à la science — de définir un autre type de « savoir ».
(3) *Histoire et Conscience de Classe*, p. 41.

la connaissance, il n'est pas le simple produit de la fusion de la philosophie classique allemande, de l'économie politique anglaise ou du socialisme utopique français ; il ne peut se comprendre qu'en fonction d'une rupture de toutes les formes de la vie sociale qui s'est répercutée sur le contenu même du savoir (1).

L'analyse que Marx a donnée de la société capitaliste est donc essentielle. Son statut est complexe puisqu'elle vise à la fois à fournir une étude aussi précise que possible de cette société, à mettre en valeur son caractère privilégié, à déterminer les moyens qui le transformeront et en feront disparaître l'inhumanité. De ce fait se recoupent recherche scientifique et prise de position politique. Ces deux démarches ne suffisent cependant pas ; elles débouchent sur une réflexion plus profonde portant sur les conditions d'existence d'un monde véridique. La description de la société bourgeoise qui se trouve dans le *Capital* demande pour être entièrement comprise à se trouver située en un registre philosophique ; et cela non pas simplement parce que les catégories de la logique hégélienne fournissent la texture d'une démonstration qui reste inintelligible si on ne recourt pas à elles — comme le dit Lénine dans ses *Cahiers Philosophiques* — mais plus profondément parce que l'œuvre économique de Marx outrepasse le champ particulier dans lequel elle se développe, envoie à cette nouvelle relation de l'Homme à la vérité qui trouvera son achèvement dans la mise au premier plan de l'activité transformatrice du sujet historique.

En effet si la possibilité de dire la vérité sur ce qui est dépend en dernière instance du dépassement de rapports sociaux dont le contenu est tel qu'il rende l'homme incapable de saisir sa propre condition, ce dépassement — pratique, réel, — devient moment constitutif du discours lui-même ; et la critique de l'économie politique en est le premier temps.

L'analyse de la société capitaliste qui quarante ans plus tard répond à la *Philosophie du Droit* n'a donc rien d'épisodique ; c'est dans la description du mouvement effectif qui est celui du capitalisme que Marx se séparera véritablement de Hegel et refusera la solution idéelle de la *Phénoménologie de l'Esprit* ; du même coup se trouvera défini ce mouvement de négation, de réalisation et de dépassement de la philosophie qui en premier chef caractérise l'écart

---

(1) La *Critique de la Raison Dialectique* rompt heureusement avec le pseudo-rationalisme qui a présidé à nombre de présentations du marxisme. Le projet d'une telle critique suppose qu'une philosophie dialectique n'est concevable que si le sujet qui pose une telle philosophie est lui-même dialectique. La validité des thèses essentielles du marxisme suppose donc un sujet qui se dialectise et prend conscience dans ce mouvement même de la signification de l'activité qui est sienne. Le Discours dialectique est donc situé, moment d'une praxis qui se totalise et intègre à son déroulement, l'ensemble des éléments du champ souvent hétérogène dans lequel elle se déploie.

entre les deux penseurs. Ce mouvement n'est donc lié que secondairement aux progrès de la connaissance scientifique (1) ; pour
Marx lui-même, il s'enracine dans un type déterminé de rapports
sociaux qui en sa nature modifie les échanges entre l'individu et
l'ensemble de la communauté, entre le discours et ce qui est objet
de discours.

Ce qui s'accomplit avec le capitalisme, c'est l'intégrale socialisation de la condition humaine, la disparition de tout ce qui pouvait
subsister de « naturel » dans les sociétés précédentes.

Ceci doit être compris. Lorsqu'il s'agit de l'homme rien n'appartient jamais exclusivement au domaine de la nature ; aussi lorsque
Marx parle de « communautés naturelles » pour désigner les sociétés archaïques, ce terme doit être pris dans un sens tout relatif
marquant l'existence d'une irréductible opposition. A travers ses
rites, ses coutumes, ses manières d'être, toute société se pense
comme humaine et non pas comme naturelle. Cette humanité
pourtant reste particularisée ; elle cesse souvent là même ou cesse
la communauté dont on est membre : l'autre apparaît comme l'é-
tranger, l'inconnu, le barbare, celui qui ignore l'existence des
hommes véritables. Cette opposition suppose évidemment que les
uns et les autres se reconnaissent, sous un certain angle, comme relevant de la même unité — un animal n'est jamais ni un barbare, ni
un étranger ; mais cette essence commune n'est pas thématisée
comme telle. L'origine unique de l'humanité pourra bien être
affirmée ; mais ce sera ensuite pour dissocier les sous-groupes en
fonction de leurs lois, de leur mode de vie ou de leurs dieux. Sans
doute les limites sont-elles fluctuantes, sujettes à de fréquentes
variations, toujours franchissables ; il n'en reste pas moins que le
concept d'humanité n'a jamais pu être coextensif à la totalité des
sociétés existantes, un hiatus permanent subsistant entre les différentes cultures, chacune trouvant sa vérité dans le contenu de ses
rites, de ses coutumes, de ses langages. Seule la reconnaissance,
au delà de la diversité des figures, de l'existence d'un élément commun qui soit fondamental, permet de surmonter une telle dualité.

En aucun cas il n'est aujourd'hui possible de reprendre cette
opposition sous la forme qui lui est donnée ; mais elle nous semble
essentielle à la compréhension de l'œuvre de Marx, et cela même si
peu de textes y font directement allusion. Lorsque Marx oppose
valeur d'usage et valeur d'échange, Travail concret et Travail

---

(1) Cf. dans l'*Anti-Duhring* l'énumération des découvertes scientifiques qui
auraient permis une compréhension dialectique de la réalité.

abstrait, le rapport à la propriété du Grec et du Romain et le concept moderne de propriété, il définit deux types de société : dans l'une l'activité humaine et son corrélat l'objet produit se donnent sur un mode tel que c'est leur particularité qui est mise en avant ; l'homme est enterré avec ses armes ou ses outils, ses biens sont détruits à sa mort, etc. ; dans l'autre c'est l'égalité de toutes les actions et de toutes les œuvres qui est sans cesse postulée, des instruments étant créés permettant la quantification de cette égalité.

Or la reconnaissance d'une telle égalité est le centre de la théorie matérialiste de l'histoire ; certes cette théorie se présente d'abord comme « connaissance de soi de la société capitaliste (1) » mais cette connaissance n'est possible que si elle outrepasse le milieu singulier dans lequel elle a surgi ; car ce qui lui est donné pour objet ce n'est pas tel type d'institution, telle forme de société, tel mode d'échange entre les hommes, mais le processus de socialisation lui-même dans la mesure où il est mis en œuvre par la société capitaliste à tous ses niveaux d'existence. L'Homme travaille et parce que son travail — pour la première fois dans l'histoire intégralement quantifié et homogénéisé — est création de richesses, accession au savoir, aménagement d'un univers hostile, formation de l'homme lui-même, il voit en lui la dimension essentielle de toute humanité (2). Dans l'ensemble des mondes « autres », aussi éloignée soit-il culturellement, spatialement, temporellement, il aperçoit la concrétisation de l'extraordinaire pouvoir créateur de ce travail. Ouvrier, il reconnaît dans la multiplicité des formes de culture l'œuvre de millions d'ouvriers ; c'est du même coup privilégier, en dépit de leur étrangeté, ce qui les rapproche et ouvre la voie à une connaissance systématique d'univers sociaux différents. L'Histoire suppose pour être pleinement significative cette incarnation directe de l'essence de toute société dans une communauté déterminée.

Aussi le matérialisme de Marx — tel qu'il s'exprime aussi bien dans les *Manuscrits de 1844* que dans les *Thèses sur Feuerbach* — apparaît-il d'abord comme généralisation de ce qui est impliqué par une telle expérience ; il n'est que secondairement et bien plus tard théorie générale de la nature et ontologie dogmatique ; il renvoie à la situation qui est celle de l'homme producteur et qui est telle que la matérialité lui est directement donnée au sein même de son expérience, privant de sens toute négation du fondement matériel de l'existence humaine. Le spiritualisme, l'idéalisme ne sont

(1) Cf. dans *Histoire et Conscience de Classe* le chapitre intitulé « Le changement de fonction du matérialisme historique ».
(2) Cf. dans *Logique de la Philosophie* d'Eric WEILL le chapitre intitulé « Condition ».

pas réfutés théoriquement (1) ; ils deviennent impensables parce que la société tout entière tend à se définir sur un autre plan. L'ensemble des productions du monde industriel révèle le caractère nécessairement pratique, actif de toute connaissance, l'essence réelle de la pensée ; ne pas la reconnaître revient à rendre inintelligible cette pensée elle-même.

La Philosophie pour sa part ne s'était jamais contentée d'une simple affirmation d'existence portant sur la Nature ou sur Dieu ; définie par la volonté de légitimer chacun de ses énoncés, elle a cherché ce fondement dans une double voie : soit reconnaître le caractère arbitraire de tout commencement, cette gratuité disparaissant dans le discours achevé qui abolit la disparité entre l'origine et le terme ; soit lier le contenu même des thèses avancées aux conditions d'exercice de la pensée qui sont celles du sujet, de sorte que ce sujet lui-même devienne *impensable hors des thèses avancées. Or il est frappant de constater que ce n'est pas en mettant en question* ces modes de légitimation que Marx rompt avec la tradition philosophique ; paradoxalement au contraire il les reprend l'un et l'autre, mais ce qui est transformé, c'est le sujet lui-même, compris comme être pratique, transformant le donné et non plus comme entendement. Le matérialisme apparaît de ce fait comme la seule affirmation théorique qui permette de penser la Praxis humaine dans sa réalité propre ; et la société de demain, celle qui aura triomphé de ses aliénations, ne pourra pas se comprendre hors d'un tel cadre.

L'universalisation du travail est donc le fondement matériel de l'immense œuvre de confrontation des cultures dans laquelle nous sommes engagés (2). L'activité productive fournit le lieu véridique auquel les diverses apparences peuvent être référées ; elle permet aussi de saisir la réalité et l'efficience de communautés qui se sont organisées autour d'autres centres (3). Mais ce n'est pas là, avons-nous dit, le simple produit d'un éclaircissement théorique poussé toujours plus loin mais le résultat du mode d'existence global qui caractérise la société industrielle (4). Le Marxisme trouve son origine et son ultime légitimité dans l'immédiateté d'une pratique historique qui impliquera comme nécessaire corrélat sa propre transparence.

(1) Et ceci explique qu'après d'innombrables polémiques, le problème philosophique soulevé à leur propos reste entier.
(2) A ce sujet, cf. l'appendice à la *Critique de l'Économie Politique.*
(3) Affirmant l'unité essentielle des sociétés, Marx n'envisage cependant pas de transposer les catégories permettant de penser le capitalisme dans d'autres sociétés ; cf. à ce sujet la lettre à Mikhailovski citée par Rubel et reprise par Sartre dans sa *Critique de la Raison Dialectique.*
(4) L'usage du concept de société industrielle ne signifie pas que nous l'opposions à celui de la société capitaliste ; il s'agit plutôt de désigner au sein de cette dernière, ce qui l'outrepasse et sera aussi bien valable pour une société socialiste.

Il y a plus : les sociétés précapitalistes s'affirment bien à travers leurs institutions comme humaines mais tout concourt à donner à cette humanité la permanence du sacré. L'ordre est toujours présupposé, il a été instauré il y a bien longtemps par ceux qui ne sont pas des hommes, grands ancêtres, héros, divinités — personnages créateurs qui sont partie intégrante des mythes d'une société. Ces personnages ont, pour leur part, été les protagonistes d'une histoire véritable dont l'issue a été contestée, le contenu dramatique ; mais aujourd'hui il ne s'agit pas tant d'innover que de retrouver à travers les multiples rites d'initiation ce passé lointain où les fondements de toute existence se sont trouvés posés. Et c'est à travers cette reproduction que tout événement nouveau, insolite, dangereux se trouve identifié aux actes premiers qui jouant le rôle d'archétype préserveront la cohérence de l'univers mental. Ce faisant la collectivité maîtrise symboliquement l'univers de violence qui l'environne ; elle affirme du même coup que son efficience et son humanité résident dans le contenu particulier de son histoire mythique et des actes par lesquels l'homme s'en rend contemporain. Et c'est à cela même que radicalement s'oppose notre propre culture.

En termes économiques — et c'est principalement ce langage qu'emploie Marx — nous distinguerons entre sociétés fondées sur la reproduction simple et pour lesquelles le temps est comme aboli, chaque cycle nous ramenant à la situation qui existait à la fin du cycle précédent et sociétés fondées sur la « reproduction élargie (1) ». Cette dernière a évidemment existé bien avant le développement du mode de production capitaliste ; mais elle n'avait jamais été le principe et la raison d'être d'une société qui emploie la totalité de ses moyens — et ils sont énormes — à la rendre possible de manière régulière. Il en découle une transformation totale du rapport de l'homme à sa propre réalité. Notre société parce qu'elle n'existe qu'en s'étendant — le progrès technique étant la forme la plus marquée d'une telle extension — parce qu'elle soumet l'ensemble de ses « croyances » à un remaniement permanent, implique du moins virtuellement l'assomption de son statut d'être historique par l'homme qui en est le produit (2). Aussi est-ce comme artifice, comme invention, c'est-à-dire comme création historique que celui-ci comprend toute œuvre humaine. A ce titre, et aussi diverses que

---

(1) Cf. aussi les premiers chapitres de *L'accumulation du Capital* de Rosa Luxembourg.
(2) Ceci ne signifie en aucun cas que c'est à ce moment-là seulement que l'homme a reconnu son historicité — ce qui serait absurde — mais que cette reconnaissance est aujourd'hui présente à tous les stades de notre existence, —toile de fond sur laquelle se détache toute question théorique.

soient les manifestations de son activité, l'homme s'y affirme comme
l'être qui transforme toute condition, qui s'affranchit de l'emprise
du donné naturel ou humain. L'histoire de l'humanité n'est alors
rien d'autre que l'histoire de cet affranchissement, ce qui suppose
une aperception claire de l'unité fondamentale des diverses modalités de la vie en société.

Ainsi se trouve dévoilée l'essence de la société moderne ; elle a
conduit aussi loin que possible la socialisation de l'existence humaine, faisant craquer l'ensemble des systèmes extra-sociaux,
mythiques ou théologiques qui justifiaient l'homme et conféraient
un sens à son existence ; elle a du même coup dépouillé la société
de toute référence transcendante pour la donner effectivement
comme société, c'est-à-dire comme Travail. C'est cela même qu'il
importe de comprendre.

« La société bourgeoise est l'organisation de production la plus
développée et la plus complexe dans l'histoire (1). » Avec le mode
de production capitaliste, le développement des forces productives
atteint une ampleur inconnue jusqu'alors, ouvrant la voie à une
transformation régulière et ordonnée du donné naturel ; c'est la
totalité de la planète qu'il est maintenant possible d'aménager et
d'adapter aux besoins humains. Les sociétés pré-marchandes se
meuvent dans une sphère économique étroite, ignorent une division du travail importante ; elles tendent généralement à vivre
fermées sur elles-mêmes en une sorte d'autarcie que toutes les institutions concourent à préserver (2). Le travail n'est vécu, compris
que comme « travail concret » irréductible aux autres formes d'activité ; de même la consommation ne peut en aucun cas être une
consommation anonyme à laquelle tous les membres de la communauté accéderaient, à titre d'unités indifférenciées.

Aussi rendant compte des caractères de la production capitaliste, Marx opposera-t-il le « travail concret », travail du fileur, du
forgeron, du menuisier, impliquant l'exécution de certains gestes,
l'usage d'une matière déterminée, la relation à un besoin particulier et le « travail abstrait » dépense générale d'énergie, considérée
indépendamment des modalités de son utilisation. Cette distinction ne va pas de soi ; elle n'est pas logique mais sociologique, s'articulant au point d'interférence de deux systèmes symboliques qui

(1) Cf. Appendice à la *Critique de l'Économie Politique*, p. 169.
(2) Il s'agit là d'une opposition très générale qui doit permettre de mettre en
valeur certains des traits propres à la société capitaliste ; par contre sa valeur
heuristique est nulle et elle ne permet en aucun cas d'étudier les sociétés précapitalistes. Mais ce qui est important aux yeux de Marx c'est d'abord de marquer
la rupture que constitue l'industrialisation.

ne sont pas superposables. La comparaison de deux activités différentes implique en effet un critère unique, l'existence d'un substrat homogène qui puisse être traité quantitativement ; elles sont alors comprises comme moments d'un travail général qui serait celui de la société dans son ensemble ; ce sont sur de telles notions que vivent toutes les sociétés industrielles. Ceci suppose que les hommes soient intégrés à un système ou dans certaines limites ils sont interchangeables ; ce qui est impossible si chaque activité renvoie à un complexe économique, magique, religieux, esthétique qui en fait un être spécifique.

C'est cette réalité et les relations « concrètes » qu'elle implique que brise la société marchande. L'échange s'universalise et l'introduction généralisée de la monnaie ramène la multiplicité qualitative à une unité quantitative. Le produit du travail « échappe » à son producteur ; il s'échange contre d'autres produits qu'il rencontre sur le marché, lequel s'affirme comme force autonome, irréductible à l'interférence des motivations et des conduites, comme « chose (1) ».

Entre les deux pôles de la vie économique, entre production et consommation s'interposent une pluralité de mécanismes qui brisent l'immédiateté des rapports sociaux, leur individualité. Dans le même temps ou elle crée un monde d'objets médiatisant les échanges humains, la société marchande étend sa puissance sur le donné naturel ; il s'agit maintenant de le connaître et de le maîtriser. L'âge du capitalisme industriel est celui de cette volonté de puissance que le « Manifeste Communiste » en termes aussi brefs que brutaux, décrit :

« La bourgeoisie a joué dans l'histoire un rôle éminemment révolutionnaire. Partout où elle a conquis le pouvoir, la bourgeoisie a détruit toutes les conditions féodales, patriarcales, idylliques. Les liens familiaux bariolés qui attachaient l'homme à son supérieur naturel, elle les a déchirés, impitoyablement pour ne laisser subsister d'autre lien entre l'homme et l'homme que l'intérêt tout nu, que le froid « argent comptant ». Les frissons sacrés de l'exaltation religieuse, de l'enthousiasme chevaleresque, de la sentimentalité du philistin, elle les a noyés dans les eaux glacées du calcul égoïste. La dignité de la personne, elle l'a fondue dans la valeur d'échange et, à la place des innombrables libertés garanties et chèrement acquises, elle a mis l'unique liberté, celle du commerce, sans foi ni scrupule. En un mot, à l'exploitation masquée par des illusions

---

(1) Nous nous excusons de reprendre brièvement ici ces thèses de Marx que tout le monde a aujourd'hui présentes à l'esprit ; elles sont indispensables cependant pour comprendre la manière dont dans son œuvre se définit le problème de la vérité.

religieuses et politiques, elle a substitué l'exploitation ouverte, éhontée, directe et sans fard...

« La bourgeoisie a révélé comment la brutale manifestation de la force au moyen âge, tant admirée par la réaction, trouvait son complément harmonieux dans le désœuvrement le plus sordide. C'est elle qui, la première a démontré ce que peut accomplir l'activité des hommes. Elle a réalisé de tout autres merveilles que les Pyramides d'Égypte, les aqueducs romains et les cathédrales gothiques. Elle a mené d'autres expéditions que les invasions barbares et les croisades... (1) ».

La société marchande ouvre l'espace, y inscrit la marque de l'illimité ; elle étend toujours plus loin les limites du monde connu et en fait l'objet d'appétits, de désirs, de volontés. L'individu y risque sa fortune mais ce risque n'est pas assumé à la légère : la société marchande forge des instruments universels d'évaluation et de comptabilité, le calcul économique lui permettant d'égaliser la diversité des produits, des entreprises, des hommes et frayant la voie à une homogénéisation de l'ensemble des objets, signes, symboles qui structurent l'existence humaine.

Le risque n'est donc jamais irraisonné ; il s'intègre dans un plan, dans un effort volontaire pour réaliser certains projets et pour en écarter d'autres comme non rationnels. La conséquence normale d'une telle volonté est l'innovation technologique ; à travers elle nous assistons à un bouleversement permanent des potentialités humaines. La marque en est la création d'un univers matériel qui, prolongeant toutes les possibilités d'action humaine, n'en possède pas moins sa logique propre. L'homme va s'y trouver enserré comme dans les maillons d'un langage.

La capitalisme industriel étend et élargit ce qui n'était encore qu'esquissé par l'économie marchande. Et cela à un degré tel que « la richesse des sociétés dans lesquelles règne le mode de production capitaliste s'annonce comme une immense accumulation de marchandises (2) », mais la transformation n'est pas seulement quantitative ; c'est la totalité de l'existence sociale que le capitalisme remet en question en soumettant l'industrie à un processus de révolution permanente, en impulsant un prodigieux développement des forces productives et en lui donnant une forme continue.

L'opposition entre société capitaliste et société précapitaliste prend alors tout son contenu ; dans le premier cas les transformations incessantes des réseaux économiques obéissent à une dialectique endogène ; le système ne subsiste que s'il se modifie ; dans

---

(1) *Manifeste Communiste*, p. 31 (Éditions Sociales, 1954).
(2) *Critique de l'Économie Politique*, p. 7.

le second cas ces transformations sont généralement le fait d'événements extérieurs — disettes, guerres, changements climatiques — qui font éclater un certain équilibre et rendent indispensable une nouvelle adaptation. Ce n'est pas tout : dans les sociétés modernes ces réseaux forment en eux-mêmes un ensemble intelligible qui est directement donné aux producteurs et aux consommateurs ; ce n'est pas le cas dans les sociétés archaïques où la distinction entre les différents niveaux de la réalité opérée par Marx (1) dans la Préface à la *Critique de l'Économie Politique* n'a pas de répondant intuitif et est construite par le savant. L'activité économique suppose alors l'interférence de registres multiples et n'est intelligible que si sa pluri-signification lui est restituée.

Ceci seul suffit pour exclure toute prévalence du registre économique de l'ordre de celle qui existe dans les sociétés industrielles ; aussi comprend-on que Marx et Engels se soient refusés à une assimilation sans précaution. Engels fait au contraire remarquer qu'on ne peut parler que de détermination négative. Le faible niveau technique, la stagnation de la productivité interviennent à titre négatif dans la mesure où ils excluent certaines des possibilités qui seront réalisées à une époque ultérieure : importance des privilèges économiques, division du travail très poussée, constitution de classes sociales, rejet au second plan des relations de parenté ; différenciation de la puissance étatique ; par contre ils ne déterminent pas le choix entre les diverses formes institutionnelles qui pourraient à des titres divers correspondre à une telle organisation de la production. L'économique définit un champ où plusieurs solutions coexistent ; il ne dessine pas l'organisation de ce champ.

Une comparaison permettra peut-être de mieux saisir ceci : le nombre et la nature des opérations qu'un ordinateur peut effectuer, la quantité d'informations qu'il est capable de recevoir, sont donnés par la structure même de la machine. Métaphoriquement nous identifierons cette structure aux relations économiques dans la mesure où le niveau de domination de la nature où l'homme est parvenu circonscrit un certain nombre de possibilités. L'opposition précédente peut dès lors être reformulée comme suit : dans les sociétés pré-capitalistes la structure de la machine est à quelques variations près donnée une fois pour toutes, permettant le développement de configurations secondaires qui ne tendent que très rarement à mettre en question la structure qui les porte. Dans les sociétés industrielles par contre c'est la machine elle-même qui se trouve sans cesse transformée ; et cette transformation se répercute directement à tous les niveaux de la vie sociale. Les rapports

(1) Forces productives, rapports de production, formes de conscience sociale, superstructures, etc...

de production ne sont plus seulement des « conditions de possibilité » ; ils interviennent à titre de « cause efficiente » (1).

Quoi qu'il en soit Marx vise la différence entre les deux types de société comme différence entre deux rapports possibles à la vérité ; plus précisément la grande industrie par son rythme de croissance aussi bien que par l'organisation qui la régit permet à l'homme d'accéder à un champ qui lui était jusqu'alors voilé. C'est bien ce terme de « voile » que Marx emploie dans le *Capital* lorsqu'il affirme avec force : « Le voile qui dérobait aux regards des hommes le fondement matériel de leur vie, la production sociale, commence à être soulevé durant l'époque manufacturière et fut entièrement déchiré à l'avènement de la grande industrie » (2) ; ce qui se déchire ce sont les idéologies de tout ordre qui rapportent à ce qui n'est pas l'homme les diverses modalités de l'organisation sociale ; ce qui se révèle c'est que l'homme est le seul producteur de son humanité. Pour la première fois dès lors, la base réelle sur laquelle repose toute société peut être mise à nu ; pour la première fois l'homme peut explicitement se fixer pour tâche de connaître l'ensemble des lois qui le régissent car il se définit essentiellement comme être social.

Ce « devenir société de la société » suivant la formule de Lukacs, suppose donc toujours plus la possibilité de rapporter le tout des significations à l'homme lui-même qui s'égale à la totalité des formes d'existence, d'échange, de communication en les appréhendant comme son œuvre propre. La dualité des deux ordres qui sous une forme ou sous une autre a été reconnue par toutes les sociétés précapitalistes — ordre rituel dont toute réalité tire son efficience mais que rien en l'homme ne peut expliquer, ordre profane en lequel se déroule l'action humaine — se trouve abolie. L'homme s'affirme comme le seul émetteur de l'ensemble de ces messages que constituent les diverses sociétés. Une compréhension du processus historique qui soit intérieure à ce processus même est dès lors concevable. Une science de l'homme devient possible parce que sont unifiées les diverses manifestations de la créativité humaine.

Ceci cependant ne signifie pas que les différences réelles soient estompées. Il n'y a pas de loi absolue qui présiderait à l'évolution historique et ferait que chaque société soit nécessairement obligée de passer par un certain nombre de phases avant de parvenir à un

---

(1) Cette opposition est évidemment relative ; toutes les sociétés connaissent des transformations économiques, et les concepts de rapidité et de lenteur ne prennent une signification que si on ordonne les sociétés les unes par rapport aux autres.

(2) *Le Capital*, Ed. Sociales, Livre I, tome II, p. 164.

terme fixé de toute éternité. Une telle dynamique historique suppose, de par son caractère linéaire, que l'activité humaine reste
extérieure à l'histoire et que celle-ci se réalise en dehors de celle-là.
Tout est compris à la lumière de ce qui est alors que le présent
n'est lui-même qu'un phénomène transitoire. Aussi « la prétendue
évolution historique repose en général sur le fait que la dernière
formation sociale considère les formations passées comme autant
d'étapes conduisant à elle-même et qu'elle les conçoit toujours d'un
point de vue partial (1) ». Tout schéma évolutionniste est obligatoirement limité puisqu'il ne prend en considération dans une
société donnée que ce qui annonce la société future. Or chaque
formation sociale se réalise sur une pluralité de plans dont certains
seulement sont repris par les sociétés ultérieures ; c'est ce reste qui
à l'échelle de l'histoire universelle est immense que l'évolution-
nisme méconnaît.

Pour Marx cependant, la société capitaliste, sous cet angle aussi,
se différencie de celles qui l'ont précédée. En se développant et en
s'étendant à l'échelle de la planète, elle est entrée en contact avec
tous les autres types de société — patriarcal, esclavagiste ou féodal — et les a transformés, dévoilant ainsi pratiquement qu'un
pont existait de l'une à l'autre et qu'elles n'étaient pas totalement
hétérogènes. La création d'une histoire de l'humanité n'est pas
seulement spatiale, les diverses régions du monde dépendant toujours plus les unes des autres, mais temporelle puisque la croissance
capitaliste s'est déroulée dans un Univers où existaient encore les
principales formes d'organisation sociale créées par l'homme.
Ainsi s'étend devant nous un immense champ d'expériences : les
multiples sociétés qui existent dans les continents dits « arriérés »
sont en pleine évolution et se trouvent à leur tour confrontées aux
problèmes du développement économique, de l'industrialisation
et de l'intégration des schémas de la pensée rationaliste qui les
accompagne ; chacune cependant part d'une situation qui lui est
particulière ; et cette diversité historique ne contribue pas seulement à la complexité du tableau ; elle lui donne son caractère
unique : d'innombrables sociétés souvent très dissemblables se
trouvent face au même problème et essayent de le résoudre avec
les moyens spécifiques qui sont les leurs.

Ainsi la société industrielle est bien le centre de l'histoire que
nous vivons. Elle est certes la radicale contre-partie des communautés « archaïques » mais paradoxalement en s'opposant à elles,
elle en dévoile la signification. Et cela d'une double manière : rom·

---

(1) *Critique de l'Économie Politique*, p. 170.

pant avec les sociétés pré-industrielles elle en est néanmoins directement ou indirectement le produit historique et contient de ce fait
un certain nombre de leurs éléments fondamentaux, non pas res-
taurés dans leur richesse véritable, mais déplacés, condensés,
intégrés à des systèmes plus vastes ; de plus sa complexité est telle
que les diverses réponses qui ont pu être apportées en d'autres
temps gardent encore une partie de leur efficience. La signification
de ce fait nous est déjà apparue : pour la première fois une confrontation de l'ensemble des sociétés devient possible ; le modèle d'une
communauté universelle ne sera plus alors la simple transposition
d'une situation de fait mais le produit véridique de la mise en équation d'une multiplicité de cultures.

C'est de cette mutation du savoir dont Marx rend compte lorsqu'il déclare que les catégories économiques qui expriment au niveau théorique les conditions d'existence de la société bourgeoise
nous donnent en même temps accès aux sociétés pré-capitalistes.

« La société bourgeoise est l'organisation historique de la production la plus développée et la plus différenciée. Les catégories
qui expriment ces conditions, la compréhension de sa structure lui
permettent de comprendre la structure et les conditions de production de tous les types de sociétés disparues sur les ruines et les
éléments desquels elle s'est édifiée et dont certains vestiges, non
encore dépassés continuent à se traîner en elle, tandis que certaines
virtualités se sont épanouies dans des formes bien déterminées.
L'anatomie de l'homme est une clef pour l'anatomie du singe. Les
virtualités supérieures latentes dans les espèces animales inférieures
ne peuvent au contraire être comprises que lorsque les stades supé-
rieurs sont eux-mêmes déjà connus (1). L'économie bourgeoise
fournit la clef de l'économie antique (2). »

Seulement si elle en fournit la clef elle ne permet aucune assimilation abusive ; il ne s'agit pas de transplanter les concepts, auxquels nous sommes parvenus en analysant empiriquement le mode
de production capitaliste, dans le monde antique où nous décririons
le conflit entre bourgeois et prolétaires. En affirmant l'unité des
sociétés humaines — nous posons du même coup que cette unité
n'exclut pas la diversité — puisque c'est à un moment déterminé
de l'évolution historique qu'une telle vérité a pu être atteinte.

Mais là encore il serait erroné de se situer sur le plan du seul
savoir : la disparition de toute normativité extérieure à la trame
sociale exclut qu'on parle de celle-ci en termes de « nature » ou de
« sacralité » ; mais elle implique aussi que ce soit au niveau de la

(1) Curieux matérialisme qui explique l'inférieur par le supérieur.
(2) *Critique de l'Économie Politique*, p. 169.

société seule qu'une normativité d'un type supérieur puisse être instaurée. *Or cette normativité ne peut être que la prise en charge tant théorique que pratique de la dimension même de la socialité* (1) ; plus concrètement ce que Marx affirmera, c'est qu'il n'y a pas d'autre objet qui soit donné à une société qui a fait du travail son mode d'existence essentiel que d'incarner dans la gestion par les producteurs de tous leurs modes d'activité cette créativité sociale à l'état pur que l'industrialisation a mise en pleine lumière.

Or paradoxalement la société capitaliste apparaît comme monde de la violence et de la particularité ; elle a bien marqué l'ensemble des conduites humaines de ses lois propres mais elle ne se donne cependant pas comme totalité véritable. La critique du capitalisme qui se développe dans toute l'œuvre de Marx met à jour ce qu'on pourrait appeler, en utilisant un langage phénoménologique, une intention non remplie ; elle révèle la non-coïncidence entre le contenu réel des rapports sociaux qui prédominent et l'exigence dernière qui se dégage de ces mêmes rapports.

Il y a là comme une inadéquation entre la forme et la matière qui seule fonde l'activité comme la théorie révolutionnaire. La totalité est effectivement posée comme exigence dernière mais elle n'est jamais atteinte ; ce qui se donne plutôt c'est la spécialisation et le morcellement de toutes les activités humaines, la disparité des langages, la rationalisation abstraite des conduites, l'éclatement du tout en sphères autonomes qui se pensent à partir de leur contenu propre en ignorant leurs relations à l'ensemble ; phénomènes multiples qui ont été diversement désignés par les concepts de « Réification », de « fétichisme », etc... et qui s'enracinent, quelles que puissent être les interférences secondaires, dans les relations contractées par les hommes au sein du processus de production. La véritable essence de l'homme — Négativité, Travail, Temps, Histoire — est donc livrée (2) en même temps que voilée. La critique révolutionnaire ne s'appuiera dès lors que sur ce qu'elle a mis en évidence et ne se référera à aucun ordre transcendant. La Norme est donnée corrélativement à sa violation et cette connexion seule permet au prophétisme de Marx de dépasser le pur niveau de l'utopie.

Ce qui fait donc la spécificité du Marxisme c'est d'affirmer à la fois que le sens même du développement de la société capitaliste,

---

(1) En un autre langage Rousseau ne disait pas autre chose. Ce que Marx apporte de nouveau, c'est à la fois un contenu — l'homme se trouve pensé dans son existence empirique — et l'analyse du processus par lequel ce contenu s'est trouvé dévoilé.
(2) L'hymne au développement de la société capitaliste que contient le *Manifeste Communiste* est donc hymne au développement de la vérité ; l'Histoire en portant le réel à son plein accomplissement est révélatrice.

dissolvant tout ce qui restait en elle de « naturel » tend à mettre au premier plan ce problème de la prise en charge de la totalité par les hommes de cette société et que ce problème est soluble dans la mesure où un groupe social, le prolétariat, peut se rendre l'égal de ce tout. Qu'on exclue cette coïncidence dernière de la partie et du tout (1), qu'on admette la réalité d'expériences sociales hétérogènes, l'existence d'une créativité jouant à différents niveaux sans qu'elle puisse être reprise par la société tout entière et le marxisme se trouve problématisé. L'interpréter alors comme méthodologie, comme théorie de la connaissance, comme philosophie ou comme non-philosophie (2) en reléguant au second plan cette question primordiale ou en la rapportant à des temps meilleurs est une entreprise vide de sens. Seule en effet la relation à l'activité politique conçue comme totalisation effective reste déterminante ; sous un angle plus limité, épistémologique par exemple (rien de plus creux à cet égard que les fameuses lois de la dialectique dont la portée opératoire est nulle), les catégories utilisées par Marx sont plus ou moins valables ; de toutes les manières elles trouvent naturellement place dans l'histoire de la science sans que celui qui les utilise à titre d'organon puisse se différencier radicalement de ceux qui choisissent d'autres hypothèses de travail. Ce qui par contre modifierait du tout au tout la relation de l'homme au savoir ce serait d'incarner au cœur même d'une pratique sociale effective l'ensemble des concepts déterminés théoriquement plus encore de les légitimer en dévoilant — dévoilement qui ne peut être que le fait d'un sujet réel, agissant — le lieu véritable de leur engendrement. C'est cela même qui est rendu possible par l'activité révolutionnaire du prolétariat.

C'est Lukacs peut-être qui a mis le plus nettement en valeur la fonction que Marx faisait ainsi jouer à la classe ouvrière, en formulant très clairement le problème :

« Car il faut se demander avant tout dans quelle mesure *la totalité de l'économie* d'une société peut en tout état de cause être perçue de l'intérieur d'une société déterminée à partir *d'une position* déterminée dans le processus de production (3). »

et en y apportant une réponse sans équivoque :

« Mais c'est seulement avec l'entrée en scène du prolétariat que la con-

(1) Ce serait retrouver certains des éléments fondamentaux de notre vision de l'histoire passée où la créativité dans l'ordre des significations s'est opérée dissymétriquement à partir de pôles antagonistes (classes sociales, groupes culturels, sociétés différentes) ce qui excluait toute compréhension unifiée du devenir à partir d'un seul lieu.
(2) Cette position est fréquente en France aujourd'hui ; elle aboutit à colorer très curieusement l'ensemble de nos débats idéologiques.
(3) *Histoire et Conscience de Classe*, p. 74.

naissance de la réalité sociale trouve son achèvement ; avec le point de vue de classe du prolétariat un point est trouvé à partir duquel la totalité de la société devient visible (1). »

L'emploi du terme « visible » est certes caractéristique de la pensée de Lukacs pour qui c'est bien d'une vision dont il s'agit, de la possibilité pour la totalité sociale de se donner comme en transparence. Mais même en nuançant de telles affirmations et en substituant à l'intuition ici mise en avant un ordre discursif, il n'en reste pas moins qu'une telle possibilité se concrétise pour l'ensemble des penseurs marxistes dans le prolétariat. Non pas que tout prolétaire soit en prise directe avec la vérité du tout ; les conduites individuelles, par définition, ne sont significatives que dans un registre limité. La saisie de la totalité ne peut être que le fait d'un sujet qui soit lui-même totalité ; or seules les classes se trouvent être, dans nos sociétés, de telles totalités. En ce domaine classe bourgeoise et classe ouvrière ne diffèrent pas ; ce qui les oppose, c'est que, de par son mode d'existence, le bourgeois se rapporte sur un mode privé à l'économie comme à l'État. La situation est autre pour le prolétariat qui, sujet collectif, est pouvoir, aussi bien objectif que subjectif, de totalisation.

Une telle affirmation peut être discutée sur plusieurs plans : il est normal par exemple de se demander si le prolétariat est bien apte à remplir la lourde tâche que le philosophe lui a fixé ou si les transformations de la société capitaliste ne rendent pas désuètes les descriptions que Marx ou Lukacs ont pu donner de la classe ouvrière. A chacune de ces questions cependant la réponse sera apportée par les faits et laissera intact le cadre au sein duquel le problème posé par Marx a pris sens. Or c'est ce cadre lui-même qu'il importe de discuter. De l'œuvre de Marx se dégage une certaine image du rapport de l'homme à la vérité. L'activité scientifique s'y trouve remplir des fonctions déterminées, un certain lien étant affirmé entre les résultats de cette science et la praxis des hommes de notre société. Entre la Théorie et la Pratique, le Concept et le Temps, la réconciliation est envisagée en raison de ce que sont l'un et l'autre. La discussion pourrait donc choisir n'importe lequel des deux termes pour point de départ. Nous voudrions ici en réfléchissant sur le type de rationalité introduit par l'activité scientifique dans le domaine humain, contribuer à reprendre le problème soulevé par Marx ; cependant il nous faut tout d'abord insister sur la nature du discours privilégié en lequel se concrétise sa conception générale de la société capitaliste, à savoir la théorie révolutionnaire.

(1) *Idem*, p. 40.

En apparence rien de plus vague que ce terme. Il semble recouvrir à la fois : une analyse générale de la société capitaliste mettant
à jour sur un mode objectif les contradictions qui dominent cette
société et leur évolution probable ;

— la définition, face à un univers aliéné, de normes qui prési-
deraient à l'organisation d'une communauté rationnelle, où toute
exploitation de l'homme par l'homme aurait disparu ;

— enfin la détermination conjoncturelle des tâches de l'heure,
appuyée sur la connaissance scientifique de l'écroulement final du
système fondé sur la propriété privée des moyens de production.

Dans chacun de ces cas pourtant nous nous situons dans un
registre différent ; il n'est donc pas possible d'englober sous un
même concept des phénomènes aussi dissemblables ; ceux-ci
pourtant ne se laissent comprendre que par référence aux résultats
auxquels nous sommes parvenus.

a) La société capitaliste pose pour la première fois dans son intégralité la question de l'essence même du fait social ; de par les
formes d'existence qu'elle instaure, elle ne peut pas avoir d'autre
point d'arrivée que la socialisation intégrale (c'est-à-dire la gestion
de la société par l'ensemble de ses membres) — terme limite qui est
le corrélat de tous les comportements des hommes de la société
industrielle, comme des institutions qu'ils créent ;

b) Mais cette socialisation, horizon qui nous est donné de manière permanente, n'est jamais remplie en raison du caractère privé des rapports sociaux ; d'où un jeu de contradictions qui au niveau proprement économique peut être caractérisé comme conflit
entre la production sociale et l'appropriation privée des moyens de
production ;

c) Cette contradiction trouve son point d'incarnation le plus
direct en même temps que sa solution dans la condition qui est faite
au prolétariat, seul capable de surmonter l'écart entre la norme et
son remplissement.

Du même coup se trouve dégagée la triple signification de la
théorie révolutionnaire qui apparaît à la fois comme utopie, comme
science et comme dévoilement quotidien du contenu de la praxis
qui est la nôtre.

Utopie tout d'abord qui développe quasi-déductivement le
modèle d'une société rationnelle tel qu'il peut être abstraitement
dégagé des modalités de fonctionnement de la société capitaliste.
L'Utopie en effet n'est pas pure illusion mais mise à jour d'un système positif de normes qui, indépendamment de toute référence à
leur possible réalisation, donne seul la mesure de ce qui se passe.
Le socialisme est peut être irréalisable mais rien dans l'histoire de
nos sociétés ne devient compréhensible si une telle notion n'est pas

postulée. C'est une démarche de cet ordre qui déjà définissait la « République » ; la politique platonicienne n'est ni un ensemble de conseils destinés à faciliter le travail de l'homme politique, ni une construction purement arbitraire s'alimentant dans le discours de la belle âme, mais instauration d'une véritable législation de l'événement qui déchiffre sa signification en fonction de la loi fondamentale de la cité que la science a dévoilée. Pareillement il est possible que le modèle d'une société où aurait disparu toute forme d'aliénation et d'exploitation du travail ne puisse avoir qu'une signification extra-historique ; il n'en resterait pas moins que l'histoire des sociétés industrielles ne serait située sous son véritable jour que confrontée à ce modèle. Ceci permet de comprendre le caractère volontariste de certains textes de Marx et notamment de la fameuse préface à la « Critique de la Philosophie du Droit » où face à la construction hégélienne, la référence au prolétariat se donne comme un véritable impératif catégorique.

« Il faut former une classe avec des chaînes radicales, une classe de la société bourgeoise qui ne soit pas une classe de la société bourgeoise, une classe qui soit la dissolution de toutes les classes, une sphère qui ait un caractère universel par ses souffrances universelles et ne revendique pas de droit particulier, parce qu'on ne lui a pas fait de tort particulier, mais un tort en soi, une sphère qui ne puisse plus s'en rapporter à un titre historique mais simplement au titre humain, une sphère qui ne soit pas en opposition avec les conséquences, mais en opposition générale avec toutes les suppositions du système politique allemand, une sphère enfin qui ne puisse s'émanciper sans s'émanciper de toutes les autres sphères de la société et, sans, par conséquent, les émanciper toutes, qui soit en un mot, la perte complète de l'homme et ne puisse donc se reconquérir elle-même que par le regain complet de l'homme. La décomposition de la société en tant que classe particulière, c'est le prolétariat » (1).

Sans la moindre ambiguïté le « Il faut » renvoie à une exigence philosophique. La société capitaliste est telle que la réconciliation finale visée par la philosophie ne deviendra réelle que s'il existe une classe de cet ordre. Vu l'importance d'une telle affirmation, la question de fait ne se posera qu'ultérieurement. L'utopie n'est donc pas le produit d'une démarche idéaliste ; elle est plutôt mise à jour rigoureuse de ce qui est impliqué par le contenu réel des rapports sociaux, sans que l'on se préoccupe de savoir si la déduction fondée qui est l'œuvre du philosophe possède une quelconque équivalence dans le domaine empirique.

(1) *Œuvres Philosophiques*, tome I, p. 105-106.

La position de la norme n'est donc en aucun cas arbitraire ; elle suppose une détermination théorique de ce qui est, elle s'appuie sur la *science* et ne trouve sa signification que par rapport à elle ; aussi paradoxalement est-ce au niveau scientifique qu'elle peut être validée ou réfutée. Affirmer que A doit être B, c'est affirmer que seul un A qui est un B est un A véritable, ce qui est un jugement de type analytique qui suppose l'étude rigoureuse de A. Affirmer que la société industrielle doit être gérée sur un mode socialiste, c'est affirmer que seule une société socialiste est une véritable société industrielle, c'est-à-dire une société qui pousse à son terme les valeurs qui ont surgi avec l'industrialisation et qui sous une forme ou sous une autre sont reconnues et actualisées par tous. De même, la *République* de Platon n'appelle-t-elle qu'une question essentielle : la cité grecque est-elle bien morte des contradictions que Platon avait mises en évidence, contradictions qui n'auraient pu se résorber que dans la Cité Juste qu'il avait imaginée ? Si la réponse est positive, la réflexion utopique prend valeur scientifique : elle revient à constater, en marquant le hiatus entre l'idéal et le réel, l'existence de sociétés confrontées à des problèmes insolubles.

Ce savoir sur lequel l'Utopie s'appuie, quel est-il donc ? Posant l'avenir comme sa dimension première, la théorie révolutionnaire n'en est pas moins science, c'est-à-dire ordination en un ensemble de concepts rigoureusement définis de cette réalité complexe qui a nom « société capitaliste ». L'ordre ainsi introduit, se situera dans le prolongement direct du schéma général développé par Marx : c'est une transformation dans l'ensemble des relations sociales qui nous était apparue comme la source véritable de la critique de la philosophie spéculative ; ce sont ces transformations que la recherche scientifique prendra pour objet d'étude : le capitalisme ne sera plus compris alors, à la manière des économistes classiques, comme un cadre abstrait à l'intérieur duquel évoluent monnaie et capital mais comme un système de rapports sociaux liant de façon contraignante bourgeoisie et prolétariat. Faire du capital une « chose », l'identifier à une « valeur d'usage productive », à un « stock monétaire » ou plus généralement à toute forme de propriété, c'est manquer, au niveau économique, cette révolution théorique que la société industrielle, de par les nouvelles formes de conscience qu'elle engendre, permet d'accomplir.

L'analyse économique se double donc nécessairement d'une critique de l'économie politique et des concepts qui sont les siens. On comprend à cet égard pourquoi le *Capital* porte en sous-titre « Critique de l'économie politique » et le triple sens qu'il faut donner à ce terme de critique (1) : par certains de ses aspects sa signification est voisine de celle qu'il possède dans les œuvres maîtresses de Kant ; la réflexion critique consiste en ce cas à s'interroger sur les conditions de possibilité de l'économie politique comme science, son apparition supposant une rupture avec les idéologies liées à l'activité productive dans les sociétés précapitalistes. Ces conditions sont, comme nous l'avons vu, doubles : constitution d'un ordre économique autonome, régi par son propre système de causalité et pouvant comme tel relever, au moins dans certaines limites, d'une analyse « objective », développement d'une mentalité calculatrice et technicienne qui évalue le réel en termes de coûts et de rentabilité et entreprenne de le transformer, y inscrivant la somme des énergies humaines.

« Il va donc de soi qu'en premier lieu l'économie politique qui a reconnu le travail pour principe — Adam Smith — qui ne connaissait donc plus seulement la propriété privée comme un état en dehors de l'homme — que cette économie politique doit être considérée aussi bien comme un produit de l'énergie et du mouvement réel de la propriété privée que comme un produit de l'industrie moderne, de même que d'autre part elle a accéléré l'énergie et le développement de cette industrie et en a fait une puissance de la conscience » (2).

La *Critique de l'Économie Politique* se fixe alors pour but de fonder en réalité le discours économique, de valider son statut scientifique.

Mais en un autre sens — et le mot est ici employé dans son usage traditionnel — la critique est plus directe et touche l'activité économique telle que l'économie capitaliste en démontre le principe. L'extension de la richesse se double d'une exploitation permanente du travail humain. L'inhumanité d'une société est alors dénoncée dans ce qu'elle a de contradictoire et d'archaïque, vu les possibilités créatrices qui sont les siennes.

Enfin, et d'une autre manière, la critique vise la théorie économique elle-même qui a souvent sanctionné et justifié cette inhumanité et a accordé valeur aux illusions et fétiches engendrés par le mode de production capitaliste, niant de ce fait l'intention scientifique qui était sous-jacente à son projet théorique.

Ces trois critiques se rejoignent pourtant, puisque toutes tendent

(1) Toutes les œuvres économiques de Marx contiennent de très longues études portant sur les théories économiques qui avaient été formulées avant lui ; études qu'il a soit groupées systématiquement comme dans son « Histoire des doctrines économiques » qui serait devenu le livre IV du « Capital », soit intercalées au cœur même de ses démonstrations comme dans le manuscrit économico-philosophique et le livre II du *Capital*.

(2) *Œuvres Philosophiques*, tome VI, p. 12.

à substituer à un univers de choses qui peut encore se donner comme nature, les relations concrètes contractées par les hommes au sein du processus de production. En décrivant la séparation du Travail et de la Propriété, Marx ne s'attaque pas à une réalité périphérique mais isole en un concept limite ce qui impose sa marque au devenir de la société capitaliste et l'oriente vers son terme. C'est ici d'ailleurs qu'une hésitation se marque qui ultérieurement a pesé sur l'orientation générale du marxisme. Le *Capital* a pour objet un système de relations sociales liant les hommes les uns aux autres par l'intermédiaire d'un univers de choses doué partiellement au moins de sa propre logique. Cette indépendance de l'objet qu'illustrent le marché et ses fluctuations renvoie certes à l'appropriation privée des moyens de production et donc à des groupes réels se trouvant dans un certain rapport à ce monde d'objets. Il n'en reste pas moins qu'il n'y a pas toujours homogénéité entre les divers paliers de l'analyse ; celle-ci peut se placer soit au niveau des mécanismes qui agiraient hors de toute action possible des groupes sociaux (1), soit au niveau de la dynamique résultant de la coopération et de la lutte des groupes sociaux. Dans le premier cas on parlera de la « paupérisation absolue » conçue comme corrélat nécessaire de l'industrialisation capitaliste, sans essayer d'intégrer à un tel schéma la lutte ouvrière elle-même ; de « baisse du taux de profit moyen » sans voir que le rapport entre la croissance de la productivité et le taux de la plus value dépend uniquement des rapports de force entre le Capital et le Travail ; de « crises de surproduction » à amplitude croissante, la dernière devant conduire le système capitaliste à son terme, sans prendre en considération les possibilités d'intervention qui sont celles des entrepreneurs et de l'État (2). Dans le second cas c'est l'action du prolétariat qui seule peut infléchir de façon décisive le jeu des forces économiques, et c'est sa condition qui deviendra le principal thème de réflexion.

Les contradictions dévoilées toucheront alors plus directement à l'existence quotidienne des producteurs ; l'entreprise et son type d'organisation ne sont-ils pas comme le microcosme où vient se refléter la totalité de la société, les mêmes phénomènes se reproduisant à tous les niveaux : éclatement de la communauté en groupes hétérogènes, opposition entre ceux qui décident et ceux qui exécutent, unilatéralité des échanges jouant au profit de ceux qui

---

(1) En employant le langage de Sartre nous dirons que la contre-finalité du champ pratico-inerte est alors telle qu'elle rend inopérante en son contenu comme en ses effets toute Praxis individuelle ou collective.

(2) C'est peut-être *l'Accumulation du Capital* de Rosa Luxembourg qui fournit l'exemple le plus pur de ce déterminisme rigoureux des structures économiques conduisant nécessairement le système capitaliste à son écroulement.

gèrent les instruments de production et de distribution, irrationalité profonde des choix promus par des minorités ne possédant pas
les éléments indispensables à une juste appréciation de la situation,
non-communication des informations jouant dans les deux sens du
haut vers le bas comme du bas vers le haut, développement de
techniques autoritaires tendant à adapter l'individu au milieu,
extériorité du pouvoir politique aux activités humaines réelles, etc...
ainsi un vaste tableau se dessine (1) ; et ce ne sont pas là les produits
occasionnels d'une société qui, de temps en temps, fonctionnerait
mal, mais à tous les pôles de la collectivité, l'affirmation d'une
même présence, celle de classes et de groupes sociaux antagonistes.

On aperçoit maintenant sur quel mode la science valide l'utopie :
celle-ci ne surgit pas comme la négation abstraite de l'état de choses
précédent mais bien comme corrélat des formulations scientifiques :
en effet ces dernières ne peuvent avoir une valeur quelconque (dans
le cas contraire elles ne seraient qu'une manifestation supplémentaire du discours de la belle âme) que si le langage utilisé ne s'inspire pas d'une autre normativité que celle qui est donnée par le
réel ; tous les critères auxquels nous avons recouru — unilatéralité des échanges, blocage des informations, dissymétrie dans la
communication, irrationalité de la gestion économique — n'ont de
signification que dans la mesure où c'est bien par référence à un
ordre qui serait la négation de tels phénomènes que la société capitaliste définit son avenir ; et cela parce qu'elle vise un certain type
de rationalité et d'efficience qu'elle refuse en même temps qu'elle
le valorise. L'Utopie n'est alors que le point ultime de cette
valorisation que la science a fait apparaître ; elle met à jour une
rationalité virtuelle et en dessine la figure réelle ; s'appuyant sur
la science, elle élabore ses concepts à partir du modèle de la société
capitaliste qui a été construit par les savants, modèle qui comme
tel peut être ignoré par les membres de la communauté (2). Mais
elle peut aussi prendre appui sur le déchiffrage des comportements
et des fins visées par les individus et les groupes sociaux. Elle n'est
plus alors utopie.

Dans ce cas seul, la théorie révolutionnaire prend toute sa spécificité (3) ; le passage de l'Etre au Devoir-Etre que la science

(1) Evidemment tout ceci ne se trouve pas sous cette forme chez Marx ; mais
ces différents thèmes ont été repris par nombre de théoriciens marxistes.
(2) Telle est la position platonicienne ; ce sont les philosophes qui après une
initiation longue et difficile peuvent mettre à jour l'ordre vrai ; mais cet ordre
ils sont les seuls à le connaître.
(3) Ce découpage peut paraître arbitraire et méconnaître l'unité profonde de la
théorie révolutionnaire ; il correspond pourtant aux formes linguistiques qui
dominent dans les groupes révolutionnaires. Soit ces trois types de phrases, mille
fois répétées :
« Seule l'union des prolétaires permettra d'éviter la guerre », affirmation qui
concrétise la démarche utopique ;

comme l'utopie postulaient encore à titre abstrait, elle en montre la possibilité en saisissant son émergence dans l'activité quotidienne des hommes des sociétés modernes. Elle n'est plus alors systématisation des résultats scientifiques ou tableau idéal d'une communauté future, mais discours particulier d'hommes en situation, visant à rendre compte de leur condition, à s'égaler à la totalité des significations sociales, c'est-à-dire modèle normatif en prise directe avec l'expérience sur laquelle s'édifie la société capitaliste, à savoir l'expérience productive.

C'est ici que la conception marxiste de l'activité scientifique s'infléchit. Toute conduite humaine a un sens qu'à des degrés divers la science s'efforce de restituer. Mais il y a plus dans le projet qui anime la théorie révolutionnaire que la reconnaissance de cet effort — si cela était elle ne se distinguerait pas de la science —, ce qu'elle postule c'est que la praxis ouvrière ne livre pas son contenu à toute analyse objective, que son « secret » ne se révèle que du dedans. Le marxisme se veut à la fois le produit de ces instruments de pensée universels que forge la société industrielle et de l'occupation d'un lieu privilégié au sein de cette société. Certes le fait a rarement été reconnu explicitement et toutes les conséquences n'en ont pas été tirées ; mais l'opposition entre l'économie politique vulgaire qui ne serait qu'une construction idéologique et sa propre doctrine chez Marx, celle entre conscience vraie et conscience fausse chez Lukacs ou entre science bourgeoise et science prolétarienne aux beaux temps du stalinisme renvoie à cette dualité de plans ; plus, au delà des variations de détail, nous retrouverons dans tous les mouvements politiques marxistes cette affirmation primordiale : le parti ou ce qui en tient lieu, en raison de son lien organique à l'existence ouvrière, détient une vue privilégiée sur le tout de notre société.

C'est que l'être de cette société ne peut se révéler qu'à ceux-là mêmes qui en font directement l'expérience ; ceci signifie qu'en fonction de l'analyse que Marx a donnée de la société capitaliste, seuls les ouvriers peuvent tenir un type de discours — qu'il soit

« Le capitalisme est tel qu'il conduit nécessairement à la guerre », formule qui se veut d'ordre rigoureusement scientifique.

« La lutte permanente des ouvriers contre la guerre coloniale prouve sans coup férir l'opposition de principe du prolétariat à toute guerre injuste », phrase qui renvoie à ce modèle normatif qui nous semble caractériser en propre la théorie révolutionnaire.

Les trois plans cependant se recouvrent intégralement. L'Utopie s'appuie sur les résultats de la science comme sur les normes dégagées des comportements des hommes, des sociétés industrielles. La science prend pour objet aussi bien le monde des choses en lequel baigne l'activité humaine que cette activité elle-même. Et la lutte ouvrière sera d'autant plus radicale qu'elle aura intériorisé le modèle utopique et les résultats scientifiques. En droit cependant une dissociation est toujours possible.

effectivement prononcé, qu'il soit incarné dans leurs partis ou syndicats ou qu'il soit le corrélat implicite des actions qu'ils mènent — qui dessine réellement l'esquisse d'une société autre ; or ce n'est que mis en rapport avec cette esquisse que le capitalisme se laisse penser dans sa réalité. Ce discours devient à son tour objet d'un traitement scientifique ; mais il n'est accessible qu'à ceux qui en ont reconnu la valeur, qui l'ont fait leur (1).

La lutte historique du prolétariat fournit alors un immense matériel qui demande à être interprété. Les efforts faits par les classes exploitées non seulement pour briser l'appareil d'État bourgeois mais pour inventer un nouveau type de gestion de la société, une organisation originale de la production, s'y révèlent clairement. Cette histoire n'est pas simple répétition de grandes tentatives avortées ; un progrès s'y dessine et il porte aussi bien sur la prise de conscience des objectifs ultimes de la lutte que sur la nature des moyens mis en œuvre pour les atteindre. Ainsi se trouve circonscrit un champ où d'innombrables expériences historiques sont confrontées (2), vivant laboratoire de la lutte de la classe ouvrière où prennent forme un certain nombre de significations maîtresses qui commandent toute intellection de notre société : *réalité* de l'aliénation ouvrière ; *rationalité* de l'idée d'une communauté fondée sur de tout autres principes que ceux qui régissent le monde capitaliste ; enfin *possibilité* pour cette communauté d'être réalisée puisque son contenu aura été dégagé de la lutte ouvrière. En ce point limite, Utopie, Science et déchiffrage des significations s'interpénètrent.

La société capitaliste nous était apparue comme un lieu privilégié de l'histoire humaine parce qu'elle suppose une révolution continuelle dans les instruments de production, l'instauration d'une

(1) D'innombrables textes empruntés à la majorité des ouvrages marxistes voudraient confirmer l'interprétation ici proposée ; mais même lorsqu'elle n'est pas exprimée explicitement, elle sert de toile de fond aux diverses présentations de l'idéologie marxiste.

(2) C'est à une telle visée que correspond en partie l'idée d' Internationale. C'est Arthur Koestler qui a peut-être le plus fortement évoqué cette synthèse entre l'activité scientifique et la pratique Révolutionnaire : « Avant la révolution... il n'avait existé aucune distinction entre « théoriciens » et « politiciens ». La tactique à suivre dans n'importe quelle situation était directement déduite de la doctrine révolutionnaire. Au cours d'une libre discussion, les mesures stratégiques dans la guerre civile, les réquisitions de récoltes, la division et la distribution de la terre, l'introduction de la nouvelle monnaie, la réorganisation des usines — en fait, toutes les mesures administratives — représentaient des actes de philosophie appliquée. Chacun des hommes aux têtes numérotées sur la vieille photographie qui naguère ornait le mur d'Ivanof en savait plus long sur la philosophie du droit, l'économie politique et la science du gouvernement que toutes les célébrités réunies de toutes les chaires universitaires de l'Europe. Les discussions des congrès pendant la Guerre civile s'étaient maintenues à un niveau que jamais dans l'histoire une assemblée politique n'avait encore atteint ; elles ressemblaient à des rapports de revues scientifiques — avec cette différence que de l'issue de la discussion dépendaient la vie et le bien-être de millions d'hommes et l'avenir de la Révolution. » *Le Zéro et l'Infini*, p. 164.

nouvelle relation entre l'homme qui travaille, le milieu auquel il se heurte, les hommes avec lesquels il collabore. L'analyse du statut propre à la théorie révolutionnaire révèle que la critique de cette société obéit à des critères internes ; la société capitaliste n'est pas abstraitement confrontée à l'idée d'une communauté juste à laquelle elle ne correspondait pas ; ce refus de ce qui est renvoie à quelque chose d'autre qui n'est pas mais qui pourrait être puisqu'il se profile au cœur même de l'actuelle réalité. On comprend en ce sens que l'aliénation (1) ne s'identifie ni à la misère, ni à la violence, ni même à l'exploitation ; elle ne renvoie pas à la non-concordance d'une collectivité humaine particulière avec les lois qui doivent nécessairement présider à toute communauté authentique. Bien plutôt elle surgit et se concrétise lorsque *les processus à travers lesquels s'extériorisent les énergies historiques des individus et des groupes sociaux sont destructeurs de cette énergie elle-même.* La formule pourrait évidemment être inversée : la société capitaliste dans le temps même où elle universalise l'aliénation du travail, engendre cela même qui fait de cette aliénation un anachronisme.

On voit ce qui en découle : il n'est pas possible de parler d'aliénation à propos de tout système d'échange unilatéral ou produits, femmes ou messages sont appropriés par les groupes dominants. Il faut encore que cette dissymétrie soit refusée au nom d'une symétrie directement accessible aux membres de la société considérée ; ce qui implique que normes et valeurs ne soient pas communes d'un bout à l'autre du champ social, qu'une revendication exemplaire puisse surgir de son sein. Une société ne peut donc être dite aliénée, du moins à ce niveau de formulation, qu'au nom de ses propres principes, ceux-ci apparaissant soit comme illusoires, constamment violés par la pratique même de la communauté, soit comme réellement contestés, la négation de ces principes et des institutions qui leur donnent vie s'incarnant dans la lutte menée par un des groupes de cette société pour transformer sa propre existence ; ce qui est le cas pour la société capitaliste. Le concept d'aliénation nous semble, de ce fait, rendre compte de la non-concordance entre ce qui est et ce qui peut être, entre les conduites actuelles découlant de la nature même du système existant et les conduites virtuelles qui s'articulent sur de toutes autres bases. La possibilité de dénoncer une forme quelconque d'aliénation renvoie donc à sa contestation effective par ceux-là mêmes qui la subissent (2) ; elle suppose une double réalité : d'une part un

(1) Cf. : l'article de Claude LEFORT : « L'aliénation comme concept sociologique », *Cahiers Internationaux de Sociologie*, n° XIX.
(2) Toute société divisée en classe exploitante et classe exploitée suppose à la fois un antagonisme profond et une unité qui lui permet de fonctionner et qu'on

ensemble de relations cristallisées, au sein desquelles les individus s'inscrivent, leur reconnaissant une valeur réelle ; d'autre part une gamme multiple de revendications, de luttes, d'innovations qui sont déjà négation de ce monde-ci, annonce d'un autre univers.

Il est maintenant possible de faire le point. Les descriptions précédentes permettent de préciser le statut épistémologique et philosophique du marxisme ; il apparaît à la fois comme *théorie réaliste* mettant à jour la genèse des significations à partir de la praxis des groupes sociaux ; comme *sociologie totalisante* puisque cette mise à jour se donne comme le corrélat d'une société qui, de par son être, révèle l'essence même du fait social ; comme *philosophie du sujet* enfin : l'homme conçu comme être pratique, agissant, devient le centre auquel le sens dans son intégralité peut être rapporté ; le sujet humain se donne alors comme celui par lequel la vérité accède à l'être, comme celui aussi qui en reste finalement le maître. Du même coup une conception unitaire et homogène de la réalité interhumaine qui aurait surmonté la guerre des dieux devient possible. Il est frappant de voir à quel point Marx élimine l'ambiguïté, l'indécision, la pluralité des fonctions dès qu'il pense la lutte du prolétariat. Que l'histoire soit d'emblée dépossession des intentions humaines ne vaut alors que pour les étapes révolues du devenir humain ; par contre avec l'entrée en scène du prolétariat le sens se voit toujours rapporté sans équivoques à son lieu d'engendrement. C'est à cette seule condition d'ailleurs que la théorie révolutionnaire remplit les exigences de la philosophie spéculative. Ceci explique le peu de place accordé dans l'œuvre de Marx à l'activité politique proprement dite ; celle-ci suppose l'irruption d'un ordre de facteurs (1) qui non seulement n'est pas directement inscrit dans les structures existantes mais de plus, fait surgir une ambiguïté qu'aucune référence sociologique ne suffit à épuiser. C'est dans le domaine des idéologies que le problème cependant prend toute son acuité ; car dans la théorie que Marx a proposée de tels phénomènes, viennent se resserrer l'ensemble des concepts auxquels nous avons jusque-là reconnu un très vaste champ d'application.

Cette théorie nous la traiterons à son niveau le plus général. Il ne

sous-estime trop souvent ; cette unité implique — sauf cas limite où nous avons affaire à la force brute — un ensemble de valeurs relativement communes d'un bout à l'autre de la communauté ou du moins un système intellectuel qui soit tel que les deux groupes en présence puissent partiellement du moins se reconnaître dans cette société ; cf. à ce sujet l'étude de Maquet sur le « Système des relations sociales dans le Ruanda Ancien ».

(1) Cf. le livre de Max WEBER, *Le Savant et le Politique*, et la préface de Raymond Aron.

s'agit pas là encore d'entrer dans le détail de l'œuvre mais de saisir ce qui la caractérise en propre.

Or elle se présente comme effort pour désacraliser le discours, pour rapporter les représentations, les opinions, les doctrines forgées par les hommes à l'existence sociale qui est la leur. Les significations premières à partir desquelles les constructions théoriques secondaires peuvent être élaborées, c'est d'abord la production réelle, pratique du monde humain qui nous en livre l'origine ; Marx rompt avec toute limitation de l'activité signifiante au seul entendement, le sujet véritable n'étant plus le seul sujet de la connaissance auquel la science dans son ensemble fait vis-à-vis, mais l'homme réel inséré dans la vie concrète de la société dont il est membre. Le Travail, compris dans toute sa généralité, est cela même qui humanise le donné ; c'est en termes de travail que se définira donc le passage de la Nature à la Culture, l'instauration d'une société désaliénée, l'ouverture de l'homme à sa propre histoire. Le travail se dévoile, de fait, comme le lieu réel, à partir duquel les sociétés se constituent.

Cependant tout dans la société n'est pas réel. La distinction entre conscience fausse et conscience vraie, entre science et idéologies, entre rapports effectifs contractés par les hommes et modèles partiels élaborés pour rendre compte de ces mêmes rapports — autant d'oppositions dont les auteurs marxistes font un large usage — conduit logiquement à *isoler* certains plans de la réalité sociale qui peuvent être reconnus comme pleinement significatifs indépendamment des idéologies qui les recouvrent. Une théorie critique de la connaissance est alors possible ; révélant un décalage entre ce qui se dit et ce qui se fait, elle met à jour le non-remplissement par une idéologie déterminée de cela même qu'elle implique. Ceci suppose que le registre du Faire puisse être autonomisé, devienne son propre centre de référence. Les idéologies ne feront alors que s'y surajouter pour le voiler, le déformer ou au contraire le dévoiler (1) ; mais cette déformation lorsqu'elle existe pourra toujours objectivement être démontrée.

Sous le langage idéalisé de la religion, du droit ou de la philosophie, il importera donc de faire saillir l'existence d'intérêts réels, de tensions concrètes entre les individus et les groupes sociaux, de volontés déterminées dont ce langage n'est que la traduction épurée. Ce passage de l'exprimé à ce qui ne l'est pas est introduction de relations causales orientées du réel vers l'idéal ; mais ces relations n'ont pas la même valeur suivant les cas ; certaines idéolo-

---

(1) Cette opposition est donnée ici sous sa forme la plus abrupte ; elle recevra un contenu plus précis, par la suite.

gies ne sont rien d'autre que des déformations conscientes, volontaires de ce qui est ; tel le masque apologétique de l'économie politique vulgaire ou les affirmations de certaines théories politiques qui traduisent sous une forme à peine déguisée les rapports de domination. Lorsque Marx se livre à de telles constatations, il se situe dans toute une tradition de la pensée philosophique et sociologique qui trouvera un de ses accomplissements dans l'œuvre de Pareto.

Cependant une telle situation constitue l'exception : plus profondément l'aliénation idéologique renvoie à son fondement l'aliénation réelle ; l'homme est dans une position qui exclut qu'il puisse atteindre à une claire conscience de son statut. La sociologie de la connaissance a donc pour objet de déterminer ces soubassements inconscients qui en un temps déterminé, ferment à la pensée certaines voies de développement, l'accès à des contenus particuliers qui sont présents sans être reconnus. Ainsi pouvons-nous dégager une série d'oppositions qui se correspondent terme à terme.

a) Certains domaines de la réalité sociale se laissent penser de manière indépendante, leur autonomie étant donnée par le réel lui-même ; d'autres ne trouvent leur cohérence que par référence à ce qui n'est pas eux ;

b) Or ce décalage indique non seulement un certain type d'articulation entre champs distincts de la réalité sociale, qui se manifesterait sur le plan synchronique, mais l'existence de rapports de causalité qui les lient l'un à l'autre.

c) Cette causalité est toujours, en dernière analyse, orientée dans le même sens, et cette primauté est fondée ontologiquement ; d'une part un lieu réel, celui défini par la praxis humaine transformatrice du donné ; de l'autre des langages dérivés qui s'enracinent en ce lieu et en tirent leur contenu (1).

d) Ces langages n'expriment la réalité à partir duquel ils se développent que de manière partielle et partiale. Ainsi sommes-nous amenés à une distinction fondamentale entre les modèles conscients que les individus et les groupes ont à leur disposition pour penser leur condition et les fondements inconscients de ces mêmes modèles. La partition Conscient/Inconscient recoupe celle entre lieu réel et articulation linguistique et définit le sens même de la relation de causalité qui fondamentalement va de l'inconscient au conscient, des structures réelles aux idéologies (2).

(1) D'innombrables textes de *L'Idéologie Allemande* valideraient ces différentes distinctions.
(2) Ceci ne constitue évidemment en aucun cas une méconnaissance de la notion d'interaction, mais il est clair que pour tous les théoriciens marxistes le fait que la superstructure réagisse sur l'infrastructure ne renvoie pas au second plan le primat ontologique de cette dernière.

e) Le réel lui-même peut être conçu sous une double forme ; soit on entend par là les activités effectives des individus et des groupes sociaux : actions et représentations, conduites réelles et idéologies sont alors rapportées au même sujet qui intègre au sein de sa praxis propre les deux domaines ; ainsi la description d'une grève, d'une révolution ou du moindre comportement individuel utilise des concepts empruntés à l'un et l'autre champ ; soit c'est tout un palier de la réalité sociale — les rapports de production dans la société capitaliste par exemple — qui devient objet d'investigation et est mis en rapport avec d'autres univers, juridique ou politique. Dans ce cas il n'existe pas de sujet véritable totalisant le contenu sémantique hétérogène ainsi comparé ; car tout sujet et toute activité ne deviennent significatifs qu'à l'intérieur du cadre ainsi délimité. De l'une à l'autre analyse les problèmes varient considérablement, mais pour le moment ils peuvent être groupés sous la même rubrique.

f) Ce qui caractérise, en son principe au moins, la déviation idéologique, c'est la méconnaissance de l'engendrement pratique des catégories qui sont par la suite traitées à un niveau supérieur. Le philosophe, le juriste, le théologien utilisent des concepts qui leur semblent aller de soi et auxquels ils accordent un statut quasi naturel ; les problèmes formels qui sont les leurs — recherche de l'ordre, d'une légitimation ultime, de la cohérence — et qui semblent renvoyer à un hypercriticisme, se trouvent posés à partir d'une acception naïve du sol sur lequel ces problèmes prolifèrent. Les solutions sont alors rapportées à des puissances transcendantes — Dieu, Raison ou Idée Absolue — qui se donneront comme la source du réel lui-même. La critique des idéologies, s'appuyant sur le décalage entre le Dire et le Faire rapportera à l'homme seul ce dont l'ont privé ces extraordinaires expropriations spéculatives que sont la philosophie et la religion.

On voit en quel sens nous retrouvons sur le plan proprement idéologique le schéma général de la pensée marxiste qui a été précédemment dessiné ; et la justification qui est donnée de ces diverses propositions est encore du même ordre : la possibilité d'une théorie générale des idéologies repose sur une transformation des rapports sociaux qui met à jour les types de connexion logique précédemment recensés ; l'accélération de l'histoire, liée à l'extension de la grande industrie, rompt l'équilibre synchronique du réel et des langages en introduisant un déphasage permanent de ces derniers ; du même coup il devient concevable d'exprimer en termes de causalité les rapports des uns et des autres. Marx a insisté à plusieurs reprises sur la signification théorique de ce bouleversement.

« La bourgeoisie ne peut pas exister sans bouleverser perpétuellement les instruments de production, donc le mode de production, donc l'ensemble des conditions sociales. Les classes industrielles antérieures, par contre, ne pouvaient exister qu'à condition de conserver intact l'ancien mode de production. Ce bouleversement continuel de la production, ce constant ébranlement de toutes les conditions sociales, cette insécurité et cette agitation perpétuelles distinguent l'époque bourgeoise de toutes les précédentes. Toutes les institutions traditionnelles et figées, avec leurs catégories d'idées admises et de croyances vénérées se dissolvent ; celles qui les remplacent deviennent caduques avant d'avoir pu s'ossifier. Tous les usages, anciens et nouveaux, se volatilisent, tout ce qui était sacré est profané et les hommes sont forcés enfin de regarder d'un œil désabusé leur position dans la vie et leurs relations sociales (1). »

Aussi les rapports sociaux se donnent-ils comme tels ; et cela parce qu'ils apparaissent comme élément moteur, comme dégagés des langages qui normalement les recouvrent et font interférer tous les plans. Qu'on se reporte aux textes de Marx où il compare les relations entre le maître et l'esclave, le seigneur et le serf à celles entre le bourgeois et le prolétaire ; dans le premier cas le contenu du rapport est en quelque sorte consubstantiellement voilé ; dans le second il se livre dans sa nudité. Mais à qui se livre-t-il ? à une analyse scientifique ? ou aux hommes qui font l'expérience directe de l'organisation capitaliste de la production ?

A cet égard les formules de Marx sont chargées d'une double signification : elles peuvent soit concerner les hommes de la société capitaliste dont l'activité serait telle qu'elle impliquerait sa propre transparence, un groupe social se trouvant dans une situation unique : pouvoir formuler dans un langage qui lui serait adéquat sa propre condition, soit se référer à cette science qui s'est développée parallèlement à notre société et qui peut nous faire connaître les racines réelles du devenir historique, sans que ce savoir soit nécessairement capitalisé par les hommes de cette société (2)... Cette disparité est importante et s'impose à toute réflexion sur la signification d'une analyse scientifique des faits humains ; à des titres divers elle s'est trouvée placée au cœur même de l'évolution de la pensée marxiste. Dans ses œuvres de jeunesse, en effet, Marx rend compte de la naissance d'une double réalité : d'une part celle d'un savoir qui pense en termes démystifiés les sociétés humaines, ne les rattachant plus à des quelconques puissances trans-

---

(1) *Manifeste Communiste*, p. 18.
(2) Nous serions alors ramenés à la situation qui a toujours été celle de la philosophie spéculative, les règles présidant à la constitution de ce savoir étant cependant définies autrement.

cendantes qui en seraient la source, d'autre part la constitution d'une classe sociale, le prolétariat, dont l'expérience est la vivante confirmation de ce savoir ; son intégration a la systématique philosophique n'est concevable que si les raisons qui ont fermé aux sociétés précédentes l'accès à leur vérité disparaissent dans le cas de la classe ouvrière.

On voit ce qui en découle en ce qui concerne le problème des idéologies : dans les sociétés pré-industrielles l'écart entre les divers langages et la réalité sociale, cet écart que notre science *aujourd'hui* met en évidence, n'a jamais pu comme tel être réduit par la société elle-même ; et cela pour des raisons qui tiennent à toute son organisation ; dans les sociétés industrielles par contre, cet écart peut disparaître ; nous construisons une science qui nous permet de dépasser les diverses apparences conscientes pour mettre en évidence les structures inconscientes qui fondent ces représentations ; et cette mutation dans l'histoire de l'esprit renvoie à une transformation des rapports de production qui nous met en prise directe avec les forces qui commandent l'évolution de notre société. Pour la première fois il devient donc possible que coïncident les représentations que les individus ou groupes se font de leur situation et les modèles forgés par les savants pour rendre compte de cette même réalité.

Cette coïncidence peut être de deux ordres : ou bien la science élaborée à partir de critères universels se trouve, par l'intermédiaire du parti, reçue et intégrée par le prolétariat qui est le seul à pouvoir accepter jusqu'à leur terme les résultats de cette science ; et ce sera la position de Lénine ; ou bien le prolétariat possède une vision première et véridique de la société capitaliste que le savant doit faire sienne s'il veut atteindre le vrai ; telle sera la thèse soutenue par Lukacs dans *Histoire et conscience de classe*. Mais que ce soit pour l'un ou pour l'autre il y a homogénéité entre un groupe social déterminé et la connaissance des lois auxquelles obéit le devenir social (1). En cela vient se résumer le marxisme tout entier.

Il y a plus : ce qui caractérise une telle philosophie, c'est de rapporter le savoir à un en deçà qui le fonde — en ce cas l'action prolétarienne qui a valeur révélatrice dans la mesure où elle fait jaillir le sens enfoui dans la matière sociale. Dans une telle perspective le rapport entre Théorie et Pratique s'inverse : « La chouette de Minerve ne se lève qu'au crépuscule. » Qu'est-ce à dire sinon que l'Etre doit avoir atteint son terme pour pouvoir être

---

(1) A cette affirmation générale correspond un lot de formules qu'une longue acclimatation à certaines idéologies nous fait considérer comme naturelles : telles « La vérité est révolutionnaire » ; « seuls ceux qui n'ont rien à perdre peuvent atteindre l'essence des choses », etc...

pensé. Mais arrachée à la synthèse spéculative la phrase prend une autre valeur ; c'est l'avenir qui dans un univers où le mot « fin » est privé de signification, devient la catégorie essentielle à partir de laquelle rétroactivement le passé trouve son organisation. Dans les *Thèses sur Feuerbach* (1), Marx parle du matérialisme mécaniste comme celui qui correspond à la société bourgeoise ; le nouveau matérialisme, par contre, le sien est celui de l'humanité socialisée, d'une humanité qui n'est pas encore née et qui pourtant lorsqu'elle existera inscrira dans le réel des formes d'existence telles que toute notre compréhension de l'histoire passée en sera modifiée.

Le primat de l'entendement est donc battu en brèche à un double niveau. La vérité ne surgit pas du seul exercice des facultés rationnelles ; elle demande un certain type d'insertion dans la réalité historique. Et cette vérité n'est pas tout entière déjà écrite, comme à portée de la main ; sous nos yeux elle est en train de mûrir ; et la validité de ce que nous dirons dépendra du cours même de notre histoire. Qu'est-ce que les sociologues auraient pu nous faire connaître de la « situation coloniale » avant les révolutions qui ont partout mis en question la domination occidentale ? C'est la révolte des peuples coloniaux qui a révélé la véritable nature du « système colonial », ses modes d'action sur ceux qu'ils opprimait ; le déroulement temporel est ici un facteur décisif qui exclut l'idée d'une science « en soi » qui projetterait sur la réalité sociale un regard désincarné.

Ainsi, d'une manière ou d'une autre, sommes-nous renvoyés à l'être de la science. Le problème dépasse donc largement celui posé par une doctrine particulière ; il nous conduit à nous interroger sur les conditions, aussi bien réelles que logiques, qui président à l'introduction de l'ordre au sein des phénomènes humains (2). Ne nous y trompons pas ; malgré sa recherche d'un certain type de légitimation, c'est d'emblée sur le plan ontologique que Marx se situe : c'est l'Etre qui le préoccupe au premier chef et de ce point de vue, au delà de toute vérification empirique, le matérialisme historique possède le tranchant d'une dogmatique philosophique. Et pourtant les schémas du *Capital* ou de la *Critique de l'Économie Politique* imposent un certain découpage de tout social, certaines opérations intellectuelles accomplies sur le réel ; rendant compte de la théorie marxiste des idéologies nous avons utilisé les concepts de « conscient » et d'« inconscient », de « réalité » et de « langage » et nous les avons articulés l'un à l'autre d'une certaine manière. L'intelligibilité à laquelle Marx s'efforce de parvenir n'est donc pas

(1) Thèses nᵒˢ 10 et 11.
(2) Nous aurions retrouvé les mêmes problèmes en partant d'autres doctrines contemporaines et notamment du mouvement phénoménologique.

n'importe quelle intelligibilité. Il importe dès lors de transporter le débat du plan ontologique qui reste celui de la métaphysique au plan épistémologique qui est celui de la science ; ceci implique que nous revenions sur les diverses notions précédemment considérées et que nous essayions de saisir leurs rapports de compatibilité ou d'incompatibilité. Les pages qui suivent peuvent donc se présenter comme une réflexion sur l'idée d'ordre.

Ce faisant, nous ne perdrons pas de vue la perspective première qui a été la nôtre.

Rousseau avait arraché la société à la nature et cherché à son propre niveau la norme fondatrice. La communauté juste était donc celle qui incarnait pleinement dans ses institutions cet être du fait social que l'analyse philosophique nous a permis d'atteindre, à savoir cette réciprocité juridique fondamentale à laquelle se réfèrent tous les protagonistes sociaux. Reconnue, cette réciprocité conduit logiquement à la gestion directe de la société par elle-même. L'œuvre de Hegel comme celle de Marx suppose la validité générale d'un tel renversement de perspectives ; mais en même temps le cadre initial se trouve considérablement élargi de par l'ouverture à l'ensemble de l'histoire humaine qui s'accomplit dans la pensée hégélienne. Cette ouverture n'est pas simple produit d'une curiosité d'historien ; elle intervient comme moment constitutif du développement de la philosophie spéculative : le sujet hégélien qui trouve son ultime accomplissement dans la figure du sage est encore le sujet de la tradition philosophique qui est d'abord posé comme le porteur d'un certain savoir ; mais déjà pourtant il se trouve décentré parce que situé au point de confluence de deux registres qui ne sont pas parfaitement homogènes l'un à l'autre, du savoir qui dans son mouvement a laissé hors de lui la jouissance ultime de la chose et de l'histoire dont la vivante présence n'exclut ni la limitation, ni la partialité. Cette scission se trouve partiellement résorbée dans l'œuvre de Marx, puisque, de par son existence empirique l'homme de la société industrielle concrétise ce qui est la source même de toute culture, à savoir le travail créateur.

Ce passage de l'abstraction à l'empirie n'est pas cependant igno-

(1) Rousseau comme d'ailleurs la plupart des penseurs du xviiie siècle se situe à mi-chemin entre les grandes ontologies dont le but ultime était la possession de l'Etre et la systématique hégélienne qui n'atteint son objet qu'à travers l'intégration de la totalité des discours ; ceci explique que parallèlement à une philosophie « formelle » du fait politique, Rousseau ait pu se contenter dans le domaine proprement philosophique du type d'évidence, de relation au contenu que suppose la *Profession de foi du Vicaire Savoyard*.

rance des exigences métaphysiques ; il se veut au contraire remplissement de l'intention dernière de toute philosophie (on pourra
ici se reporter à l'ouvrage de François Châtelet, *Logos et Praxis* (1),
et tout particulièrement au chapitre 2 qui reprend le problème de
la légitimation), mais ce remplissement n'a une chance d'être atteint
qu'au seul niveau où il est pertinent, celui de la vie réelle des individus et des collectivités. La dualité entre société industrielle et
société pré-industrielle est, avons-nous dit, opposition de leurs
relations respectives à la vérité ; aussi ont pu être distinguées
sociétés qui ont vécu dans une méconnaissance relative du sens
qu'elles véhiculaient et sociétés pour lesquelles ce sens peut devenir
perceptible et qui peuvent tout entière se pénétrer des résultats
de la science. Ainsi sommes-nous renvoyés à deux types de problématique dont l'interférence répétée n'exclut pas qu'ils doivent
être distingués ; le premier concerne la relation présente des
hommes aux significations sociales ; il conduit à repenser le statut
qui est celui de la société industrielle. Ce n'est pas la voie que nous
suivrons ; le second porte sur la nature de la rationalité postulée à
titre d'idéal. Il y a là une certaine image du discours vrai, de sa
reprise par des sujets réels, d'une existence conforme à l'être même
de l'homme et des moyens par lesquels cet être est rendu patent
qui a commandé de manière décisive toute l'évolution de notre
pensée et de notre action ; à titre de forme exemplaire elle reste
extraordinairement vivante. En nous interrogeant sur les opérations
intellectuelles à travers lesquelles la science ordonne le réel, c'est
de la notion même de vérité dont il sera question.

Or si le sujet historique que Marx situe au premier plan de ses
réflexions se caractérise par la synthétisation au sein de son existence de la totalité des plans à travers lesquels se développe l'expérience humaine, s'il est à la fois Action, Savoir et Correspondance
de l'un et de l'autre, problématiser la notion de vérité telle qu'il
l'entend revient par un biais à s'interroger sur la fonction et la place
du sujet, ce sujet que par un acte métaphysique audacieux il a placé
au cœur de toute réalité,

(1) Éditions SEDES, Paris.

Chapitre III

IDÉOLOGIES ET PENSÉE SCIENTIFIQUE

La distinction entre base et superstructure, entre réalité et langages renvoie à un clivage ontologique ; mais elle a aussi valeur opératoire ; ce qui est l'un et ce qui est l'autre est certes donné par la réalité même ; mais en aucun cas la distinction n'est poussée jusqu'au bout ; la rationalisation scientifique conduit donc jusqu'à ses limites extrêmes ce qui n'est qu'esquissé par l'objet. A ce titre il importe de prendre en considération les divers types de découpage qui sont les siens.

Or le réel se laisse toujours au niveau sociologique définir doublement : il s'agit soit de conduites, localisées et datées, qui sont celles d'individus ou de groupes réels et qui sont directement observables ; on opposera alors à ce que ces hommes font, ce qu'ils disent, le décalage permettant d'identifier le processus idéologique comme tel ; soit de tout un plan de la réalité sociale qui est considéré comme une unité — les rapports de production par exemple — et auquel on rattache d'autres plans de nature différente.

Les deux tendances cohabitent chez Marx avec pourtant une nette prédominance de la seconde ; il n'est que très rarement question dans ses œuvres de faire coïncider telle idéologie particulière et tel événement ou ensemble d'événements. Dans son *Histoire des doctrines économiques,* ce qu'il met à jour lorsqu'il étudie les œuvres d'Adam Smith et de Ricardo, ce n'est pas telle influence aisément déterminable qui aurait infléchi la réflexion économique dans une certaine direction mais la réfraction globale des mécanismes de l'économie capitaliste dans l'argumentation de la science économique. Ce sont en premier lieu des totalités qui sont visées, s'impliquant réciproquement et relevant d'une structure commune. Que l'on se reporte par exemple à un texte où Marx est pourtant schématique à force d'être concis, à savoir la fameuse Préface à la *Critique de l'Économie Politique* ; une distinction essentielle entre plusieurs niveaux de réalité est introduite : Forces productives, rapports de production, institutions politiques, systèmes idéologiques — droit, religion, art, etc... diverses formes de conscience sociale enfin sont respectivement envisagés comme des unités pourvues d'une cohérence intrinsèque. C'est cette cohérence qui pour la science fait problème. Les problèmes dont nous allons débattre se rencontrent sous des aspects variés pour chacun de ces domaines, mais vu notre perspective générale, c'est l'analyse des idéologies qui nous servira d'illustration.

Or ces idéologies ne sont pas collection de traits accidentels que l'on pourrait considérer isolément et qu'on rapporterait ensuite, chacun pour soi, à une histoire qui leur serait sous-jacente. Ce sont des systèmes de pensée dont on doit découvrir le principe d'organisation, une correspondance valable entre domaines différenciés ne pouvant être établie qu'une fois mise en relief la structure de chacun d'eux. Que le Droit, la Politique, la Religion se réduisent à l'économique ou qu'ils expriment en un langage spécifique un certain modèle des relations humaines qui trouve sa source dans les rapports de production ; ou encore qu'ils ne soient ni reflet, ni simple transposition mais actualisation en un certain registre d'une structure commune à la totalité de la société, de toutes les manières c'est seulement après le traitement théorique de chacun des plans précédemment distingués, que le débat pourra être tranché. Ceci exclut, déjà à ce stade (1), une théorie affirmant le primat de l'économique pour l'ensemble de l'histoire humaine. La référence à la rareté comme élément constitutif de toute société ne change rien à l'affaire ; car justement en raison de son universalité, ce qui est en question c'est de savoir comment cette rareté, comme tout ce qui vient de la nature d'ailleurs, se réfracte à travers les différentes formes d'organisation sociale. C'est cette réfraction qui doit être pensée et non pas la rareté qui dans sa généralité n'est pas une donnée pertinente.

Or le traitement théorique de toute idéologie doit d'abord se situer au niveau de la synchronie ; c'est en effet à la seule condition de ne pas confondre ordre synchronique et ordre diachronique qu'un certain style de temporalisation seulement valable dans des limites bien déterminées ne sera pas transposé là où il n'a pas cours. Toute délimitation d'un domaine relativement homogène,

---

(1) En réalité nos raisons sont d'un tout autre ordre ; nous pensons que le problème lui-même est mal posé et qu'au cours du travail scientifique il tend à s'évanouir. Mais de toute façon il ne faut jamais perdre de vue que la reconnaissance du primat de l'économique est un jugement d'existence qui appelle une vérification empirique et qu'aucune déduction ne peut fonder. Or nous savons que les siences de l'homme sont encore loin de pouvoir prouver des propositions aussi générales.

tout effort pour construire un modèle en rendant compte, visent à dévoiler le principe d'organisation régissant un ensemble d'éléments se définissant réciproquement. L'analyse génétique ne peut être dite structurale qu'après que cette formalisation a pu être menée à bien (1). De toutes les manières les deux démarches ne doivent pas être confondues. C'est la science linguistique (2) qui a pu la première pour des raisons qui tiennent d'abord à la spécificité de son objet formuler cette double dimension avec le maximum de rigueur : en effet les tentatives pour expliquer les mécanismes de l'évolution, de l'innovation ou de l'emprunt linguistique restèrent disparates tant que la langue ne fut pas conçue comme système de termes dépendant étroitement les uns des autres ; c'est seulement une fois dévoilée la structure de ce système que ses variations ont pu être expliquées de manière conséquente. Nous pensons pour notre part qu'à des degrés différents d'évolution les principales sciences de l'homme se trouvent formellement devant le même problème que celui qu'a su résoudre la linguistique : la possibilité de comprendre le changement suppose qu'on ait pu atteindre l'essence de ce qui change.

Or cette exigence n'a pas été clairement formulée par les penseurs marxistes. Analyse structurale nous dit-on (3). Soit, mais dans la plupart des cas le passage d'un domaine à un autre domaine est conçu comme mise en rapport de faits les uns avec les autres, ces faits étant généralement empruntés à des séquences historiques différentes. De ce procédé on peut trouver une excellente illustration dans l'analyse, rapide mais combien révélatrice, que Friedrich Engels donne des rapports entre protestantisme et capitalisme dans sa préface à l'édition anglaise de *Socialisme utopique et socialisme scientifique*, datée de 1892. « Le dogme calviniste répondait aux besoins de la bourgeoisie la plus avancée de l'époque. Sa doctrine de la prédestination était l'expression religieuse du fait que, dans le monde commercial de la concurrence, le succès et l'insuccès ne dépendent ni de l'habileté de l'homme, mais de circonstances indépendantes de son contrôle. Ces circonstances ne dépendent ni de celui qui veut, ni de celui qui travaille ; elles sont à la merci de puissances économiques supérieures et inconnues ; et cela était particulièrement vrai à une époque de révolution économique

(1) Dynamique structurale et Histoire proprement dite ne sont donc pas la même chose, quel que soit par ailleurs leur degré d'interpénétration.
(2) Nous nous référons souvent à la linguistique dans les pages qui suivent ; et cela pour deux raisons : le stade relativement avancé auquel est parvenue cette science ; l'existence d'une certaine parenté entre les problèmes qu'elle a rencontrés et ceux posés par l'analyse des idéologies.
(3) C'est le cas notamment de Lucien Goldman qui défend avec vigueur un « structuralisme génétique ».

alors que tous les anciens centres de commerce et toutes les routes
étaient remplacés par d'autres, que les Indes et l'Amérique étaient
ouvertes au monde et que les articles de foi économiques les plus
respectables par leur antiquité — la valeur respective de l'or et de
l'argent — commençaient à chanceler et à s'écrouler (1). »

On se rend aisément compte de la méthode utilisée ; un certain
thème religieux, la prédestination, est arraché à l'ensemble où il
trouve normalement place pour être rattaché à un phénomène
entièrement différent, la concurrence et ses inconnues ; cette opération semble possible dans la mesure où des hommes participent
à la fois de l'un et de l'autre plan ; c'est le marchand qui craint pour
ses marchandises et c'est lui qui croit à la prédestination de l'âme ;
ses craintes sont réelles, découlant de l'organisation du marché ;
ses croyances par contre ne font que transposer dans un langage
réifié le contenu de son expérience économique. Une telle formulation a d'ailleurs l'avantage de faire disparaître le problème de l'origine. Les aléas du marché peuvent à la rigueur être la cause de l'idée
de prédestination ; l'inverse est impensable. La causalité est bien
orientée du réel vers l'idéel. Mais qu'est-ce qui distingue une telle
analyse de n'importe laquelle des nombreuses associations d'idées
que tout fait humain appelle ? Rien. Il n'y a pas dans le texte cité
la moindre référence à une vérification possible, à la recherche de
preuves. D'emblée, l'Etre se donne tel qu'il est. Et pourtant rien
dans le réel ne nous permet de passer de l'un à l'autre phénomène ;
le contenu manipulé est complètement différent dans les deux cas.
Quelles sont donc les règles qui nous ont permis de rapprocher
les attitudes en question, de savoir qu'il s'agissait à deux reprises du
même message. Leur présence simultanée au sein du même individu
est certes une indication qui a son importance ; mais il faudrait alors
qu'il s'agisse d'hommes déterminés ayant des noms, une existence
véritable ; le rapport entre activité économique et expérience religieuse s'y présenterait sous une certaine forme que l'historien et lui
seul par un lent et minutieux travail nous dévoilerait. Mais ici il ne
s'agit pas de cela, mais de la concurrence et de la prédestination de
l'âme, de l'Économique et du Religieux avec des majuscules ; et
pourtant ces domaines dont l'homogénéité est incontestable, et qui
ne peuvent être compris que comme des totalités, sont d'emblée
destructurés pour être rattachés les uns aux autres. Ainsi s'entre-
mêlent des opérations opposées dont certaines ne sont valables
qu'appliquées à des successions, d'autres à des simultanéités.

C'est que la relation entre ordre synchronique et ordre diachronique se complique dès que les domaines mis en rapport sont dis-

_____

(1) *Etudes Philosophiques* (Editions Sociales), p. 98.

semblables ; lorsque nous nous situons en un registre unique, la structure (1) et ses transformations sont homogènes l'une à l'autre ; par contre c'est maintenant la rupture qui est devenue la règle fondamentale. Dans le premier cas, ce sont des modèles, statiques ou dynamiques qui sont constitués (2) ; dans le second c'est de l'histoire dont il faut rendre compte, c'est-à-dire du mouvement d'un contenu multiforme faisant intervenir des éléments disparates.

C'est donc bien à deux manières de concevoir la corrélation entre relations sociales et représentations forgées à leur propos que nous sommes conduits : soit un événement A (le concept d'événement doit évidemment être pris dans le sens le plus large ; il peut aussi bien désigner la bataille d'Austerlitz que le procès de l'industrialisation capitaliste, les catégories de temps et de lieu étant évidemment toujours relatives au niveau de l'analyse), surgissant en un lieu déterminé, à un moment donné, est conçu comme la cause d'événements ultérieurs B et C qui peuvent être de nature toute différente ; c'est alors au sein même de l'objet que la continuité se trouve dévoilée ; soit on cherchera à dévoiler la connexion entre différentes sphères de la vie sociale qui auront alors été isolées et pensées dans leur structure synchronique ; ce seront alors les modèles qui seront confrontés (3) et non pas les faits eux-mêmes qui introduisent une irréductible marge de contingence. La première analyse vise à restaurer un continuum, la seconde à mettre en rapport des réalités discontinues. Non pas certes que l'historien lui-même ne travaille pas sur du discontinu ; en fait l'opposition est relative : ce qui caractérise tout langage — la science n'en est qu'un cas particulier — c'est la réfraction des continuums naturels ou humains à travers un jeu de termes qui les fragmentent. L'Histoire de ce point de vue n'échappe pas à la règle et rien ne peut mieux évoquer l'idée de discontinuité que le concept d'événement ; la meilleure preuve en est que ce que nous appelons « fait historique » dépend de l'échelle d'intelligibilité choisie. Cependant une fois

---

(1) La notion de « structure » est employée par nous dans un sens très précis ; celui que la linguistique moderne a mis au premier plan et qui s'est trouvé repris par Claude Lévi-Strauss dans ses études sur les relations de parenté, les systèmes mythologiques, etc... Elle suppose la mise à jour d'un ordre définissant les règles de combinaison et de permutation liant les différents termes qui sont mis en jeu dans un domaine déterminé. La comparaison entre modèles structurés est comparaison des ordres eux-mêmes ; elle n'est pas formelle pour autant ; car ce sont justement les types de combinaisons possibles qui définissent la valeur sémantique des termes, le signifié qu'ils recouvrent.

(2) L'opposition entre le traitement historique de certains faits et leur traitement structural n'est donc en aucun cas opposition du statique et du dynamique.

(3) Un exemple de ce que serait ce type de recherche peut se trouver dans l'œuvre de Claude Lévi-Strauss et notamment dans son article « Langage et Société » (*Anthropologie structurale*, p. 63-77) où il admet la possibilité de découvrir pour des aires culturelles déterminées une structure commune aux systèmes de parenté et aux langues considérées.

obtenues ces unités, l'histoire s'efforce de concevoir leur rapport comme une relation continue qui permette leur engendrement réciproque. Or c'est en abandonnant une telle perspective que la méthode structurale se constitue.

Du point de vue épistémologique l'histoire et l'analyse structurale sont donc confrontées à la même question qui se particularise ici et là suivant la méthode utilisée : Quelles sont les règles qui permettent d'établir une relation entre A et B, étant entendu que cette relation est continue pour l'historien, discontinue pour le structuraliste, toute confusion entre les deux plans étant dirimante.

En ce qui concerne l'étude des idéologies le problème se pose avec une singulière acuité : car c'est peut-être là que l'homogénéité et l'hétérogénéité sont simultanément poussées le plus loin : homogénéité tout d'abord : chaque discours trouve sa matière dans ce qui est, informe donc un contenu qui lui est préalablement donné et qu'il soumet à sa syntaxe propre. Hétérogénéité aussi car le passage du « réel » aux « langages » introduit un déplacement complet de toutes les notions (1) qui exclut qu'on les conçoive comme de simples doubles. Pour mesurer la complexité de la question nous partirons de deux de ces innombrables analyses qui foisonnent dans les ouvrages « marxistes » ; nous les emprunterons au livre de Roger Garaudy, *L'Église, le Communisme et les Chrétiens* (2). Leur valeur intrinsèque ne sera pas discutée ici ; par contre nous nous arrêterons sur l'argumentation qui les sous-entend.

La première porte sur l'œuvre de saint Thomas ; la *Somme Théologique* y est comprise comme reflet, expression, traduction — le terme importe peu ici — de la structure de la société féodale. La relation entre Dieu et les êtres créés, puis celle entre les différentes créatures, se laissant schématiser sur un axe vertical, ne ferait que reproduire les aspects profondément hiérarchisés du monde féodal ; et cette hiérarchisation découle elle-même de l'organisation des rapports de production qui sont la véritable matière dont le contenu se trouve ensuite transposé à plusieurs niveaux. La diversité des expressions renvoie à un message unique, une de ces expressions (3) étant néanmoins première par rapport aux autres. La seconde a pour objet un texte de Montalembert daté de 1848 où celui-ci déclare explicitement en un temps où la société française est secouée par une révolution ouvrière grondante, que la religion est la plus sérieuse garantie du maintien de l'ordre social et que chacun doit consacrer tous ses efforts indépendamment de ses croyances

(1) Le hiatus est surmonté dans la mesure où à un certain degré de formalisation le « réel » lui-même peut être considéré comme un langage.
(2) Édit. Sociales, 1947.
(3) Celle constituée par les relations sociables elles-mêmes.

personnelles à favoriser sa diffusion massive dans le peuple. D'une telle déclaration se déduit facilement le lien entre oppression sociale et idéologie religieuse.

De telles propositions ne nous intéressent pas en elles-mêmes ; ce qui est décisif par contre c'est qu'elles visent des phénomènes tout à faits différents. L'œuvre de saint Thomas transpose peut-être en un langage spécifique un contenu social particulier ; mais cette transposition n'est ni volontaire, ni consciente ; rien dans l'œuvre citée, en dehors de quelques analogies toutes formelles, ne permet un passage direct de l'un à l'autre niveau. Il s'agirait plutôt — en admettant la vérité de la thèse affirmée — de la structuration inconsciente d'une réalité première, ignorée de celui-là même qui l'effectue ; la mise en relation de ces deux plans distincts n'est alors possible qu'au niveau structural (1). Or nous sommes aujourd'hui fort loin de pouvoir pousser l'analyse des systèmes d'équivalence inconscients qui régentent les divers domaines de l'activité humaine à un degré de finesse suffisant pour éclaircir des données aussi complexes ; ce qui en tient lieu n'a donc qu'une valeur toute relative, introduction de corrélations limitées, de similitudes manifestes qui laissent le problème intact et excluent, même dans le meilleur des cas, toute formulation d'une théorie générale des idéologies ; ce qui pour l'auteur semble aller de soi exigerait en fait un immense appareil d'investigation. Ce rappel semblera peut-être inutile ; mais que dire sinon qu'en ces domaines un travail mené à son terme et explicitant sa propre méthodologie vaut plus que toute somme définitive. A la différence des sciences de la nature, les sciences de l'homme prétendent à tout instant à des synthèses « ontologiques » qui définiraient l'être même de la société ; mais ces synthèses sont toujours relatives à un certain état de notre appareil d'investigation (plus celui-ci est limité, plus l'ontologie se trouve acquérir de l'importance ; on comprend donc pourquoi elle tient si peu de place dans la physique contemporaine) ; c'est donc cet appareil qui doit devenir l'objet de réflexion.

Le second exemple est tout différent car *c'est au cœur même du texte à déchiffrer que se révèle la nécessité d'un recours à l'au delà de ce texte* ; non seulement la situation sociale qui sert de point de départ à son discours est clairement assumée par Montalembert mais il a une claire conscience de l'enjeu de la lutte et choisit en connaissance de cause de prendre un certain parti. Les relations causales introduites se maintiennent intégralement au niveau des

(1) L'historien n'a jamais la possibilité de mettre en rapport sur un tel mode ces totalités que sont les rapports économiques, le système religieux, etc..., il s'appuie toujours sur une continuité qui, directe ou indirecte, est inscrite dans les événements eux-mêmes.

expressions conscientes ; elles sont donc légitimées en droit, la cause persistant dans l'effet, tous deux étant repris et intégrés à son existence propre par l'homme Montalembert ; c'est la thématisation d'une subjectivité concrète qui nous fait accéder à une vision unitaire du processus.

Or c'est une telle distinction, à notre avis, fondamentale qui ne se trouve pas clairement opérée dans l'œuvre de Marx ; ceci explique que la plupart des analyses marxistes tendent à utiliser un langage structural alors qu'elles traitent historiquement leur matière ou inversement. Or les opérations possibles et souhaitables à une certaine échelle ne le sont plus dès qu'on effectue un changement de perspectives : valider les expressions conscientes suppose qu'on se situe au niveau de séquences partielles, s'enchevêtrant les unes les autres et se déterminant réciproquement à l'infini ; chercher à déterminer le système général auquel obéissent ces différents phénomènes implique la mise à jour des lois régissant les divers types de langage qui sont en cause.

Cette référence à des systèmes symboliques ne doit pas prêter à confusion ; nous entendons par là tout ensemble régi par la distinction entre le signifiant et le signifié, distinction qui pour atteindre toute sa spécificité dans le domaine linguistique n'en possède pas moins un champ d'application bien plus vaste. Elle implique :

Que le sens ne surgisse jamais au niveau d'un terme isolé mais d'une chaîne structurée, la place des différents éléments qui la composent important plus que la nature particulière de chacun d'eux.

Que tout remaniement portant sur certains de ces éléments se répercute sur la chaîne toute entière, et que de ce fait le signifié trouve toujours une multiplicité d'expressions qui latentes ou présentes définissent l'horizon au sein duquel un progrès quelconque peut s'opérer dans le développement des significations.

Tout effort pour faire correspondre terme à terme signifiant et signifié apparaît donc comme privé de sens ; dans le domaine linguistique il impliquerait que le signifié soit totalement préexistant au matériel dans lequel il se donne, la langue n'étant plus qu'un répertoire, un recueil de corrélations entre des sons déterminés et différents contenus conceptuels, entre ces contenus et autant d'objets nettement délimités. Or le réel n'est pas composé d'unités différenciées auquel les concepts viendraient s'appliquer ; et la signification de ces concepts n'est pas le miroir de l'onde sonore qui en est le porteur. C'est cette cassure de tout rapport univoque entre le son et ce qu'il signifie qui s'est effectuée dans l'œuvre de Ferdinand de Saussure ; et elle a pour corrélat le hiatus entre ce qui est signifié et les donations immédiates, intuitives de l'objet ; à chacun des niveaux considérés, nous nous trouvons en présence de systèmes, la fonction et la valeur de chaque terme ne pouvant se concevoir que par rapport à ces systèmes considérés comme des totalités. Toute parole prononcée en un lieu et en un temps déterminé n'est significative que dans la mesure où elle leur est référée, champ *a priori* de possibilités qu'elle vient actualiser ; elle est certes individualisée et localisée, combinaison unique de signes différents ; mais sa singularité même suppose la réalité d'un tri opéré dans un matériel préexistant auquel les différents sujets ont accès. Ce matériel n'est pas amalgame hétérogène d'éléments ; ceux-ci se définissent réciproquement, délimitent leurs valeurs respectives, dépendent d'une organisation qui n'est rien d'autre que l'ensemble des relations qui les rattachent les uns aux autres, ces relations s'impliquant elles-mêmes réciproquement : la manière dont A est lié à B détermine la nature de son lien avec C ; et ainsi de suite. Et rien ne peut être dit sur le processus de discrimination consciemment effectué par les sujets parlés lorsqu'ils choisissent telle suite de termes, si on n'atteint pas au préalable la structure de ce matériel qui pour sa part ne leur est pas directement présente.

La distinction entre le signifiant et le signifié s'en trouve nécessairement posée ; l'usage des deux concepts acquérant cependant une universalité qui exige que l'on définisse à chaque étape leurs contenus respectifs : dans le domaine proprement linguistique elle apparaît comme le préalable à toute recherche portant sur la langue. Le signifiant, c'est la réalité phonique de la chaîne parlée organisée en fonction de critères linguistiques ; le signifié, ce qu'évoquent les sons utilisés, les concepts qui leur sont associés. Le rapport entre signifiant et signifié est un rapport « non nécessaire », « arbitraire », « conventionnel » ; à tel son peut correspondre n'importe quel concept et aucun rapport univoque d'engendrement ou de correspondance ne peut être établi entre l'un et l'autre (1). Ce sont là des propositions générales d'une validité incontestable, quelles que soient les précisions secondaires qui doivent être apportées au principe saussurien dès qu'on étudie la création linguistique dans telle ou telle langue ; il est indéniable alors que la marge d'arbitraire est fortement réduite (2) ; les termes dérivent les uns des autres et l'ensemble des combinaisons déjà réalisées délimite un champ, à l'intérieur duquel seul de nouvelles créations pourront s'effectuer. Le principe de l'arbitraire du signe n'en demeure pas

---

(1) Nous nous excusons de ce rappel de faits maintenant connus de tous. Dans leur simplicité ils nous permettront cependant de faire d'importants pas en avant.
(2) Cf. Emile BENVENISTE, « Nature du signe linguistique », *Acta linguistica*, I, I, 1939.

moins inchangé dès que c'est la langue tout entière, indépendamment de son devenir, qui est prise en considération ; là encore les notions utilisées acquièrent une signification différente suivant qu'on se place dans une perspective historique ou dans une perspective structurale.

Cette contingence du rapport entre les deux faces du signe découle de la nature même de la communication humaine, plus précisément de la structure de tout système sémiologique qui est à la fois structuration unitaire de deux plans hétérogènes de la réalité dans lequel les éléments sont puisés et définition différentielle de ces éléments qui ne sont porteurs d'information que dans la mesure où ils s'opposent à des unités du même ordre.

Les sons que peut produire la voix humaine sont proprement infinis et par eux-mêmes ils appartiennent au monde physique ; leur ouverture sur un registre différent ne peut pas simplement découler de l'association de ce monde à un autre univers. Il s'agirait alors d'une juxtaposition qui les laisserait subsister intacts l'un et l'autre et non pas de la mise à jour d'un principe d'organisation qui se situerait au niveau du matériel phonique lui-même ; dans les millions de sons concevables la langue en retient certains qui auront valeur signifiante et seront donc aptes à signifier cela même qui n'est jamais donné dans la nature. L'interférence entre nature et culture ne provient pas alors de leur mise en relation extrinsèque mais d'une culturalisation de la réalité naturelle. La nature devient culture non pas en raison de l'existence d'un système d'équivalences qui ferait correspondre à chaque unité d'un domaine une unité empruntée à un autre domaine, mais à travers l'intégration d'un certain nombre d'éléments naturels à un type d'ordre qui caractérise la culture. Or cette caractéristique est propre à tout système symbolique et plus profondément à tout discours dès que le message qu'il véhicule suppose une codification supplémentaire par rapport à celle de la langue ; elle peut se laisser définir comme suit : utilisation d'une matière puisée en un autre registre que celui où fonctionne le système, matière qui peut être naturelle (couleurs, sons, gestes, etc.) ou culturelle (celle fournie par des systèmes sémiologiques déjà construits) ; application à cette matière qui est par elle-même ordonnée, d'un principe d'organisation qui lui soit transcendant.

L'arbitraire du signe, résultat de l'association de deux plans distincts du réel, se trouve redoublé de par l'intégration de chaque unité signifiante (intégration qui est la loi même de cette association) dans un système différencié qui seul permet la surgie de l'effet de sens.

Ces distinctions prennent un sens plus précis dès qu'on se réfère à la théorie de la double articulation proposée par A. Martinet (1). Le phonème, unité phonique minimum porteuse d'information est un signe à une seule face ; il n'a pas de signifié ; mais en entrant en combinaison avec d'autres phonèmes, il permet de construire des unités signifiantes plus vastes (les monèmes dans le langage de A. Martinet) auxquelles sont effectivement associées une signification. De la seconde articulation en phonèmes permettant de différencier les monèmes les uns des autres, il découle que les unités de première articulation sont dans un rapport conventionnel à leur sens : vous ne pouvez pas par la combinaison d'éléments privés de sens aboutir à des éléments signifiant nécessairement une certaine réalité. Le cas de certains signes dont le son évoque effectivement leur signifié — zézayer, par exemple — n'est pas pertinent. Le son ne fait alors que se signifier lui-même : ces sons évoquent toujours des faits phoniques en reproduisant les éléments sonores qui caractérisent les faits eux-mêmes. La nature est ici son propre miroir. La Poésie pourtant peut en reprenant de telles possibilités provoquer une véritable distorsion, créatrice de l'effet poétique :

Pour qui sont ces serpents qui sifflent sur vos têtes ?

Le signifié dont ce vers est porteur est double et il est obtenu par des moyens radicalement opposés : le langage est d'une part traité suivant ses propres critères : juxtaposition de signes dont chacun est pourvu d'un sens, le message découlant de cette juxtaposition linéaire ; d'autre part ramené à une indistinction première — le sifflement est corrélatif de toute la chaîne — qui annihile sa fonction linguistique et l'immerge dans la matière dont il est fait, la nature sonore. Ainsi entre nature et culture s'instaure une tension qui nous renvoie de l'une à l'autre, les deux messages étant obtenus par des moyens opposés, leur clarté respective dépendant de la réduction de l'autre ; l'unité est cependant maintenue par le recouvrement final des signifiés. Mais que ce dernier n'ait pas lieu et nous assistons à une véritable destruction du texte écartelé entre des exigences contradictoires : la poésie, le mot d'esprit ou le non-sens peuvent également y prendre source.

On voit ce qui découle de telles remarques : le signifié n'est jamais saisissable directement mais seulement à travers un matériel instrumental qui est emprunté à une autre sphère du réel. Le signifié se réfracte à travers le signifiant ; on ne peut donc l'atteindre de manière partielle et isolée que secondairement. Dans le cas de la langue ce processus de réfraction est double : en un premier

(1) A. MARTINET, *Eléments de linguistique générale*, Paris, 1960.

temps il concerne la constitution de ce matériel lui-même, à savoir
des lois auxquelles toute image phonique doit obéir pour être signifiante ; en un second temps il concerne la relation que chacune de
ces unités signifiantes entretient avec les autres unités, cette relation définissant seule précisément leurs signifiés respectifs. Le premier processus désigne le type de culturalisation de la nature mis
en œuvre ; le second le découpage du réel qui s'opère à travers le
jeu de ces unités signifiantes.

C'est à cette double dimension que la langue doit sa complexité,
la science linguistique, la diversité de ces méthodes comme de ses
champs d'étude.

Ces constatations ne nous éloignent pas du problème posé par
les idéologies et la relation qu'elles entretiennent à la réalité
sociale : Religion, mythes, systèmes philosophiques, doctrines politiques supposent la langue et une certaine organisation de la réalité par cette langue ; ce sont autant de discours qui font usage de
signes qui leur sont préalablement fournis. Une double question
se pose donc à leur propos : qu'est-ce qui les caractérise en propre ?
Ce qui revient à s'interroger sur la structure qui est la leur, sur la
nature des unités employés et sur la syntaxe qui permet leur combinaison. Quel lien les rattache au réel ? ce réel étant multiple
puisqu'il inclut aussi bien la réalité signifiée par le discours que le
circuit en lequel ce discours s'insère (position et nature de l'émetteur et du récepteur). La seconde question suppose pour être résolue que la première ait été traitée au moins approximativement.
A cette seule condition il sera possible de réaliser cette sémiologie
universelle dont Ferdinand de Saussure avait évoqué le projet
et qui aurait pour tâche d'étudier le jeu des signes au sein de la vie
sociale. Or toute solution du problème des idéologies dépend de sa
constitution car elle permettra de distinguer les divers discours que
l'homme tient en fonction d'une série de critères exhaustifs qui
d'une part définiront chaque type de langage, d'autre part isoleront
les « endroits » où il entre en contact avec d'autres sphères de la
réalité.

Chaque discours vise une région différenciée de l'Etre ; cette
diversité dans l'objet ne fournirait-elle pas le critère pertinent recherché ? A lui seul certainement pas ; car ce qui caractérise à
long terme le découpage, ce sont moins certaines caractéristiques
apparentes du réel qui ont fourni les premières divisions (et cela
en nous plaçant dans le cas tout à fait particulier de la science où
la visée d'un contenu objectif est pourtant une dimension primordiale) que la possibilité de soumettre des objets, au premier abord
hétérogènes, à des opérations similaires. Le contenu s'identifie,
de ce point de vue, au traitement de ce contenu dans le langage,

c'est-à-dire dans le cas des discours non formalisés, à l'usage des signes fournis par la langue, qui est le leur (1) ; cet usage fournit donc un premier critère en fonction duquel peuvent se classer les idéologies, mais il en est d'autres. Une théorie sémiologique des systèmes dérivant de la langue aurait donc pour objet de classer tous les systèmes d'expression linguistique : le mythe, la poésie, la philosophie aussi bien que le rêve, le lapsus, l'association libre dans une matrice à plusieurs dimensions où viendront interférer des champs très diversifiés.

Devant chacun de ces discours, il importe en effet de se poser une pluralité de questions dont la somme seule nous permet d'atteindre leur essence : il faudra d'abord se demander quelle est la fin visée par un tel langage, la fonction qu'il remplit, le but pour lequel il a été construit : pour la langue par exemple la réponse ne fait aucun doute : « la fonction essentielle de cet instrument qu'est une langue est celle de la communication : le français, par exemple, est avant tout l'outil qui permet aux gens de « langue française » d'entrer en rapport les uns avec les autres (2). » On s'interrogera ensuite sur la réalité qui est signifiée, c'est-à-dire sur le contenu même des messages qui sont, soit réalisés, soit potentiellement présents. La langue de ce point de vue présente une généralité extrême car elle permet la réfraction de toute réalité à travers le code qui est le sien ; mais l'objet se particularise lorsqu'on passe aux idéologies. De là nous sommes renvoyés corrélativement à l'émetteur et aux conditions de l'émission d'une part, au récepteur et aux conditions de la réception de l'autre ; il n'est peut-être pas de domaine plus important pour l'analyse du processus idéologique, car nous touchons là aux protagonistes réels qui sont les véritables producteurs de l'ensemble de ces langages ; il est essentiel de savoir qu'en ce qui concerne la langue, le récepteur et l'émetteur sont virtuellement confondus, tout homme étant à la fois un locuteur et un auditeur ; et que par contre ils se donnent comme disjoints en ce qui concerne le mythe. Il y a plus : il faut prendre en considération non seulement l'émetteur et le récepteur réels mais ceux qui sont invoqués par le discours étudié : un « message divin » ne peut que se donner comme tel ; pour celui qui croit au message, l'émetteur est extra-humain ; c'est seulement si on sait cela qu'on peut comprendre ce qui a été dit. Mais pour le sa-

---

(1) La théorie de la connaissance sous sa double forme logistique et épistémologique est donc théorie du langage de la science, c'est-à-dire prise en considération de la nature des signes qu'elle utilise (comment ont-ils été obtenus) et de la manière dont elle les combine. Elle s'intègre normalement à une sémiologie universelle.

(2) MARTINET, op. cit., p. 13.

vant cette limite n'en est pas une (1) et il s'interrogera à la fois sur les conditions réelles de l'émission et sur les raisons de l'écart entre ce qui est et ce qui transparaît dans le texte en cause. Ainsi anthropologie et religion s'opposent dans la mesure où la première ne reconnaîtra qu'un seul émetteur, l'homme (2), la seconde admettant l'intervention, en des moments privilégiés, d'émetteurs extrahumains. De même le rêve se laisse intuitivement caractériser comme un message où il y a bien un récepteur mais pas d'émetteur explicite ; les innombrables gloses religieuses qui se sont développées à son propos ayant eu pour objet de déterminer cette source émettrice, ce qui s'est fait par l'intégration du rêve à des systèmes non psychologiques ; du moins jusqu'à la psychanalyse.

C'est là une question décisive car s'y articulent étroitement la structure, la fonction et le contenu du message. Comme l'a vu Marx la science se caractérise — à un de ses niveaux au moins — par une révolution ptolémaïque qui place l'homme au centre des significations et en fait bien le seul émetteur. Mais la science est un parmi de multiples systèmes symboliques possibles ou réels ; cette propriété qui est sienne et qui caractérise sa relation à l'Etre lui permet de remplir certaines fonctions mais en exclut d'autres du même coup (3). La possibilité qui est la sienne de prendre en considération à tout moment ses propres conditions de production l'oppose non seulement aux religions qui n'admettent pas cette unification de l'émission mais aux doctrines politiques qui du moins en apparence se situent sur un plan intégralement humain. Or dans la tradition classique de la critique idéologique, ce voilement de l'émetteur a été rapporté au rôle social joué par les doctrines en question : si c'est Dieu lui-même qui déclare aux opprimés qu'ils ne doivent pas se révolter, ces derniers obéiront plus aisément que s'il s'agit d'un décret purement humain ; mais cette place reconnue à la fonction a fait souvent perdre de vue que c'est un contenu différencié qui s'exprime à travers un tel message et qui ne peut le faire qu'à travers lui. Toute réflexion sur le statut de la science (4) implique que ce lien entre le signifié et l'organisation du signifiant soit élucidé sur un plan comparatif.

---

(1) L'ordre de notre énumération n'a aucune valeur intrinsèque ; suivant les domaines c'est à tel ou tel de ces problèmes que la recherche scientifique a d'abord été confrontée.

(2) Si la science n'admet pas d'intervention divine comme cause explicative, c'est que l'objet Dieu ne se prête à aucun de ses modes de traitement; en ce sens il ne peut pas avoir d'existence.

(3) Cf. notre chapitre IV.

(4) Ce ne sont pas là considérations abstraites. L'éthique scientifique s'oppose souvent à l'exécution de certaines actions. Tout dans la société ne peut pas être dit et souvent il est essentiel qu'une collectivité se pense autrement qu'elle n'est ; mais la science ne reconnaît pas de telles exigences.

L'analyse des conditions de la réception et de l'émission est d'ailleurs celle qui s'avère la plus riche puisque les variables qu'elle peut manier sont innombrables, pratiquement tout pouvant intervenir à titre de facteur différenciant ; les considérations de temps et d'espace acquièrent cependant une importance particulière ; car il est des temps et des lieux pour l'émission comme pour la réception et ils varient suivant les systèmes qui sont en cause : ainsi le mythe se distingue du conte dans la mesure où le premier ne peut être dit qu'en des occasions bien déterminées que toute la société sanctionne, alors que le second pourra dans la plupart des cas être raconté à n'importe quel moment ; de même certaines prophéties, certaines phrases rituelles ne sont prononcées que dans tel sanctuaire en opposition à d'autres dont le champ d'extension spatial et temporel est beaucoup plus vaste. Ainsi chaque société ordonne son rapport à ses propres instruments de pensée en répartissant leur emploi sur toute l'étendue spatiale et temporelle de son existence.

Ces considérations restent encore extérieures à l'être des univers sémiologiques ; mais à mesure que les questions se précisent, c'est le rapport de l'homme aux signes compris dans leur surgissement premier qui devient objet d'investigation ; on ne se demande plus seulement qui émet (individu ou groupe), en quel temps, en quel lieu, au profit de qui, mais quelle est la relation de l'émetteur aux signes qu'il utilise et qu'il peut avoir créé en toute connaissance de cause (c'est le cas des systèmes axiomatisés), appris (telle est la langue) ou subis sans en maîtriser le fonctionnement (le rêve). C'est là une opposition capitale puisque ce qui est en cause c'est le rapport de la subjectivité au signifiant en tant qu'elle le constitue, le rencontre ou s'y soumet ; il s'y révèle que toute référence à l'intention du sujet qui parle, conçoit ou écrit est insuffisante à épuiser l'être de ce qui est produit, car cet être n'a d'existence qu'articulé à d'autres éléments d'un système au sein duquel toute création s'opère et qui n'a jamais — sauf peut-être dans le cas des systèmes logiques ou mathématiques — d'équivalent subjectif total.

Toutes les dimensions que nous mettons ainsi progressivement à jour ne trouvent cependant leur entière signification que référées à la structure qui régit les systèmes considérés ; son analyse appelle une double question. A partir de quel domaine est constituée la face signifiante des signes qui sont utilisés ? Quelles sont les règles de combinaison entre ces signes ? Certes le premier point n'a qu'une importance mineure pour l'étude des processus idéologiques, car qu'il s'agisse du mythe, de la religion, de la philosophie ou du manifeste politique, tous à des degrés divers et de manière différente font usage de la langue. Mais dans une théorie générale qui se préoccuperait d'intégrer non seulement l'ensemble des « expressions linguistiques » mais les systèmes de signaux aussi bien que la peinture ou la musique, la situation serait différente ; car chaque classe de système sémiologique s'alimenterait dans un domaine particulier — appartenant soit au monde naturel, soit au monde culturel — le choix de ce matériel étant contraignant puisqu'il commande partiellement le type de syntaxe qui s'y appliquera.

Avec les problèmes de grammaire nous touchons au terme de notre effort ; car ce sont eux qui nous permettront de savoir pourquoi la philosophie est philosophie ou pourquoi le mythe se distingue de la poésie ; pour chaque domaine c'est une tâche immense et collective que de construire une telle grammaire.

Ainsi chaque système, aussi complexe soit-il, se laissera-t-il cerner sous une pluralité d'angles. Du système des feux vert, rouge, orangé nous dirons.

Que sa fonction est d'assurer la circulation.

Qu'il est tel qu'il peut signifier les rues en tant qu'elles sont provisoirement ouvertes ou fermées au passage.

Que l'émetteur est l'État qui construit un système homogène pour l'ensemble de la communauté.

Que les Récepteurs par contre sont multiples puisque ce sont tous les individus qui, piétons ou automobiles, empruntent ces rues.

Que le système est construit à partir d'une matière puisée dans une partie de la nature, le monde des couleurs, au sein duquel sont découpés un certain nombre d'unités discrètes dont l'écart physique est suffisant (trois espèces de rouges n'auraient jamais fait l'affaire) pour éviter toute erreur dans la transmission du message.

Que la syntaxe enfin est simple, fondée sur un principe d'alternance élémentaire qui fait de chaque choix un acte unique, sans conséquences, exclusif des autres, la seule indétermination découlant d'une certaine lenteur de réaction des usagers qui oblige à annoncer le changement des signes essentiels (vert, rouge) par l'emploi d'un signe intermédiaire, l'orange, qui n'a pas d'autre signification que le passage d'un signe à un autre, c'est-à-dire les transformations mêmes du système.

La comparaison avec d'autres systèmes nous amènera à compléter une telle description ; nous dirons alors que dans ce cas la création du code et son utilisation sont deux opérations non seulement disjointes temporellement et spatialement mais totalement indépendantes ; l'utilisation du code n'a donc aucune influence sur sa structure (le cas est différent pour la langue) qui a été librement construite et se trouve donc parfaitement adaptée aux fins qu'elle doit remplir. Il est évident de plus que pour un système aussi simple, les difficultés d'interprétation sont réduites au minimum ; car pour des raisons évidentes fait défaut cette double distorsion qui qualifie le phénomène idéologique et qui touche à l'opposition entre l'émetteur réel et l'émetteur avoué, entre ce qui est signifié de l'objet et la réalité même de cet objet.

On voit ainsi que le problème soulevé par Marx, celui des rapports entre infrastructure et superstructure peut se poser à partir de chacun des traits que nous aurons isolés comme constituant l'être de tel ou tel système symbolique ; il s'agit en fait d'une série de valences dont chacune peut accrocher une réalité sociale qui au premier abord lui est extrinsèque ; or tant que dans le détail la gamme de ces « accrochages » n'aura pas été étudiée, il est vain de penser pouvoir asseoir sur des bases solides une théorie des idéologies.

Nous devons cependant pousser plus loin notre analyse : en effet une différence importante existe à première vue entre la langue et les autres systèmes d'expression ; dans la langue le rapport entre le signifiant et le signifié a pu se laisser caractériser comme arbitraire, aucun lien nécessaire ne peut être établi entre le son (tabl) et l'image, l'objet ou le concept qu'évoque ce nom. Or ce n'est pas le cas d'autres systèmes symboliques — mythes, religions, etc... — dans lesquels le symbole apparaît comme lié par une relation interne à ce qu'il symbolise. L'aigle est symbole de royauté, de grandeur, de majesté ; il ne semble pas pouvoir être remplacé par n'importe quel animal.

Il importe d'insister sur cette dissimilitude : si le signe linguistique est arbitraire c'est dans la mesure où la langue structure un domaine par lui-même non significatif pour l'utiliser à des fins de signification. Le mythe par contre (1) utilise à titre de signifiant des signes linguistiques pourvus par eux-mêmes de sens ; dans le premier cas deux univers totalement hétérogènes étaient mis en relation ; dans le second cas les éléments significatifs fournis par la langue ne peuvent pas se plier à n'importe quel traitement, le signifié minimum qui est le leur restant le point de départ irréductible à partir duquel le mythe développe ses propres opérations.

Cette opposition précise celle à laquelle on recourt traditionnellement lorsqu'on veut différencier le signe du symbole (2). Ce

(1) Toutes les remarques qui suivent s'appuient évidemment sur les travaux de Claude Lévi-Strauss (cf. notamment le chapitre de l'*Anthropologie structurale* (p. 227-256) consacré à l'analyse des mythes ; « la Geste d'Asdiwal » paru dans l'Annuaire de la 5ᵉ section de l'E.P.H.É. 1957 ; l'article « Formalisme et structuralisme » publié dans le nº 7 des « Recherches économiques et philosophie » et la leçon inaugurale au Collège de France) et sur nos propres travaux (analyse des mythes d'émergence des Pueblos orientaux) poursuivis sous sa direction.
(2) Cette distinction n'est plus utilisée aujourd'hui car elle est trop tranchée et ne s'appuie que sur un seul critère parmi la multiplicité de ceux qui nous permettent de rendre compte des faits sémiologiques. Le terme « fonction symbolique » recouvre donc les deux niveaux.

qui les distingue l'un de l'autre, ce n'est pas seulement comme on l'affirme couramment le degré d'arbitraire entre le signifiant et le signifié qui pour le premier serait très marqué, pour le second presque nul ; ce n'est là qu'une conséquence seconde d'un fait primordial qui peut se qualifier comme suit : nous appelons signe toute unité dont la face signifiante n'est pas empruntée à un système symbolique constitué mais à un domaine non organisé en vue de telles fins : l'arbitraire de la relation en découle nécessairement ; il se trouve considérablement restreint lorsqu'il s'agit de « symboles » au sens particulier de ce terme : car la signification surgit toujours à partir d'unités déjà significatives qui sont soumises à un nouveau principe d'organisation.

La distinction entre le signifiant et le signifié (1) n'en garde pas moins toute sa valeur. L'arbitraire du signe linguistique découlait à la fois de la juxtaposition par définition contingente d'éléments empruntés au monde physique et de contenus psychiques particuliers et de l'organisation systématique de ces éléments, le signifiant ne se rapportant à un signifié déterminé qu'à travers son articulations aux autres signifiants de la langue. Tous les systèmes post-linguistiques qui supposent l'existence préalable de la langue et font usage des signes qu'elle fournit, mettent en relation des contenus empruntés à des champs culturels différenciés ; il est donc normal de ne pas y trouver cet arbitraire de la juxtaposition propre à la langue ; mais, comme pour celle-ci cependant, les unités signifiantes minimum ne remplissent leur fonction qu'articulées les unes aux autres, cette connexion définissant en dernière instance leur contenu sémantique. En droit l'arbitraire pourrait être banni si on ne prenait en considération que des termes isolés ; mais ceux-ci n'ont d'existence que par le système où ils trouvent place ; si cela n'était pas nous serions ramenés à des discours faisant un usage normal de la langue. Aucun des morceaux du mythe n'est donc — en tant qu'il s'agit d'un mythe — significatif par lui-même mais seulement par son ordination à ses autres parties. A l'intérieur d'un certain contexte culturel, l'aigle peut bien symboliser la grandeur, la majesté, la puissance, la force, mais, si cela est, c'est que l'opposition développée se situera à un niveau très général ; d'un côté un ensemble de termes valorisants que le signe linguistique « aigle » signifie ; de l'autre la faiblesse, l'humilité, etc..., dont un autre animal sera le porteur.

Que le mythe soit fondé sur des oppositions différentes et les mêmes éléments signifiants recouvriront un contenu distinct.

---

(1) Elle serait totalement inadéquate si le signe n'était en aucun cas arbitraire ; car il n'est rien d'autre alors que la chose même.

L'aigle symbolisera la seule force alors qu'un autre animal incarnera la majesté. La valeur sémantique de chaque unité dépend donc du système d'opérations définissant la totalité du discours mythique. Ainsi aucune correspondance univoque entre le signifiant et le signifié ne peut être établie ; et cela même dans le cas où les unités signifiantes sont déjà des signes, ayant une double face.

Le mythe utilise donc la langue à certaines fins ; mais ce faisant il continue à s'appuyer sur la réalité même de la langue : un aigle est un aigle, mais il est bien autre chose, carnassier, rapace, oiseau, animal, être vivant ; il s'intègre dans une multiplicité de classes sémantiques qui peuvent s'emboîter les unes dans les autres, diverger, empiéter sur les domaines respectifs ; ces classes sont plus ou moins générales ; c'est à leur niveau que le message mythique tend à se situer, utilisant chaque monème ou groupe de monèmes comme le signifiant de leur classe, la généralité classificatoire qui est la sienne dépendant de cela même qu'il vise à signifier. L'arbitraire est loin d'être absolu puisque n'importe quel monème ne peut pas signifier n'importe quelle classe ; il est néanmoins très grand puisque chacun des termes s'intègre dans une pluralité de classes (1).

Comprendre un mythe c'est donc concevoir le processus de symbolisation qui lui est propre ; chaque portion de mythe, chaque phrase est alors placée sur un plan qui permet que son message soit décodé. L'articulation réciproque de ces plans, les opérations par lesquelles le passage de l'un à l'autre est rendu possible définissent la logique du mythe qui transforme l'organisation en classes de la langue qui est toujours diffuse en un système contraignant où seules certaines transformations sont tolérées. C'est pour caractériser cet usage de la langue que Lévi-Strauss utilise le terme de « méta-langage » (2). Le terme cependant ne nous semble pas très adéquat : car ce qui caractérise le méta-langage c'est soit qu'il fait disparaître toute préoccupation sémantique au profit des seules opérations syntaxiques, soit — ce qui n'est qu'une extension du cas précédent — qu'il prend pour thème le langage lui-même. Au contraire le mythe ne fait que porter à son apogée ce qui est donné par la structure même de la langue ; à des degrés divers d'ailleurs tout discours fait un usage méta-sémantique des termes qu'il emprunte à la langue (3), la différence provenant no-

_____

(1) Le mythe peut d'ailleurs organiser ses propres classes sémantiques, en créer de nouvelles, mais la possibilité d'une telle opération est donnée par la langue elle-même.

(2) *Formalisme et structuralisme, op. cit.*, p. 33.

(3) Une sémantique structurale ne peut donc en aucun cas se conformer au lexique visant le simple découpage du réel qu'opèrent les monèmes. Dans tout discours, un signifié identique peut être atteint par l'utilisation de monèmes distincts symbolisant la même classe ; inversement le même monème en relevant de

tamment de la rigueur avec laquelle chacun d'entre eux se maintient à ce palier.

Ces constatations nous renvoient directement au problème des idéologies, car ce qui se laisse analyser ici en termes linguistiques pourrait aussi adéquatement être transposé des moyens linguistiques à l'objet qui à travers eux est signifié. Le passage à la classe signifie alors un découpage du réel d'un autre type que celui effectué par la langue, la prise en considération de certaines propriétés qui ne sont pas données immédiatement aux individus ; il en découle que le rapport entre langage et réalité sociale ne se laisse pas circonscrire aisément.

Un exemple emprunté à nos propres recherches permettra peut-être de rendre présente la difficulté. Le mythe d'émergence des Indiens Sia (Pueblos orientaux, Nouveau-Mexique) (1) contient le récit d'une dispute entre les hommes et les femmes qui les oblige après diverses péripéties à se séparer. Cet épisode intervient à un moment donné dans le mythe et cette place a valeur significative ; il peut cependant être considéré en lui-même et cela parce qu'il n'existe pas à un seul exemplaire, mais se retrouve sous une forme similaire dans plusieurs cultures (Hopi, Sia, Navaho). Le mythe d'émergence semble alors combiner non pas des phrases mais des unités plus vastes — qui sont de véritables épisodes — et qu'il soumet à son organisation propre. L'écart entre le récit envisagé sous sa forme générale à partir d'un recensement de toutes les variantes et le même récit apparaissant dans tel mythe déterminé permet de préciser les valeurs dont le texte se charge de par son intégration à une chaîne syntagmatique particulière. C'est le récit tout entier qui est alors considéré comme un élément, l'information supplémentaire qu'il véhicule étant directement liée à sa place dans le système que constitue le mythe considéré comme un tout.

Il faut aller plus loin : ces propriétés découlent du fait que les unités utilisées ont par elles-mêmes une valeur sémantique avant leur ordination ; celle-ci peut même ne rien ajouter explicitement, elle n'en rendra pas moins pertinent ce qui jusqu'alors demeurait à

plusieurs classes introduit une marge d'indétermination. Non seulement aucune correspondance terme à terme n'est possible mais les règles permettant de choisir l'interprétation efficiente sont loin d'être fixées. La simple analyse documentaire ayant pour objet de rendre compte du contenu d'une œuvre déterminée, rencontre des problèmes très délicats ; on peut à ce sujet se reporter à l'introduction de Jean Claude Gardin à l'analyse du Coran (à paraître prochainement). Le passage du terme aux classes multiples qu'il peut symboliser ou encore d'une proposition déterminée à un ensemble de propositions apportant la même quantité d'information apparaît comme une difficulté majeure, encore résolue à un niveau très proche de l'empirie (cf. notamment le paragraphe portant sur les « sauts sémantiques »).

(1) Version publiée par Matilda Coxe Stevenson dans *The Sia*, **Publication** du « Bureau of American Ethnology », 1894.

l'état implicite. Ceci explique d'ailleurs que le mouvement qui va du mythe à ses unités constitutives de second ordre (les épisodes) ou encore de la chaîne syntagmatique à l'organisation paradigmatique peut s'inverser : le mythe combine des éléments composés d'une pluralité de phrases ou se décompose en ces éléments qui doivent leur existence au système au sein duquel ils se sont cristallisés.

Ces différentes possibilités compliquent d'autant le rapport entre réalité et langage. De ce point de vue le mythe Sia peut illustrer certaines difficultés : après la séparation, que marque réellement et symboliquement la traversée d'une rivière, chaque sexe pense pouvoir se suffire à lui-même ; mais ce n'est pas le cas ; les hommes sont chasseurs et agriculteurs et à ce titre parviennent à assurer leur équilibre alimentaire et affectif ; les femmes par contre ne sont que des agriculteurs ; privées de viande fraîche elles périclitent et se résignent à demander qu'on revienne à la situation antérieure. Les deux groupes finiront par se réconcilier et par reprendre une vie commune.

Un tel récit, considéré comme une réalité autonome peut être directement mis en rapports avec d'autres faits dont le contenu est similaire quoique formulé d'une autre manière : rapports entre les sexes dans l'ensemble de la mythologie, nature des relations réelles entre les hommes et les femmes, division sexuelle du travail etc... ; l'épisode en question pourra alors apparaître comme décalquant la situation de fait, ou au contraire comme l'inversant ou encore comme extrapolant à partir d'une donnée limitée. Mais toutes ces corrélations supposent une interprétation de notre texte qui le considère comme un ensemble isolé ; mais ce n'est là qu'une apparence ; intégré au mythe, il voit se redoubler sa valeur sémantique ; car ce qui est en cause alors n'est plus seulement le conflit entre les sexes ; ou plutôt, celui-ci illustre un problème logique plus profond que le mythe met en forme et qui peut se caractériser comme suit : la difficulté pour des termes complémentaires qui sont étroitement liés les uns aux autres et ne peuvent pas avoir d'existence indépendante de s'accepter pour ce qu'ils sont, à savoir inséparables. Formulé de cette façon (et cela est possible dans la mesure où c'est tout le mythe qui permet le passage à ce niveau plus général) le message acquiert une amplitude nettement plus marquée qui le renvoie à de tout autres aspects de la réalité sociale que ceux invoqués précédemment ; une telle antinomie peut se retrouver au niveau politique, être thématisée au cours d'un rituel, se faire sentir dans la vie quotidienne des individus ; et ces différentes réalités seront à leur tour soumises au même travail d'épuration : ce qui est comparé ne peut pas en effet être hétérogène, contenu lexical dans un cas (telle ou telle institution ou comportement) problématique logique dans un autre ; tous les domaines de la vie sociale doivent être l'objet d'une formalisation rigoureuse pour que la confrontation ait un sens. Celle-ci s'opère donc à une pluralité de niveaux déterminés par les méthodes d'investigation qui sont celles du chercheur.

Comme nous le verrons par la suite une telle perspective revient à mettre à jour les catégories intellectuelles qui sont mises en œuvre par les sociétés et qui régissent aussi bien l'organisation des différents « discours » que celle du réel lui-même. C'est du même coup étendre considérablement la notion « d'activité intellectuelle » : de fait des progrès décisifs ont été réalisés dans les sciences de l'homme lorsque des modes d'expression tels que le rêve, le mythe, le lapsus abandonnés jusque-là à l'irrationnel, au chaotique et au hasard se sont révélés produits d'une activité de l'entendement qui était adaptée à ses fins et se pliait dans ses productions, en apparence les plus délirantes, à une logique qui pour être particulière au champ considéré n'en était pas moins rigoureuse. Le terme de « Pensée inconsciente » que Freud a employé à plusieurs reprises nous rappelle que c'est justement en cela que consistait d'abord la révolution psychanalytique ; mais c'est pour toutes les disciplines que s'est effectué un tel renversement théorique. Ceci nous conduit à revenir sur l'idée de « mentalité prélogique » qu'a défendue Lévy-Bruhl. Ses critiques en ont été abondantes et elle n'est plus soutenue aujourd'hui par aucun ethnologue ; elle appelle cependant quelques remarques, dans la perspective qui est la nôtre.

Chaque fois qu'il a cherché à définir précisément ce qu'il entendait par pensée prélogique, Lévy-Bruhl en est revenu à la méconnaissance du principe de contradiction :

« En l'appellant prélogique, je veux seulement dire qu'elle ne s'astreint pas avant tout, comme notre pensée, à s'abstenir de la contradiction (1) » et la longue série d'exemples qu'il donne dans ses ouvrages laisse penser que pour le primitif, à chaque instant, tout peut être associé avec tout ; or cela, est-il besoin de le rappeler, n'est nullement le cas, la pensée mythique obéit implicitement à un principe analogue au principe de contradiction ; car nier celui-ci reviendrait à fondre les uns dans les autres les termes qui la constituent, ce qui signifierait proprement s'abolir, se nier en tant que langage. En effet sous sa forme la plus simple ce principe peut se formuler comme suit : impossibilité pour un signe, pour un concept, pour un objet d'être lui-même et autre chose que lui-même ; ceci revient à poser la distinction et la discontinuité ; or cette opération est le propre de tout langage et cela quelles que soient ses fins, la syntaxe qui est la sienne, la réalité qu'il organise ; en aucun cas dès

(1) *Les Fonctions mentales dans les sociétés inférieures*, Paris, 1910, p. 79.

lors les divers systèmes symboliques ne peuvent être distingués les uns des autres par leur relation à cette loi universelle. A ce niveau de généralité ce qui varie ce n'est pas la syntaxe (1), mais le lexique : ce qui est contradictoire pour les uns ne l'est pas pour les autres et inversement ; mais dans tous les cas une fois les termes posés, aucune confusion, aucune indistinction ne sont plus possibles ; tout système dès qu'il existe est rigoureux, mais il y a différents types de rigueur.

L'erreur de Lévy-Bruhl c'est donc de méconnaître les propriétés les plus générales de la pensée symbolique beaucoup plus que de prêter aux primitifs des opérations mentales qui leur seraient étrangères ; ceci apparaît clairement lorsqu'il énonce, face aux lois logiques, la loi de participation à laquelle obéirait la pensée primitive et qui permet la fusion d'éléments hétérogènes. Comme le dit Cazeneuve « en vertu de ce principe les êtres et les objets peuvent être dans ces représentations, à la fois eux-mêmes et autre chose qu'eux-mêmes (2) ». Mais qui ne voit qu'on vient seulement là de citer la propriété la plus générale de tout système signifiant en tant qu'il structure le réel : système veut dire à la fois définition différentielle des classes et possibilité de substitution, d'équivalence entre les classes ; la pensée symbolique découpe le réel et intègre chacun de ses éléments à une multiplicité de champs en définissant les opérations qui permettent de les convertir les uns dans les autres. Il s'agit donc bien là d'une activité intellectuelle. Or non seulement Lévy-Bruhl ne le reconnaît pas mais il explique la loi de participation par la prédominance des données affectives sur les démarches cognitives. Nous avons donc une série d'équivalences : mentalité primitive = ignorance du principe de non-contradiction = loi de participation = fusion de domaines à valeur sémantique différente = primat de l'affectivité ; et l'équivalence des classes qui se marque lorsqu'un Bororo affirme qu'il est un arara serait le résultat d'une indifférenciation qui confond ce qui pour l'esprit est séparé ; cette confusion ne peut donc pas être le fait de l'intellect mais d'un certain état affectif qui effacerait les limites. Or là encore l'analyse est viciée à sa base, car je ne peux faire fusionner que des éléments qui me sont préalablement donnés comme pourvus de valeur sémantique, et cette simple donation suppose que nous ayons affaire à un système ; c'est lui qui est premier et qui rend possible certaines équivalences en même temps qu'il en exclut d'autres, les affects interviennent non pas dans la constitution de ce

_____

(1) Chaque type de discours possède évidemment sa syntaxe propre ; mais le principe de contradiction antérieurement à toute formulation logique reste leur base.
(2) CAZENEUVE : *La mentalité archaïque*, Paris, 1961, p. 12.

jeu de termes, mais dans la manière dont il est vécu ; l'individu pourra éprouver pour sa part un sentiment de fusion correspondant à l'unification réalisée sur le plan intellectuel ; il est vain de vouloir dériver la seconde de la première.

Et si Lévy-Bruhl s'y rallie c'est dans la mesure ou conformément à toute une tradition philosophique, il limite considérablement la sphère d'extension de l'activité intellectuelle ; l'opposition qu'il introduit est en effet fort simple : d'un côté l'affectivité qui présiderait aux systèmes de pensée archaïques ; de l'autre la cognitivité qui serait à la racine de nos propres opérations mentales et trouverait sa réalisation la plus parfaite dans l'activité scientifique. Or il est vrai qu'un mythe, un système religieux n'obéissent pas aux exigences qui sont celles de la connaissance rationnelle ; s'il n'y a pas d'autre option à la cognitivité que l'affectivité le tour est joué ; c'est d'elle que découlera tout ce qui n'est pas science. Mais une telle dualité est inacceptable ; l'activité scientifique n'est qu'une manifestation d'une activité intellectuelle plus générale qui engendre une pluralité de systèmes (langue, mythe, art, logique, mathématiques), la structure de ces systèmes variant suivant la fin qui est la leur.

Les sociétés ne se différencient pas en tant que certaines recourent à l'intellect et d'autres à l'affectivité, mais plutôt en mettant en œuvre des formes diverses d'activité intellectuelle, étant entendu que pour toutes il existe un tronc minimum commun, la création de la langue qui définit l'être même de la culture. Par contre l'affectivité, toujours partiellement indifférenciée, apparaît comme un réservoir pulsionnel à grande plasticité dont les forces viennent se mouler dans des cadres qui relèvent d'une élaboration d'un autre cadre. C'est peut-être Jacques Lacan qui a exprimé ceci le plus clairement à propos de l'expérience psychanalytique : « L'analyste ne peut être que fort prudent quand il parle de réel, car le réel est toujours à la limite de son expérience, plutôt que compris en elle. L'analyste se trouve donc un peu dans la situation de l'ingénieur d'une usine hydro-électrique qui est intéressé par ce qui se passe dans la machine où s'accumule et se transforme l'énergie, mais ne s'occupe pas du paysage avant la construction de l'usine. Il méconnaît radicalement l'expérience analytique, celui qui part vainement à la recherche d'une énergie potentielle, d'une « réalité » dernière au delà de la réalité structurée, conflictuelle, symbolisée à laquelle il a affaire : préjugé qui a déjà entravé le progrès de la psychiatrie et dont la psychanalyse eût dû la délivrer.

« On objecte : mais la libido ? et le Ça ? Nous répondrons que la notion de libido freudienne — tout comme celle d'équivalence des diverses formes de l'énergie physique — est destinée à introduire une commune mesure entre des manifestations qualitativement différentes : rien de moins fixé à un substrat matériel. Quant au Ça il désigne ce qui dans le sujet est susceptible de devenir Je, et non pas une réalité brute (ce que n'est déjà pas l'énergie). Pour l'analyste il y a toujours déjà là une usine faite et qui fonctionne. En d'autres termes, linguistiques cette fois, disons qu'il n'y a rien dans le signifié — flux vécu, envies, pulsions — qui ne se présente marqué de l'empreinte du signifiant avec tous les glissements de sens qui en résultent et qui constituent le symbolisme (1) ». A l'état pur l'affect, la pulsion ressortissent d'une autre discipline que ce qu'on entend par science de l'homme ; ils peuvent intervenir comme conditions de possibilités, jamais comme cause explicative.

Cette mise au premier plan de l'activité intellectuelle, à quelque niveau qu'elle se déroule, exclut donc que les diverses formes d'expression qui se situent à la limite de la « pensée normale » soient abandonnées au non-sens ; ceci équivaut à reconnaître qu'un contenu est véhiculé par de tels messages et que la forme employée est adéquate à ce contenu (il n'est donc pas transmissible par d'autres moyens). La pensée est toujours pensée de quelque chose et plutôt que de postuler d'emblée que celle des primitifs représente un stade inférieur sur l'arbre de la connaissance, il est préférable de chercher d'abord à savoir ce qu'elle affirme ; il s'agira ensuite de s'interroger sur le lien entre ce discours et la réalité qui se laisse ainsi signifier ; ce qui revient à prendre en considération le rapport que les différents systèmes symboliques entretiennent avec la société qui les crée. Or rien de plus frappant à cet égard de voir combien peu Lévy-Bruhl s'interroge sur la fonction sociologique des théories qu'il analyse : Participation, Fusion apparaissent comme les propriétés d'un esprit qui les exerce indépendamment de tout problème, de toute matière ; certes la pensée symbolique s'exerce à plusieurs niveaux mais dans chaque cas elle organise le réel en fonction de certaines fins, ce qui empêche qu'on la renvoie à l'illusion ou à la confusion. Déjà Durkheim avait affirmé avec force une telle position.

« Sans doute, quand on ne considère que la lettre des formules, ces croyances et ces pratiques religieuses paraissent parfois déconcertantes et l'on peut être tenté de les attribuer à une sorte d'aberration foncière. Mais, sous le symbole, il faut savoir atteindre la réalité qu'il figure et qui lui donne sa signification véritable. Les rites les plus barbares ou les plus bizarres, les mythes les plus étranges traduisent quelque besoin humain, quelque aspect de la

---

(1) *Les Relations d'objet et les structures freudiennes*, publication du *Bulletin de Psychologie*, p. 4.

vie soit individuelle, soit sociale. Les raisons que le fidèle se donne
à lui-même pour les justifier peuvent être, et sont même le plus
souvent, erronées ; les raisons vraies ne laissent pas d'exister ; c'est
affaire à la science de les découvrir ». (1)

Gardons-nous cependant d'une équivoque : il serait aisé d'opposer la science à la totalité des idéologies — en groupant sous ce
terme aussi bien le mythe, la religion que les doctrines politiques —
en disant que la première est la seule à prendre pour fin exclusive la
réalité qu'elle signifie (les fonctions sociales ou psychologiques
qu'elle remplit par ailleurs sont toujours secondaires et jouent plutôt le rôle d'obstacle) alors que les secondes organisent le réel en
fonction de buts qui sont partiellement extérieurs au contenu
affirmé ; une telle division serait certainement valable, mais il faut
aller plus loin : les systèmes de pensée extra-scientifique remplissent
bien des fonctions qui ont présidé à leur constitution, mais ces
fonctions supposent toujours qu'une certaine région du réel devienne objet de discours. Il n'est donc pas exclu que les vérités
auxquelles parvient la pensée mythique soient traduisibles dans le
langage scientifique ; mais cette transposition exclura que les fonctions remplies par le mythe soient reprises par la science. En fait
un triple critère doit intervenir : ce qui est dit ; la raison qui conduit à une telle expression ; la forme de cette expression. Les
trois plans ainsi délimités se recouvrent partiellement, mais pas aux
mêmes endroits.

Nous devons maintenant revenir au problème posé par Marx et
nous interroger sur le type de causalité que le réel — en ce cas la
lutte des classes, les transformations économiques et sociales, les
bouleversements politiques, etc... — entretient avec les « superstructures » ; ce terme curieux marquant pour Marx à la fois la
distinction entre ce qui est véritablement et ce qui ne l'est pas tout
à fait et le rapport orienté d'implication qui les rattache l'un à
l'autre.

Nos constatations initiales vont acquérir un contenu nouveau :
nous nous étions refusés à confondre la causalité événementielle qui
lie tel fait ou ensemble de faits à tel autre et la comparaison systématique entre champs distincts de la réalité sociale. En ce qui concerne l'analyse des idéologies cette opposition avait pris un sens
plus précis : la causalité qui peut apparaître aura pour critère de
validité, pour centre de référence essentiel la continuité intentionnelle qui est donnée dans cela même qui doit être déchiffré. Le
contenu réel, explicite de l'œuvre fournit donc le seul point d'appui
sérieux permettant de la situer dans une relation de causalité à ce

(1) *Les formes élémentaires de la vie religieuse*, p. 3.

qui n'est pas elle. Aucun arbitraire n'est ici de mise et il est absurde de supposer derrière les intentions du créateur, un jeu de forces entièrement autres qui le modèleraient par on ne sait quelle opération magique (1). Par contre le problème se déplace lorsqu'il s'agit au delà du contenu manifeste des expressions différenciées qu'une société a données d'elle-même, de parvenir à l'ordre souvent méconnu par ceux qui l'actualisent qui est le leur. La mise entre parenthèses des relations de causalité qui inscrivent chaque système symbolique dans la vie sociale réelle apparaît alors comme un préalable indispensable ; c'est seulement une fois cette abstraction effectuée à partir de critères garantissant une certaine homogénéité du champ délimité que l'analyse structurale peut dégager les éléments constitutifs de ce champ et leurs combinaisons possibles.

Ce sont donc deux méthodes tout à fait différentes dont il est question ; certes leur recoupement final semble garanti par l'unité même de l'objet de la recherche, mais cette dualité n'en pose pas moins des problèmes particulièrement épineux. Toute société se présente comme une réalité syncrétique à l'intérieur de laquelle il est possible de découper des ensembles significatifs, groupes d'êtres relativement homogènes pouvant être schématisés en un langage univoque. Tel est le cas des rapports économiques, des relations de parenté, de la langue ou des faits esthétiques... Ces phénomènes sont structurés et ce sont leurs structures que le linguiste, l'ethnologue ou l'économiste cherchent à mettre en évidence. Par principe la structure ne correspond pas aux relations réelles (2) plus riches, plus complexes, produit d'influences multiples qui sont le fait de tous les autres secteurs de la vie sociale. A une version structurale soit synchronique, soit diachronique (3) de certains phénomènes correspond donc une version historique : alors que la pre-

(1) Une analyse de ce genre a tout intérêt à se servir d'une conceptualisation phénoménologique ; elle vise à saisir le double rapport qui lie « l'objectif » au « subjectif », l'objectif déterminant le champ au sein duquel la subjectivité se déploie tout en ne devenant efficient que dans la mesure où il est repris et intériorisé par la subjectivité. On peut trouver une excellente introduction à une telle recherche dans une longue note de la *Phénoménologie de la Perception* de Maurice MERLEAU-PONTY, consacrée à la théorie des idéologies (p. 199-202) et dans la *Critique de la Raison Dialectique* de Jean-Paul SARTRE (Questions de méthode, chapitre III, p. 60-103).
(2) Cf. à ce sujet l'article de Claude LÉVI-STRAUSS, « La notion de structure en ethnologie » (*Anthropologie structurale*, p. 303-351) et le livre de M. GRANGER, *Pensée formelle et sciences de l'homme*, Paris, 1961.
(3) L'analyse synchronique effectue une coupe horizontale dans le système étudié ; l'analyse diachronique porte sur les modifications de la structure ; elle peut déterminer les évolutions compatibles avec la structure existante à un moment donné et les principes d'organisation auxquels seront soumis les contenus nouveaux qui surgissent à partir de causes extrinsèques au champ limité. Cf. Roman JAKOBSON, « Principes de phonologie historique » en appendice aux « Principes de Phonologie de Troubetzkoy ». Paris, 1957, p. 315-336.

mière met en lumière l'existence d'un certain nombre de relations intelligibles entre les termes et s'efforce de prévoir ce qui dans l'avenir pourrait résulter du jeu normal de ces relations, la seconde cherche à restituer dans son intégralité le processus aux aspects multiples qui a permis de se cristalliser à de telles relations. Dans le premier cas c'est la structure qui à son propre niveau est conçue comme opérante, intégrant à son mécanisme en les redéfinissant les éléments étrangers ; dans le second, c'est l'homme sujet actif, réel, qui est posé comme l'effecteur auquel les significations sont rattachées, cette continuité étant aussi bien celle de ses desseins et projets que des conséquences qui découlent de leur réalisation et qui peuvent évidemment être tout autres que celles qu'il attendait.

Cette idée d'un fonctionnement autonome de la structure s'opposant à la production par l'homme des significations peut paraître absurde. D'où viendrait la structure elle-même ? et n'est-ce pas là retomber dans un idéalisme qui ne pourrait trouver sa justification dernière que dans une théologie (1) ? Ce reproche a pu être formulé à plusieurs reprises, notamment par J. P. Valabrega qui, à propos de travaux de Jacques Lacan et de Claude Lévi-Strauss, écrit : « Un univers de règles » (Lévi-Strauss), un « ordre symbolique » (Lacan), sont définis comme constituants. Tous les problèmes de génétique historique perdraient ainsi une grande part de leur substance et de leur intérêt au profit d'une loi qui, seule, pourrait être dite absolument *a priori*... A notre avis l'application de cette conception ingénieuse et féconde dans certaines voies de recherche... évite difficilement le recours à une notion voisine de celle d'un « Dieu calculateur (2) ». Il ne suffit pas pour écarter une telle critique d'évoquer l'exemple des linguistes qui mettent effectivement à jour un tel fonctionnement. La réponse ne porterait alors que sur les faits ; il importe plutôt de comprendre la nature même du problème posé.

L'homme est le producteur de tout ce qui est humain et cette tautologie exclut qu'on fasse du structuralisme une théorie extra-anthropologique de l'origine du sens : ce sont les hommes qui créent les langues, les mythes, les religions ou les sociétés et on pourrait en droit imaginer que ces réalités leur soient directement rapportés, une série d'actes sous-tendus par une intentionalité spécifique correspondant à chaque type d'objet qui pour

---

(1) Les reproches d'idéalisme adressés à l'œuvre de M. Lévi-Strauss ont d'ailleurs été fréquents. On peut notamment se reporter à l'article de Claude LEFORT, « L'échange et la lutte des hommes » (*Les Temps Modernes*, février 1951) et à l'ouvrage de Jean-François REVEL, *La cabale des dévots*, Paris, 1962.

(2) « L'Anthropologie psychanalytique », *La Psychanalyse*, n° 3, p. 238.

sa part se donnerait comme le corrélat d'une activité psychique particulière. En fait *une telle équivalence est hors de question*. Penser la langue ou le mythe, mettre à jour l'ordre qui les régit, ce n'est pas intérioriser leur relation au sujet parlant ou au prêtre qui récite le mythe mais au contraire introduire une rupture entre le système que les différents sujets actualisent et les intentions qui sont les leurs. Entre production et produit le rapport s'inverse alors (1) : le message que j'émets suppose un code auquel je dois me plier si je veux être compris ; les innovations que je peux apporter à tel état du langage non seulement ont peu de chances de passer dans les faits si je suis seul dans mon cas, mais doivent pour être recevables par le système se plier à certains principes que le linguiste dégage mais qui ne sont jamais comme tels donnés au sujet parlant.

Soit, dira-t-on, mais vous ne faites que décrire les exigences épistémologiques auxquelles doit se plier l'étude scientifique du langage humain ; à ce stade il est alors possible métaphoriquement de parler de fonctionnement autonome de la structure ; mais le passage à l'ontologique est exclu ; car dès que nous nous situons au niveau réel nous ne retrouvons plus que les actes des sujets. Le recours à un ordre symbolique constituant ne serait alors qu'un artifice méthodologique permettant d'éclaircir le rapport du sujet aux significations.

Certes il importe de ne pas perdre de vue que la notion de structure trouve place dans le discours de la science et qu'une interprétation purement réaliste ne doit pas en être admise ; mais du connaître à l'être le hiatus se laisse penser. La conceptualisation mise en œuvre, dans sa dissymétrie, renvoie à une dissymétrie de l'objet lui-même, qui transparaît à plusieurs niveaux ; là encore l'exemple de la langue nous servira d'illustration.

La langue est un produit de l'activité humaine répondant à des besoins déterminés qui commandent son organisation, et pourtant il est impossible de penser en termes historiques son apparition. Certes telle langue dérive de telle autre, le français et l'italien du latin, le latin lui-même de l'indo-européen primitif, mais chacun de ces processus suppose toujours un état linguistique initial. La langue elle-même reste un irréductible qui ne peut être pensé qu'en termes logiques et non pas en termes historiques (2) : Soit,

---

(1) Cette inversion est ontologiquement fondée et il est vain d'y voir toujours comme Feuerbach et comme Marx une expropriation de la praxis humaine au profit des êtres qu'elle engendre.

(2) Sur ce point aucun doute n'est possible, toutes les théories génétiques qui ont pu être mises en avant sont d'une pauvreté manifeste ; par définition d'ailleurs elles sont irrelevantes car elles ne peuvent s'appliquer qu'à certains éléments dont l'apparition est comprise alors que c'est de la langue, totalité structurée, dont il faut rendre compte.

en effet, on se trouve dans un domaine où cette symbolisation est exclue, celui de la nature ; on peut alors ressentir sa nécessité, marquer la faille où elle prendra place (1), mais ces considérations ne feront que renforcer le sentiment de son absence ; certes une étude psycho-physiologique de l'apparition de la fonction symbolique est essentielle ; et il est décisif de se demander à partir de quelles transformations de l'organisme le signifiant est devenu la médiation fondamentale entre l'homme et le réel ; en aucun cas cependant une telle recherche n'utilise le langage du symbole (2) ; et dans la mesure où cette hétérogénéité ne se laisse pas traiter en termes de « cause » et d' « effet », il est exclu qu'on parle ici d'histoire ; il s'agit en fait de la recherche d'un système d'équivalences qui ne peut par lui-même fournir aucune réponse au problème philosophique de l'origine du sens. Soit au contraire on se situe dans un univers déjà symbolisé, mais toute expérience réelle en porte irréductiblement la marque, ce qui exclut qu'on puisse en dériver le symbolisme dans son principe. En effet le découpage linguistique est la condition de ce à quoi on voudrait le rapporter ; il implique des champs sémantiques primordiaux à l'intérieur desquels seuls, l'activité humaine peut se déployer. Vouloir historiquement engendrer cette symbolisation première à partir de laquelle se développe toute Histoire est une entreprise vide de sens, car il n'existe pas de support réel qu'on pourrait considérer comme sa source.

Que les actes humains ne soient pas l'équivalent de ce qu'ils charrient, Marx l'avait clairement aperçu ; il évoque le legs des siècles qui circonscrit le domaine d'où je pourrais commencer de parler et d'agir et la méconnaissance primordiale qui en découle. Pourtant, reprenant le langage hégélien, il avait situé au premier plan de sa réflexion philosophique la transformation de la substance en sujet, c'est-à-dire l'appropriation réelle par les producteurs de l'ensemble du travail passé extériorisé dans un univers d'œuvres. Mais cette dépossession réelle est seconde et c'est une relation plus originaire de l'homme à ses productions qui doit être pensée.

Toute théorie des idéologies s'interroge sur le rapport du sujet au signifiant ; c'est qu'elle n'a pas à dériver l'un des termes de

---

(1) Ainsi la psychologie animale nous fournit de nombreuses esquisses du comportement symbolique par les animaux.

(2) Non pas que là encore une homogénéisation des deux plans ne soit pas concevable, une telle opération reste possible tant que nous ne sommes pas parvenus à l'unification dernière de tous les éléments en un système homogène. Dans cette voie, la Théorie de l'Information fournira certainement un matériel important, mais ce ne sera possible qu'après une formalisation qui fera disparaître ce que l'un et l'autre plan ont de particulier. Nous nous serons alors toujours plus éloignés de notre objet initial et avec lui aura disparu le problème posé par la dualité des registres.

l'autre (1), ils lui sont donnés, consubstantiellement pourrait-on dire, et c'est leur connexion qu'elle élucide. On se doit alors de constater l'efficience du signifiant comme tel (2), c'est-à-dire le pouvoir opérant qui caractérise tout système sémiologique constitué. Quoique fort complexe, un tel processus peut globablement se schématiser comme suit : production de certains éléments significatifs à partir des comportements réels des membres de la société ; en fonction de la différenciation de certaines activités, un dieu nouveau surgit qui en sera le garant ; intégration de ces éléments dans le panthéon existant qui pour sa part est structuré différentiellement, la valeur sémantique de chacun des êtres qui le composent étant donnée par leurs relations réciproques ; l'apparition d'un nouveau terme implique alors un processus général de redéfinition qui le chargera d'une signification différente de celle impliquée par sa genèse ; au contraire la transformation opérée peut être tout à fait distincte de l'événement initial qui est à sa source et obéir à une tout autre logique que celle qu'actualisait le sujet individuel ou collectif dans sa praxis propre. Il en découle une subversion permanente du sens qui outrepasse toute aperception subjective et qu'il n'est pas possible de mettre en rapport avec les visées explicites des différents sujets ; c'est la chaîne entière de ces transformations qui, au delà des multiples interférences secondaires, nous permettra d'atteindre le système intellectuel qui a commandé les changements en question ; en ce sens tout fait idéologique appelle une question initiale : à quel niveau dois-je me placer pour que la chaîne tout entière me soit donnée ? Ajoutons que ce qui vaut pour les phénomènes idéologiques s'applique en réalité à tout fait social.

Pour prendre un exemple, évoqué ici très brièvement, les débats auxquels donne lieu la révolution russe et qui opposent à des moments différents le groupe Lénine-Trotsky d'une part, Rosa

(1) Nous ne touchons à un tel problème que secondairement. On peut cependant remarquer que les conséquences philosophiques des recherches structurales sont décisives. Le décentrement du sujet qui en découle exclut toute possibilité de constituer le sens à partir d'un lieu absolu, Ego transcendantal, conscience de soi, sujet historique et dialectique qui inscrirait la totalité des significations dans l'Etre. La phénoménologie husserlienne peut fournir un bon exemple d'une oscillation (qui évidemment pour Husserl n'en est pas une) entre une philosophie des systèmes sémiologiques constitués (dans les *Recherches logiques* et la première partie de *Logique Formelle et logique transcendantale* notamment) et une théorie de l'Ego constituant, source de tout signifié.

(2) Cette incidence du signifiant, Freud l'a mise en pleine lumière en excluant toute possibilité de rendre compte de la constitution de l'objet sexuel et du choix de l'objet d'amour par une dialectique endogène des instincts qui sur la base d'une maturation organique permettrait qu'en un temps donné l'individu rencontre un objet répondant adéquatement à son désir. Ce qu'il met en évidence au contraire c'est la perturbation qui est le propre du désir humain, sa relation à l'objet n'étant pas univoque, puisque cet objet ne se donne que comme élément au sein d'un système symbolique dont il reçoit sa sanction ; cf. sur tout cela les travaux de Jacques Lacan.

Luxembourg de l'autre, Karl Kautsky enfin peuvent être décrits dans les termes mêmes qui ont été les leurs ; c'est alors reconnaître la validité des options qui se sont offertes aux divers protagonistes et essayer de réinterpréter leurs choix « du dedans » en admettant leur propre découpage du phénomène ; mais la méthode utilisée pourra aussi faire éclater ce découpage et chercher au delà des prises de position des uns et des autres, à catégoriser le champ total de la discussion. De ce code aux messages contradictoires dont nous étions partis, le rapport s'inverse ; et ce n'est pas là simple artifice de présentation : certes l'opposition circonscrite nous permet de séparer ce que nous avons trouvé en travaillant sur certaines configurations particulières ; mais il faut aller plus loin et effectuer un véritable saut ontologique, car c'est le système ainsi défini qui, même si les divers théoriciens n'en ont pas eu conscience, fonde leur discours ; c'est donc au niveau de l'ensemble que la notion de vérité pourra enfin affleurer et qu'on se demandera si la réalité était conforme à la manière dont elle a été pensée. Chaque prise de position semble se suffire à elle-même, n'entretenir avec celles qui lui font vis-à-vis que des rapports externes ; mais cette autonomie n'est qu'apparente et dès que le champ dans sa totalité est pris en considération les limites s'estompent ; les différentes options s'inscrivent dans un système qui se définit non pas au niveau de telle ou telle création particulière, mais à celui de l'organisation logique qui préside à la diversité des messages.

Cette praxis constitutive que Marx situait à l'origine du monde humain, lieu réel en fonction duquel l'ambiguïté et l'hétérogénéité de l'action et du langage se dissolvaient, se voit donc elle-même recevoir sa signification dernière d'un « ailleurs » dont elle ne pourra jamais comme telle être le corrélat ; et cela parce que en son être, toute activité significative est datée et localisée, appliquée à un point précis du réel, limitée en ses intentions comme en ses effets.

Cette limitation cependant doit être comprise doublement ; à un premier niveau elle est évidente : chaque acte humain a pour conséquence d'innombrables réactions venant de sujets différents ; les ouvriers d'une entreprise se mettent en grève, ce qui conduit le patronat à réagir ; d'où une modification générale des rapports de force dans le pays et une agitation politique importante ; cette grève peut faire tache d'huile, s'étendre, prendre des formes nouvelles ; et il est possible qu'aucun de ces événements n'ait été prévu par les grévistes ; le sens de leur action se trouve donc déplacé, situé au delà de tout ce qu'ils ont pu vouloir et prévoir ; et cette signification surajoutée, étrangère, colle pourtant à leur pratique. Le sens de chacune de nos conduites dépend du contexte total dans lequel elle se développe ; chaque sujet poursuivant ses fins propres modifie l'agencement de moyens et de fins qui était celui de ses partenaires ; il les oblige à tenir compte de la présence de données nouvelles, et l'apparition de comportements autres qui en découle va se répercuter, tel un boomerang, sur l'acte initial. C'est *ce jeu* où s'imbriquent étroitement conséquences réelles, quasi mécaniques, de chacun des coups et intériorisation permanente par les différents protagonistes des transformations provoquées par l'autre, qui est la matière même de tout récit historique (1). Il n'y a rien d'absurde à envisager sa formalisation.

On voit cependant qu'en aucun cas nous n'avons abandonné le langage de la causalité ; les contenus qui surgissent au cours de ce processus ne recoupent sans doute pas les intentions premières des individus et des groupes ; ils les surprennent peut-être ; il n'en reste pas moins que c'est à leur action et à elle seule qu'ils doivent être rapportés ; entre chacun des éléments de ce puzzle existe une continuité que l'historien déchiffrera ; il n'y a donc pas de véritable coupure entre le sujet historique et le champ constitué qu'il anime de sa dialectique ; nous avons simplement tenu compte de la disparité des situations, des fins poursuivies, des moyens qui sont employés.

Ce qui est visé dans l'autre cas est par contre tout à fait différent ; il ne s'agit pas simplement des conséquences de chaque praxis particulière qui se répercute sur celles qui lui font vis-à-vis, mais de ce qui est impliqué par la structure symbolique des rapports humains, cette structure n'étant jamais dans sa totalité constituée, pouvant au contraire apparaître comme constituante.

Ceux qui ont présents à l'esprit les travaux comparatistes de Georges Dumézil (2) pourront y trouver une illustration de cette double dimension. On sait que Georges Dumézil a mis à jour dans chacune des religions des peuples indo-européens l'existence d'une division tripartiste de l'univers religieux qui sous des formes plus ou moins pures est présente partout. A la perspective historiciste qui s'efforçait de faire sortir chaque panthéon organisé d'une réalité indifférenciée propre à chaque peuple, il oppose donc une version structurale qui sous la diversité des termes, des fonctions, des divinités, reconnaît la même tripartition qui se serait conservée comme telle en dépit de la variété des civilisations et des histoires. Seule la reconnaissance d'une telle structure, rendue possible par la comparaison systématique des différentes versions permet en

(1) Sartre insiste beaucoup sur ce point dans sa *Critique de la Raison dialectique.*
(2) Une bonne synthèse en sera trouvée dans *Les Dieux des Indo-Européens,* Paris, 1952.

définitive de préciser la valeur sémantique de chaque dieu dans le panthéon védique, iranien, romain ou germain. L'analyse historique par contre n'atteint que des significations partielles : tel dieu est né après telles transformations sociales dont il s'est porté le garant et qu'il a élevées à la dignité du sacré ; tel autre est tombé en désuétude pour des raisons inverses ; lorsque par contre elle essaye de comprendre la totalité religieuse et d'en expliquer la genèse et le mécanisme, elle est obligée de recourir à des hypothèses qui par leur ampleur et leur prétention outrepassent considérablement le matériel empirique qui est à notre disposition (1) ; de plus elle laisse échapper dans la mesure où elle s'appuie sur le caractère singulier de chaque processus historique, les similitudes structurales qui sont indéniables.

Au contraire la structure ainsi dévoilée et qui a persisté durant des millénaires définit les cadres symboliques déterminés à l'intérieur desquels s'est exercée une certaine créativité historique ; le rapport entre de tels cadres qui organisent systématiquement les divers éléments du panthéon et les actes historiques qui leur donnent vie est variable ; dans la plupart des cas ces derniers portent sur des points précis ; ils supposent une certaine prescience du champ où ils se déploient et il est possible de confronter les modèles d'intelligibilité qui sont directement accessibles aux hommes et le système tout entier qui peut être inconscient et se situe en deçà des actes concrets qui lui confèrent l'existence. Cette relation peut donc être assimilée à celle qui rattache le code aux messages obtenus à partir de sa connaissance.

Cependant cet usage des notions linguistiques peut paraître forcé ; certes les termes de code et de message s'appliquent bien à la langue, mais entre celle-ci et des systèmes symboliques plus différenciés et plus individualisés existent des différences importantes qui peuvent s'estomper dans le cours de la recherche mais ne doivent pas être négligés au terme de l'analyse ; dans les deux cas le code est obtenu seulement par l'étude des messages ; mais l'analogie ne peut pas être poussée plus loin ; pour la langue le nombre des messages devient une donnée secondaire au delà d'une certaine limite qui a permis de dégager le code en question ; et cela même si la valeur sémantique de chaque message supplémentaire est autre que celle de tous ceux qui l'ont précédé. Une fois qu'une langue m'est connue, je peux former autant de phrases que je le désire ; elles auront toutes un sens différent ; le code lui-même n'en sera pas transformé pour autant ; par contre rien de tel pour

(1) Cf. notamment la discussion sur la nature de Mars (Naissance de Rome II, Paris, 1944).

une religion ; il y a bien des phénomènes de redondance mais en fait tout message nouveau transforme le code ; c'est que celui-ci n'est pas appris puis actualisé ; il est créé à partir d'un état antérieur qui était différent de la situation actuelle ; et ce n'est qu'à partir d'une illusion rétrospective due à la rationalisation scientifique qu'on peut faire disparaître une telle opposition.

Pourtant il faut y regarder de plus près ; ce que la langue nous apprend c'est qu'il faut que code et message ne se recouvrent pas pour que leur distinction ait un sens ; or ce recouvrement semble le fait de tout discours puisque ce qui y est dit n'est jamais prédonné ; mais cette créativité postulée n'est pas totale ; et cela à un double titre ; comme nous l'avons vu elle s'exerce toujours à partir d'une réalité existante, mais plus profondément elle actualise — sauf si on admet une révolution totale, fait extrêmement rare qui demande un autre découpage — un certain ordre qui, pour sa part, est indépendant de la gamme de ses réalisations ; c'est à ce niveau seul que le code peut être atteint. Nos difficultés antérieures provenaient du fait que nous restions collés au contenu immédiat que nous traitions sans nous rendre compte que seule sa formalisation qui nous fait passer à un autre niveau par un saut — analogue à celui qui mène de la parole à la langue ou inversement — nous placera dans une situation analogue à celle du linguiste (1).

Or c'est ce qu'a parfaitement vu M. Georges Dumézil : à un certain moment de l'histoire, dans des conditions bien déterminées, une certaine conception de l'univers a été créée et a persévéré comme telle dans des contextes sociaux profondément différents ; mais ce qui s'est maintenu, c'est d'abord une certaine manière d'ordonner toute matière quelle que soit sa nature, suivant un certain nombre de principes (tripartition, dualité de la souveraineté, etc.) dont l'incarnation pour sa part variera considérablement de société à société. Une certaine organisation logique des contenus se trouve déterminée indépendamment des êtres qui se plient à cette organisation. Cette prééminence de la relation sur les entités implique que les différents messages qui pour leur part mettent en jeu ces entités actualisent un ordre qui s'est laissé définir par leur moyen tout en conservant une certaine indépendance par rapport à eux. Nous ne sommes pas loin alors de la situation qui est celle de la langue dans son rapport à la parole ; nous pouvons supposer que la mise en forme de l'ensemble des êtres qui entrent dans le champ sémantique d'une culture ouvre la voie à des développements innombrables ; de la même manière je peux construire une infinité

(1) Le rapport entre code et message varie considérablement de domaine à domaine ; la nature de la formalisation en dépend évidemment.

de phrases lorsque je sais une langue ; ceci dit un corpus suffisant
ayant été recueilli pour les besoins de l'analyse, les mises en forme
ultérieures n'apporteront pas d'information supplémentaire en ce
qui concerne la structure du code. C'est évidemment là une limite
idéale, mais elle indique bien que dans tous les cas la mise à jour
d'un système consiste à rendre surnuméraire le nombre des données
ainsi organisées.

De ce fait la différenciation des univers religieux des peuples
indo-européens ne doit pas être conçue comme un affaiblissement
progressif de la structure initiale qui aurait fini par s'effacer ; les
contenus étrangers sont organisés suivant les mêmes lois que celles
qui définissaient le système premier (1). Les Histoires respectives
des Indiens, des Romains ou des Iraniens apparaissent alors comme
autant de concrétisations d'un cadre formel qui persiste et s'applique suivant les cas à des champs dissemblables. Caractériser ce
cadre comme code en l'opposant aux messages que sont les diverses
religions indo-européennes ne constitue alors ni un abus de langage,
ni un artifice épistémologique ; car la dualité ainsi reconnue renvoie
à l'opposition entre le système intellectuel qui une fois qu'il s'est
institué préside au déroulement d'une histoire riche et complexe et
cette histoire elle-même dont le libre déploiement n'exclut pas la
soumission à un ordre qui lui préexiste.

Les règles propres à la méthode structurale que Georges Dumézil formule renvoient bien alors à la réalité de l'objet : « On ne
saurait placer trop haut l'objet de l'historien, les qualités que la
pratique militante des études d'histoire requiert et développe. De
même que, dans l'exploration de la nature, au cours des derniers
siècles, le moment décisif a été le recul des appréciations qualita-
tives devant la quantité et devant la grande arme de la quantité,
la mesure, il paraît aujourd'hui évident que dans toute étude portant
sur l'humanité passée ou présente et sur les productions de l'esprit
humain, le signe nécessaire du progrès est un certain recul des spé-
culations plus ou moins idéologiques devant l'histoire, avec ses
grandes armes, la chronologie et la localisation, l'établissement de
dates et de successions, de lieux et de cheminements... mais cela n'est
vrai, ne sera sans doute jamais vrai que jusqu'à un certain point,
qui tient à la matière même de l'étude : à toute époque, l'esprit
humain est intervenu dans les séquences, en marge des séquences
qui s'imposaient à lui, souvent plus fort qu'elles ; or l'esprit humain est essentiellement organisateur, systématique, il vit de multiple simultané, en sorte que, à toute époque, en dehors de com-

_____

(1) Même la réforme zoroastrienne qui brise le cadre classique se plie néanmoins à certaines formes de l'organisation tripartiste ; cf. *Les Dieux des Indo-
Européens*, p. 16-22.

plexes secondaires qui s'expliquent par des apports successifs de l'histoire, il existe des complexes primaires, qui sont peut-être plus fondamentaux dans les civilisations et plus vivaces (1). »

Ce bref rappel des conséquences logiques et épistémologiques des analyses de M. Dumézil nous permet de préciser la signification de la notion de structure et d'éclairer du même coup la relation entre recherche structurale et Histoire.

a) Il est clair tout d'abord que la structure, mise en évidence par une analyse conceptuelle d'un type particulier, n'a pas d'existence hors des actes des individus et des groupes humains que l'historien prend pour objet ; la langue ne doit pas être cherchée ailleurs que dans les milliers d'actes linguistiques par lesquels les sujets communiquent ; de même le système religieux indo-européen nous est livré par les institutions qui l'incarnent, les rituels qui le concrétisent, les langages mis en œuvre au cours des diverses cérémonies. L'Histoire — ou dans le cas où la dimension temporelle ne peut être introduite faute de matériaux, la description empirique d'un état actuel — fournit les éléments indispensables sur la base desquels pourront être élaborés les modèles d'interprétation. Négliger cette information que l'ethnographe ou l'historien fournit revient à vicier définitivement toute construction théorique ; car eux seuls livrent les faits. En aucun cas un idéalisme structural qui ferait des structures de pures formes extérieures à l'histoire réelle des communautés humaines n'est donc pensable.

b) De cela il ressort que parler du « pouvoir opérant de la structure », des rapports de causalité qu'elle implique ne vise pas un jeu mécanique d'éléments s'engendrant eux-mêmes les uns les autres, mais suppose une référence à des comportements effectifs à travers lesquels un tel pouvoir s'actualise ; toute transformation linguistique est le fait des sujets parlants ; mais la réduction d'une opposition phonologique entraîne un remaniement de tout le système ; et ce remaniement est nécessaire si la langue doit encore fonctionner, répondre aux besoins pour lesquels elle a été créée. La structure apparaît bien ici comme le véritable sujet puisque c'est elle qui définit les transformations indispensables ; et pourtant ce sont les conduites de ceux-là mêmes qui communiquent, qui opèrent l'ajustement exigé ; et cet ajustement répond à certains besoins sociaux qui sont extrinsèques au système considéré.

c) Cependant aucune référence à la conscience parlante ne pourra surmonter le hiatus entre la structure et son incarnation temporaire ; la fin poursuivie, l'intention directrice sont ici insuffisantes à épuiser l'être des systèmes qui sont mis en œuvre ; et cela pour une

(1) Dumézil, *op. cit.*, p. 80.

double raison : d'une part la fin de ces systèmes est autre qu'eux-mêmes : la langue permet de communiquer ; un système religieux tend à accorder l'homme et l'univers, à fonder en droit les échanges entre une société et son milieu ;   ce sont ces visées que le sujet reprend et développe dans ses comportements ; il se situe donc au niveau des termes qui lui sont fournis — tel monème lui permet d'exprimer ce qu'il veut dire, telle divinité répond à ses besoins spirituels ou politiques — et non pas à celui des relations entre ces termes. Lorsque cette dernière attitude apparaît, elle est secondaire (tel est le cas pour les sciences) et suppose déjà un très haut degré de raffinement atteint par le système symbolique en cause.

d) Et pourtant à travers ces desseins souvent hétérogènes — les types de communication ne se recouvrent pas, les besoins religieux diffèrent — l'ordre virtuellement présent même s'il n'est pas reconnu, se manifeste, impose certaines options, circonscrit les contenus nouveaux ; à cette seule condition la fin qui régit sa téléologie sera remplie (1). L'analyse structurale consiste donc à passer des effets aux moyens par lesquels de tels effets ont été obtenus. Pour une langue, pour un mythe, pour un système religieux, pour un poème, la méthode d'investigation pourra donc en droit être identique et conduire à la construction d'un tableau à double entrée où une correspondance rigoureuse serait établie entre ces moyens et leurs effets. Le caractère conscient ou inconscient de ce tableau dépend de multiples facteurs — nature de la création envisagée, suivant qu'elle est individuelle ou collective, nous nous trouvons dans des situations fort différentes — type de système symbolique envisagé : ici interfèrent nos remarques précédentes sur les rapports entre le signifiant et le signifié — fonction remplie par le système, etc... Cependant le problème méthodologique reste inchangé dans les deux cas.

Par principe l'histoire ne peut donc jamais s'achever en une théorie générale où certains facteurs — l'économique, le politique ou le religieux — se révéleraient être les véritables forces motrices de tout devenir. Elle nous livre plutôt une série de renvois permanents, chaque action attendant son achèvement et sa sanction de ce qui se passe dans un autre registre, lequel est lui-même engagé dans une série de relations hétérogènes qui le définissent et le délimitent ; ce qui aurait été une émeute au XVIIe siècle devient une révolution en 1789. Pourquoi ? parce qu'un langage existe qui permet aux protagonistes de donner à leur combat un sens radical, de le poser

---

(1) Paradoxalement dans un système qui se prend pour objet — une axioma-tique — le rapport se trouve inversé. Sont posés explicitement le moins de termes possibles et tous les principes auxquels doivent obéir les relations entre ces termes. La structure est donnée d'emblée ; et c'est son actualisation que vise le mathématicien ; signe que le système est à lui-même sa propre fin.

comme esquisse d'une société véritable dans un monde aliéné. Ce langage, d'où vient-il ? en lui se cristallise une créativité qui a été aussi bien le fait d'individus exemplaires confrontés à des problèmes d'ordre religieux, philosophique, politique, auxquels ils ont apporté une certaine réponse, que de groupes transformant anonymement le donné. Ces problèmes eux-mêmes plongent à la fois dans le devenir « réel » de la société qui s'est transformée et dans la dialectique interne propre au système symbolique à travers lequel l'homme signifiait son existence. De tels renvois sont proprement infinis ; à aucun moment il n'est possible, au sein du processus historique en cours, de dévoiler les forces qui partout et toujours seraient premières ; la notion même en est dépourvue de sens. Les priorités mises à jour sont toujours relatives à telle société, à telle phase de développement. Mais ce ne sont pas seulement les faits qui s'opposent à une telle conceptualisation. Ce que nous mettons en cause c'est la possibilité d'isoler des réseaux ou des événements pleinement significatifs par eux-mêmes dans le déroulement de la trame historique ; une invention technologique bouleverse tout l'édifice des relations sociales; certes, mais elle est elle-même pénétrée de « spiritualité » ; elle est produit d'un certain travail de l'intellect qui n'est pas pensable en termes économiques ; il n'y a donc pas « d'origine ». Or c'est à cette seule condition qu'il est normal de parler d'une « cause » qui serait par définition telle et à laquelle on pourrait rapporter un « effet » dont le caractère dérivé serait une propriété intrinsèque. Dans le cas contraire, il s'agit d'une interpénétration permanente où les êtres se répondent par delà les « praxis totalisantes » des sujets historiques ; la continuité des transitions que met à jour l'historien a pour corrélat une hétérogénéité des contenus qui exclut cette autonomisation absolue du « Faire » qui est le fondement de la théorie marxiste des idéologies.

Cette autonomisation nous est, par contre, apparue possible en termes structuraux : systèmes de parenté, relations économiques, langue, mythes, peuvent être séparés de l'ensemble et considérés comme des touts indépendants obéissant aux lois de combinaison et de permutation de leurs éléments. Mais un tel découpage est le produit d'une opération de l'esprit qui dissout les formes multiples de causalité, les relations que chaque partie du réel entretient avec d'autres domaines pour dégager les propriétés spécifiques qui sont les siennes. La comparaison entre les différents modèles ainsi forgés est alors tout à fait concevable et il semble *a priori* possible d'établir une table des équivalences de l'un à l'autre ; aucune prééminence de type causal ne peut par contre être posée. Que les unités confrontées soient lexicales (contenu mis en jeu) ou syntaxiques (mode d'organisation de ce contenu), ce sont des correspondances qui sont cherchées ; le contraire d'ailleurs serait inconcevable ; un modèle n'engendre pas un autre modèle. Cela est si vrai que l'ensemble de ces systèmes peuvent être considérés comme autant de réalisations à des niveaux différents d'un certain nombre d'opérations propres à l'esprit humain (1).

De la matière historico-sociale une double lecture est possible, structurale ou historique ; l'une et l'autre portent sur le même objet, mais découpent différemment le réel et utilisent des méthodes qui ne se recouvrent pas. C'est une telle opposition que nous nous sommes efforcés de cerner, l'analyse marxiste des idéologies impliquant dans sa généralité la confusion des plans (2) ; le plus souvent en effet une telle analyse opère un découpage structural de la réalité tout en s'appuyant sur des continuités du type de celles que l'historien met à jour ; elle rapporte la totalité des significations au sujet sans fournir cependant les moyens de thématiser effectivement cette constitution du sens.

C'est vers cette thématisation que tendent les distinctions que nous avons reprises après d'autres ; elles excluent la possibilité d'une genèse historique ou logique (3) de la société dans son ensemble à partir de la praxis constitutive des individus et des groupes, car cette praxis se développe dans un univers déjà symbolisé et aucun surgissement premier de cette symbolisation n'est concevable.

Cette opposition entre l'analyse historique et l'analyse structurale des phénomènes humains n'est cependant pas recouverte entièrement par la partition conscient/inconscient. Certes, avons-nous dit, penser les idéologies en termes historiques suppose qu'on s'appuie sur le caractère conscient des significations véhiculées d'un bout à l'autre de la chaîne. De plus comme l'a fortement marqué Claude Lévi-Strauss (4) l'histoire, de par son type de rationalité, s'organise autour des données conscientes qui lui permettent dans la plupart des cas d'introduire des rapports de causalité (5) : en effet les sujets

---

(1) On voit par là combien nous nous rallions non seulement à l'analyse structurale telle que la défend Claude Lévi-Strauss, mais à un certain nombre de thèses philosophiques qu'il a exposées dans ses ouvrages.

(2) On ne perdra cependant pas de vue combien les problèmes qui ont été posés ici se rattachent en leur principe au type de rationalité défini par Marx. Son œuvre contient incontestablement les prémisses d'une théorie structurale des idéologies. Notre définition de l'histoire, l'effort pour la penser dans sa vérité philosophique comme productrice de sens, sont tributaires de la subversion de l'être même de la philosophie qu'il a accomplie.

(3) C'est une genèse logique de cet ordre que cherche à nous fournir la *Critique de la Raison dialectique*.

(4) « Histoire et Ethnologie » dans *l'Anthropologie structurale*, p. 3-33.

(5) On jugera sans doute que ce point mérite de nombreux développements ; nous ne pouvons pas les fournir ici ; notre réflexion sur le travail de l'historien nous semble cependant le légitimer pleinement si on ne donne pas au terme « conscient » une simple résonance subjective.

humains posent et réalisent certaines fins dans le temps et ces fins peuvent être mises à jour à travers une remontée constitutive qui reprend le dessein qui les anime en s'aidant de toutes les formes de documents qui sont à notre disposition ; le matériel qui sert de point de départ — batailles, négociations, révolutions, créations institutionnelles ou littéraires — ne devient compréhensible que rapporté à un projet qui en est le corrélat. Ce qui échappe par contre partiellement à une telle analyse (1), c'est la structure des systèmes organisés par lesquelles de telles fins sont remplies.

Un mythe, par exemple, répond à certains besoins, remplit dans une société donnée des fonctions déterminées ; il rattache le devenir présent de la communauté humaine à une Histoire primordiale que la vie profane ne fera que répéter ; il permet à chaque acte humain, à chaque geste, à chaque parole de s'inscrire dans un ordre symbolique qui leur donne sens ; il double l'ordre laïque d'un ordre sacré qui le fonde et inscrit la société dans une continuité qui outrepasse chacun des moments particuliers de son existence. Ce sont là autant de significations dont le mythe est effectivement porteur ; une conceptualisation de type phénoménologique se référera à la visée primordiale qui est celle de la conscience mythique (2) ; mais elle n'aura pas prise sur les moyens qui correspondent aux fonctions qui sont remplies, sur la nature des unités sémantiques auxquelles le mythe recourt, sur le type d'opérations et de combinaisons de ces unités qu'il utilise. Aucune description historique n'est ici adéquate, car le système ne peut pas dans sa totalité être rapporté à des actes l'explicitant ; il apparaît plutôt comme la condition à laquelle l'homme se plie dès qu'il vise à signifier. Le mythe peut alors dans une certaine mesure être traité indépendamment de la société qui le produit ; c'est un langage qui obéit à certaines règles qui ne sont pas consciemment données aux sujets et qu'ils utilisent pourtant ; c'est à son propre niveau que ces règles seront dévoilées.

Elles sont donc inconscientes et il semblerait logique de dire que l'étude structurale chaque fois qu'elle est possible porte sur les opérations inconscientes qui régissent les différents systèmes de signes organisant et régentant la vie sociale. L'affirmation serait

(1) Nombre de travaux d'historiens et d'ethnologues font évidemment appel à ces deux procédés d'investigation. Il ne s'agira pas de partager les ouvrages scientifiques en deux groupes, mais de saisir la différence entre deux méthodes qui peuvent être employées corrélativement ou séparément.

(2) Cf. notamment les travaux de Mircea Eliade et à un moindre niveau de Van der Leeuw sur la conception archaïque du temps : à nos yeux leur ambiguïté est grande, car ils ne pensent le « temps archaïque » qu'à partir des modèles directement présents à la conscience indigène, modèles auxquels ils accordent une valeur absolue. Or une société organise la dimension temporelle à une pluralité de niveaux — vie des individus, activité économique, relations de parenté, rites, mythes ; il n'y a nulle raison de poser une homologie immédiate entre tous ces plans et de faire du modèle mythique leur représentant le plus adéquat.

trop catégorique cependant ; certes dans la plupart des cas la structure n'est pas prise pour objet, mais seulement ce qu'à travers elle
le sujet signifie ; mais la création d'un langage axiomatisé suppose
la prise en considération de l'un et de l'autre ; de même une œuvre
d'art implique — de par la nature même du projet esthétique qui est
individualisé — un effort lucide pour prendre conscience des instruments d'expression et les maîtriser (1) ; et pourtant les recherches
que Jakobson envisage de mener sur la poétique ne sont pas
fondamentalement différentes de celles dont le mythe relève (2).
Le recouvrement des deux oppositions structural/historique, in-
conscient/conscient n'entraîne donc pas des conséquences méthodologiques importantes. Freud déjà avait clairement aperçu ce fait ;
car à l'encontre des diverses critiques phénoménologiques qui ont
été adressées à la psychanalyse, le problème n'est pas tant ontologique — qu'est-ce qui est inconscient et qu'est-ce qui ne l'est pas —
que méthodologique : que doit-on faire pour que l'ordre qui, quelle
que soit leur teneur subjective, est le propre des phénomènes psychiques, puisse se révéler. L'invention de la méthode analytique
apparaît alors comme réponse à un tel problème, réponse qui fonde
par la suite des hypothèses réalistes portant sur l'être de l'inconscient ; en effet c'est parce que le réel ne se laisse penser que de cette
manière (3) qu'il m'est impossible de le dissoudre tout entier dans
la transparence de la subjectivité.

L'analyse marxiste suppose toujours la possibilité permanente de
rapporter les langages forgés par l'homme à un lieu originaire à partir duquel s'opérerait toute création véritable du monde humain.
L'ambiguïté, l'indétermination se trouvent donc nécessairement
exclues du rapport de l'homme à son discours ; quelle qu'en soit la
forme, le retour à un fondement stable dans l'ordre du réel peut en
droit lever les incertitudes que véhicule le signifiant (4). La critique des idéologies était donc toujours à double face : mettre à jour
leur fonction de voile en confrontant ce que l'homme dit et ce qu'il

---

(1) Ajoutons que dans le domaine de la création littéraire, cette maîtrise, aussi
loin que soit poussé l'effort créateur, ne sera jamais totale ; et cela de par l'épaisseur irréductible du langage.

(2) La recherche structurale nous semble conduire à des résultats indubitables
lorsqu'elle est appliquée à des ensembles homogènes, langue, mythe, religion,
qui supposent une actualisation collective. Par contre en ce qui concerne les œuvres de tel ou tel auteur, il n'est pas sûr que le découpage imposé par la réalité
elle-même permette d'épuiser la valeur sémantique de l'œuvre ; celle-ci suppose
des soubassements multiples qu'elle n'a pas intégrés, et qui souvent en fournissent la clef.

(3) Si on peut aujourd'hui parler de crise de la philosophie, c'est que celle-ci
se demande toujours « Qu'est-ce qui est ? » et non pas « Comment penser ce qui
est ? ».

(4) Par la suite nous essayerons de montrer les raisons profondes de cette indétermination.

fait ; saisir dans le réel lui-même les raisons d'un tel décalage. Le discours véridique — en ce cas la théorie révolutionnaire — surmonte ce hiatus, systématise ce que les comportements des individus et des groupes ne faisaient encore qu'esquisser ; sa relation à l'être en devient transparente, la simplicité de son accès en étant la preuve manifeste.

Certes le langage n'est pas pour Marx simple reflet ; idéologie fallacieuse ou discours véridique, il outrepasse ce qui est directement donné puisqu'il traduit sur un plan qui lui appartient en propre un certain projet ; chaque classe exprime dans les discours qu'elle tient la rationalité qu'elle tend à atteindre et qui n'est encore que virtuelle. Cependant c'est la situation objective qui est celle du groupe qui en dernière instance nous permet de tout expliquer ; et cette situation peut être comprise en dehors de sa structuration linguistique. La thématisation de ce langage n'est par contre possible que sur la base des conduites réelles qui sont sa source.

De cette position inaugurale découle effectivement la possibilité d'une lecture univoque du sens. Mais toute l'histoire du marxisme est là pour prouver que cela ne va pas sans difficultés. Aucune société n'est homogène et le monde capitaliste est d'abord lieu de la dissymétrie et de la violence : affrontement de groupes sociaux antagonistes, heurt d'idéologies contradictoires ; ce sont d'abord la diversité et la confusion qui sont perceptibles. La signification totale d'un tel processus devrait normalement se situer au delà de chacun des termes particuliers mis en jeu ; elle ne serait dès lors saisissable qu'à travers une investigation scientifique rigoureuse dont le contenu serait nécessairement distinct de celui actualisé par chacun des groupes sociaux. Or nous avons vu que si Marx admettait une telle distinction pour les sociétés précapitalistes, il n'en marquait pas moins le renversement complet de perspectives caractéristique de la société capitaliste. Le prolétariat est pour sa part intériorisation de l'ensemble des significations véhiculées par la communauté ; les autres groupes n'y ont par contre qu'un accès partiel ; la critique qu'on peut en faire est alors aisée puisque existe un étalon absolu.

La difficulté n'a pourtant été levée que superficiellement : car comment admettre à la fois la présence d'une totalité réelle avec ce qu'elle implique de pluralité et d'hétérogénéité et que cette totalité soit tout entière dévoilée à une de ses parties. Au niveau proprement sociologique il y a là une gageure difficilement tenable qui a contraint le marxisme à s'orienter, avant même toute pression politique, vers un *volontarisme des significations* particulièrement frappant. La description d'une quelconque réalité obéira de ce fait à un paradoxe permanent; soit les rapports de production dans l'entreprise capitaliste ; il faudra à la fois les penser comme un tout au sein duquel unité et conflit s'imbriquent étroitement — l'entreprise fonctionne et chacun des groupes ou des individus qui la composent contribue à son fonctionnement — et admettre que la *vérité de l'entreprise* est concrètement donnée à certains de ses membres, à savoir les ouvriers. Le sociologue industriel marxiste ne peut donc pas avoir d'autre tâche que celle de traduire au niveau conceptuel cette signification globale de l'usine dont le prolétariat, confusément sans doute, est le dépositaire (1) ; mais c'est aussitôt pour se trouver confronté à la disparité des attitudes et des prises de position ouvrières. Qu'importe ! en s'appuyant sur un schéma plus général portant sur la société capitaliste dans son ensemble, certaines conduites seront privilégiées, considérées comme exprimant adéquatement l'être même du prolétariat (2).

C'est une telle difficulté qui explique l'oscillation permanente sur laquelle nous avons insisté et qui traverse toute l'histoire du marxisme entre une théorie des mécanismes sociaux mettant à jour leur devenir nécessaire — le capitalisme dans sa structure n'est pas viable ; le socialisme lui succédera obligatoirement — et un déchiffrement de la praxis sociale posant un autre monde ; dans le premier cas on se situe bien au niveau du tout, mais la logique qui le régit reste profondément abstraite ; dans le second cas le point d'appui qu'on recherche est soumis à toutes les contingences de l'histoire — tel prolétariat devient réformiste, tel autre donne son appui au régime national socialiste. En un sens la création du parti apparaît comme dépassement pratique d'une telle antinomie puisque ses membres, aussi réduit que soit leur nombre, actualisent dans leur pratique quotidienne le savoir véridique de la société qui est le leur (3) ; mais il en est découlé une extraordinaire réification du langage politique devenant à lui-même sa propre fin.

En fait les sciences de l'homme ont toujours plus admis un décalage entre l'ordre qu'elles pensaient et ses expressions diverses en tel ou tel lieu, s'interdisant d'homogénéiser à peu de frais leurs propres modèles d'intelligibilité et ceux directement fournis par la société. Ce n'est pas là pourtant la simple constatation d'un fait qu'un autre fait — une société se pensant à un moment donné dans

---

(1) Dans une telle perspective la revue *Socialisme ou Barbarie* a publié des analyses remarquables à la fois par leur vigueur et leur partialité. Cf. notamment les articles de Pierre Chaulieu « Sur le contenu du socialisme », n°s 22 et 23.
(2) Les polémiques avec Alain Touraine et Serge Mallet parues dans la même revue (*Socialisme ou Barbarie*, n° 26) illustrent assez bien cette contingence du découpage de la totalité sociale par les chercheurs marxistes.
(3) Tous les groupes trotskystes se réfèrent en dernière instance à cette actualisation. Que quelques individus continuent envers et contre tous à être les dépositaires du programme, c'est-à-dire de la Norme ultime, et à tout moment le sens de l'histoire peut être transformé.

sa vérité — pourrait venir infirmer ; ce qui est mis à jour c'est un non-recouvrement qui touche à l'essence même du phénomène en cause. De ce point de vue la « Critique de la Raison Dialectique » peut fournir un bon point de repère ; ce qui y est décrit, c'est une intériorisation permanente du champ des significations qui se réalise d'abord au niveau individuel, puis à celui du groupe, intériorisation qui est le revers direct de la production de ces mêmes significations. Certes le passage de l'un à l'autre plan ne se fait pas d'une manière continue ; dans sa réalité, la société ne se laisse pas dissoudre dans la multiplicité des projets individuels ; mais cette discontinuité perd de son importance dans la mesure où l'individu, comme le groupe entretiennent une relation du même ordre à l'extériorité. A tous les paliers de la vie sociale existe donc une continuité qui s'enracine dans l'intention vivante du sujet historique présent à la totalité du champ. Présence ne signifie évidemment pas conscience claire ; reprenant les formules de l' « Etre et le Néant » on pourra dire que comme la subjectivité c'est sur un « mode non thétique » que la réalité se donne ; mais à tout moment une conversion du regard est possible qui dissoudra l'extériorité et la redonnera de l'intérieur.

Ces références psychologiques ne sont pas le fait du hasard ; car la tentative sartrienne — en pleine continuité avec tout son parcours philosophique antérieur — ne se comprend que comme description de la relation entre le sujet — quelles que soient sa nature et son extension — et les significations sociales, en termes psychologiques. De même Lucien Goldmann commentant les Thèses sur Feuerbach évoque l'intériorisation de ses actions réelles par le jeune enfant et leurs transformations en schèmes logiques, phénomènes qu'a excellemment analysés M. Piaget. Praxis collective et praxis individuelle se superposent alors, le groupe étant lui-même conçu comme un individu plus complexe en qui le sens est tout entier déposé. Une interprétation de type phénoménologique qui retrouve la visée de ce sujet, qui se plonge dans la téléologie qui est sienne apparaît donc comme la plus adéquate.

Mais la recherche scientifique dans des domaines aussi différents que la linguistique, l'analyse politique ou l'ethnologie nous conduit à introduire entre la dialectique humaine se développant dans son mouvement propre et l'ordre du signifiant une rupture primordiale que nous saisirons clairement en prenant en considération certaines propriétés du langage politique qui apparaissent clairement lorsque ce langage atteint un certain degré de rigidité ; c'est notamment le cas pour les partis « totalitaires » (1) qui à cet égard posent un pro-

(1) Le terme « totalitaire » est ici employé sans rien de péjoratif. Les jugements de valeur ne pourraient venir qu'après une reconnaissance adéquate du phénomène ; de plus ils seraient intérieurs à sa sphère.

blème particulier. Leur extraordinaire résistance à tous les démentis que peut leur apporter l'expérience, l'aisance avec laquelle ils surmontent le décalage éclatant entre ce qu'ils disent et ce qu'ils font marquent bien l'insuffisance de toute dénonciation « rationaliste » du caractère fallacieux des idéologies (1).

En effet, la critique s'inspirant des schémas marxistes (2) porte principalement sur le signifié ; son mécanisme est toujours identique, caractéristique d'un abord naïf du réel ; on dira par exemple que la doctrine officielle du parti implique qu'en toute occasion il lutte pour le renversement de la société bourgeoise ; or, à plusieurs reprises il a soutenu l'ennemi de classe ; il viole donc ses propres principes et le discours qu'il tient n'a pas d'autre objet que de masquer les conduites réelles qui sont les siennes et qui pour leur part visent à d'autres fins. Mais c'est ici que se référer à l'idéologie du parti comme discours se suffisant à lui-même et visant explicitement un contenu déterminé, apparaît comme peu pertinent. C'est bien plutôt d'un langage dont il s'agit, ensemble de maîtres mots, de signifiants privilégiés dont les emplois virtuels sont multiples, impliquant du même coup une indétermination profonde qui pourra par la suite être comblée diversement. L'accession des individus à ce langage qui commande leur engagement politique et qui se donne d'abord comme une réalité extérieure à eux (3), ne passe que très secondairement par une explicitation de son contenu propre (à la rigueur, dira-t-on, ce pourra être le cas de l'intellectuel, mais on se situe alors dans un autre registre) ou par une reprise effective de la visée intentionnelle qui le sous-entend. Le moindre dialogue avec les membres d'un parti communiste dévoile la pluralité de matières que recouvrent les mêmes mots suivant qu'ils sont reçus par l'ouvrier, le paysan, le petit fonctionnaire ou l'étudiant ; et c'est cette capacité d'intégrer, de recouvrir qui est d'ailleurs signe de l'efficacité d'un langage. L'expérience des individus ou des groupes se déroule dans un registre double ; elle est tout entière articulée linguistiquement, peut à tout moment, aussi pauvres que soient les signifiants auxquels on fera appel, être traduite dans un langage organisateur ; elle outrepasse cependant toujours ce langage et dessine la possibilité permanente d'une restructuration linguistique.

(1) C'est à cette dénonciation que recourent par exemple, d'une façon aussi convaincue qu'inefficace, les groupes d'extrême-gauche lorsqu'ils critiquent les partis staliniens.
(2) En ce sens il ne serait pas faux de dire que le Marxisme s'est trouvé infirmé d'une manière paradoxale par les organisations qui s'en réclament.
(3) Cette extériorité est un fait réel ; l'individu se trouve face à plusieurs langages dans lesquels son expérience vient se mouler ; ces langages sont supportés par des groupes, des partis, des individus qui les actualisent dans leurs comportements, leur donnant une dimension sociale qui en assure la cohérence et la permanence.

Cette situation contradictoire n'a rien d'étonnant : en raison de l'arbitraire des signes qui le constituent, le langage est plein ; universalisant il recouvre à chaque instant tous les signifiés concevables ; rien en son sein n'est inexprimable ; en raison de cet arbitraire aussi il se situe en deçà de ce qu'il signifie, réalise un découpage parmi d'autres, violente nécessairement le réel.

Toute expérience sociale se situe à l'intérieur d'un champ partiel de significations ; par définition elle ne peut jamais être le corrélat du langage qui la recouvrira ; l'individu rencontre un langage constitué (1) qui lui apparaît apte à traduire le sens de son histoire ; il le fait sien, l'enrichit de tout ce que son existence a pu avoir de spécifique, mais en même temps cette existence perd son chaotisme, s'ordonne, se recoupe en un lieu intelligible avec d'autres vies humaines : un jeune paysan arrive de la campagne et entre dans une usine ; il est confronté à un ensemble de faits, de situations, de problèmes qu'il vivra dans une immédiateté chaotique où tous les plans interfèrent : fatigue, ennui causé par le travail à la chaîne, faiblesse du salaire, rapports difficiles avec le contremaître, etc..., autant d'événements qui le concernent et sont marqués du signe des individualités : tel autre supporte tout plus facilement : celui-là sait se faire respecter par le contremaître, ce troisième est tombé malade. Communauté et différence se trouvent donc étroitement imbriquées. Et soudainement (2) ce milieu dissymétrique, hétérogène, se trouve restructuré ; un langage explique, donne un sens, pose l'identité de condition ; de ce seul fait il est validé (3), réassumé dans sa généralité. La contingence de la rencontre (4) n'en est pas moins manifeste. La meilleure preuve réside dans le fait qu'un autre langage peut parfois faire l'affaire. Dans l'Allemagne de 1932 les ouvriers qui adhéraient soit aux partis communiste ou socialiste, soit au parti national socialiste, avaient initialement passé par les mêmes expériences, connu les mêmes difficultés, mais la réalité même de leur vécu, reconnue dans les deux cas, se trouvait découpée différem-

(1) Nous laissons de côté ici le problème de la constitution proprement dite. Il obéit d'ailleurs à des principes identiques.
(2) Il ne s'agit évidemment là que de la schématisation d'un processus fort complexe. La rupture brusque s'impose *a posteriori* comme une évidence, mais en réalité nous nous trouvons en face d'une série de petits grignotements qui à un moment donné dessinent une nouvelle figure. C'est la transposition idéologique qui, afin de frapper l'esprit, rapportera, sans d'ailleurs en changer la signification, cette lente évolution à un événement brutal qui provoquera une totale reconversion ; cf. récemment *La vie de Patrice Lumumba* par Pierre de Vos.
(3) Ajoutons que la rencontre avec ce langage n'est que rarement abstraite et théorique ; elle passe par la médiation d'individus (les militants du parti) qui en sont les véhicules conscients et qui l'incarnent dans leur existence. Ils se présentent alors comme des formes unifiantes auxquelles les autres pourront s'identifier ; curieusement ce sont les véritables signifiés d'un tel langage.
(4) Contingente, cette rencontre n'en a pas moins des effets irréversibles ; l'individu se trouve marqué par le langage qui a totalisé son expérience ; ici se manifeste l'incidence quasi biologique du signifiant sur l'homme.

ment dans l'un et l'autre langage, rapportée à des systèmes d'explication opposés. Des raisons accidentelles (psychologiques ou psycho-
sociales) rendaient compte, seules, du choix qui pouvait en être fait.
Rien ne peut donc mieux marquer l'hétérogénéité du réel et du
symbolique, l'insuffisance du premier à fonder l'ordre qu'apporte
le second ; la praxis des individus ou des groupes sociaux se réfracte
nécessairement sur un mode particulier à travers un langage qui
n'est signifiant qu'articulé à la totalité des langages qu'engendre cette
société prise comme un tout. Analysant le mythe nous l'avons caractérisé comme discours utilisant à titre d'unités signifiantes un matériel déjà significatif par lui-même ; mais c'est tout le rapport entre
réalité et idéologies, entre « base » et « superstructure », qui peut se
laisser traiter de manière identique ; il en résulte les mêmes conséquences méthodologiques : le rapport entre le signifiant et le signifié (1) n'est certes pas arbitraire, mais, comme dans le mythe, il
n'est pas le seul possible ; le discours choisissant dans la pluralité
des modes sur lesquels le réel se donne, certains traits qui deviennent pertinents ; mais ce choix brise en même temps l'unilatéralité
de la relation entre l'un et l'autre plan ; car toute formulation idéologique ne se laisse penser partiellement que de façon illusoire ;
c'est d'abord la totalité de la société — à moins d'admettre évidemment le cas extrême d'une unité sociale complètement désarticulée,
composée de deux mondes entre lesquels les contacts seraient
réduits au minimum — et la totalité du champ idéologique qu'il
faut prendre en considération. Entre l'exprimant et l'exprimé,
entre le signifiant et le signifié aucun recouvrement total n'est donc
concevable ; leur hiatus apparaît au contraire comme une donnée
structurelle. Certes nous ne sommes pas en plein arbitraire, mais le
décalage est réel et joue à plusieurs niveaux.

Une matière psychologique globalement identique — joie, peur,
colère, angoisse, fraternité, violence, etc... — s'exprime dans des
contextes culturels fondamentalement différents qui imposent un
certain code auquel obéiront les manifestations de tels sentiments.
La subjectivité dans son mouvement est incompréhensible sans
référence à une ordination signifiante *qui est rencontrée et non pas
engendrée*. De l'affect dans son indistinction première, il est vain
de vouloir déduire la diversité des champs à travers lesquels il se
déploiera ; ces champs sont constitués à un autre niveau que celui
de la pure dialectique affective qui intervient à la fois comme facteur énergétique et comme pouvoir dissolvant les limites du système au sein duquel elle vient se mouler et prendre forme. L'indi-

(1) L'usage de tels termes est ici métaphorique ; en réalité le discours en utilisant le matériel signifiant fourni par la langue signifie certains des aspects du
réel. La réalité sociale se réfracte sur un mode discontinu à travers le langage.

vidu individualise ce système et réalise une synthèse originale des termes qui le composent dans la mesure où il peut — par l'intensité et l'épaisseur du vécu qui est le sien — effacer les incompatibilités entre ces termes, pallier leurs contradictions logiques. Plus un système pour fonctionner est obligé de recourir à l'indifférenciation affective pour conserver sa cohérence et plus nous nous rapprocherons de phénomènes de pathologie sociale. Cette référence à une dissolution affective n'est qu'une autre manière de marquer que le monde des affects se réfracte à travers une symbolisation qui ne découle pas de lui — rien ne nous semble plus grave à cet égard que les analyses de type Jungien postulant une identité « naturelle » entre l'affect et son langage — mais est le produit du travail de l'intellect ; d'un intellect qui lorsqu'il construit différents systèmes symboliques répond aussi à ses propres exigences logiques. L'univers sensoriel, affectif apparaît alors comme fournissant une matière première en laquelle l'entendement puise pour signifier une certaine organisation logique du donné qui est indépendante des formes de son extériorisation ; mais inversement il serait illusoire de penser que l'esprit ne surgisse de rien et que le corps ne l'anticipe pas ; l'intellect n'organise le donné que parce que le sujet y est sensibilisé, présent sur un mode primordial qui est irréductible aux constructions qui viendront le marquer (1).

Il n'en reste pas moins que le langage signifiant le domaine affectif y introduit une subversion qui exclut toute identité entre les deux faces du phénomène ; de ce point de vue il apparaît comme secondaire que ce soit tel ou tel système symbolique qui intervienne (2) ; aussi le concept de « nature humaine » ne peut-il trouver aucun contenu au niveau de la variété des coutumes, des comportements, des attitudes (3). Par contre il est possible de dévoiler ce qu'implique pour l'homme sa rencontre avec le signifiant, son articulation à l'ordre symbolique. Un tel programme a commencé pour la première fois à être rempli avec la psychanalyse (4),

(1) En raison de son pouvoir d'affecter les limites, l'affectif apparaît toujours comme un au delà chaotique qu'il est particulièrement difficile de penser ; ainsi se fait jour une zone réservée que nos moyens actuels d'investigation nous permettent seulement d'approcher.

(2) La distinction husserlienne entre *a priori formel* et *a priori contingent* peut ici être utilisée. La subjectivité « implique à titre de présupposé la référence constante et nécessaire par essence à des états hylétiques quelconques » ; nous sommes alors devant un *a priori* formel qui désigne le rapport nécessaire de la conscience à une matière qui lui est extérieure ; mais il n'y a aucune exigence essentielle à ce que ce soit justement par des couleurs, par des sons qu'elle doive pouvoir être affectée. Il s'agit alors d'un *a priori* contingent ; cf. *Logique Formelle et Logique Transcendantale*, p. 43. L'opposition peut être employée pour caractériser la relation de la subjectivité au signifiant.

(3) La démonstration de cette affirmation est un des thèmes essentiels des traités de psychologie sociale ; cf. notamment le tome I du manuel d'Oscar Klineberg.

(4) On doit au Dr Jacques Lacan d'avoir pleinement mis en évidence ce fait.

mais son champ d'extension est immense ; il serait à l'histoire individuelle ou collective ce que l'ethnologie est à l'ethnographie, la
linguistique structurale à l'histoire des langues.

Cette première opposition est tout à fait générale et ne concerne
qu'indirectement notre propos ; elle indique la relative hétérogénéité des vécus psychiques (1) aux significations collectives dont ils
sont les porteurs, ces vécus étant uniquement traités ici sur un mode
formel — il y a un être de la joie, de la haine, de l'amour — indépendamment des objets qu'ils visent, des domaines au sein desquels
ils existent. Mais c'est au cœur de ces domaines mêmes que la discontinuité est présente ; chaque fois que l'expérience humaine
s'articule dans un langage — et c'est à cette seule condition qu'elle
devient pleinement réelle — la continuité intentionnelle qui la sous-
tend se trouve décentrée par rapport à son propre mouvement ; et
cela parce que le langage à travers lequel elle prend forme tout en
l'actualisant sur un mode spécifique ne devient intelligible que dans
sa relation à la totalité du système symbolique dont il n'est qu'un
fragment. Le sens ne serait donné dans une relation intrinsèque
et de ce fait transparente à l'action humaine que si nous postulions une
action totale engendrant en une fois le tout du signifiant qui la
signifie. L'idée n'en est pas absurde et sous des formes multiples
elle est présente dans nombre de tentatives culturelles contemporaines touchant au langage, à la musique, à la peinture ; mais sa
valeur est normative et non pas épistémologique ; son apparition
est expression du rapport particulier que l'homme des sociétés
modernes entretient avec le signe compris comme pur surgissement;
en elle-même elle ne permet pas de penser un tel rapport.

En aucun cas, dès lors, la praxis individuelle ne sera prise
comme le pôle autonome à partir duquel la réalité sociale pourra
être pensée dans son ensemble ; et cela en admettant que cette
praxis puisse elle-même être rapportée à une intentionalité qui lui
serait homogène, ce que la psychanalyse a mis résolument en question. En aucun cas le pouvoir propre des sociétés, l'activité créatrice des groupes ne seront comprises sur le modèle de la dialectique individuelle. Le fondement philosophique des sciences de
l'homme (2) ne nous sera pas, de ce fait, livré par un essai pour
constituer la socialité et le champ total des significations à partir de
la téléologie immanente aux sujets humains qu'on choisirait comme
centre de référence absolu ; car cette téléologie si elle n'est pas con-

---

(1) En principe une analyse phénoménologique de ces vécus, dévoilant l'être
de la conscience aimante, haineuse ou jalouse semble concevable ; mais on voit
mal cependant comment la thématisation d'une subjectivité réelle pourrait isoler
la forme pure de l'affect de la variété de ses réalisations.
(2) Nous essayerons dans notre quatrième chapitre de préciser dans quelle direction un tel fondement devrait être recherché.

sidérée formellement se donne toujours dans une relation décentrée aux domaines dans lesquels elle se déploie.

On voit sous quelle forme la description que nous donnons ici du rapport de l'homme à ses propres productions redouble la bipartition épistémologique que nous avons précédemment posée : si toute société prend forme à plusieurs niveaux, chaque expérience humaine individuelle ou collective, synthétise sur un mode original des éléments divers empruntés à des ensembles hétérogènes, temporairement rapprochés les uns des autres au sein d'une histoire unitaire ; ces éléments n'y puisent jamais toute leur valeur sémantique ; leur plan d'efficience reste le système symbolique d'où ils tirent leur validité dernière ; et ce système n'est connaissable qu'à travers une investigation scientifique qui le prend explicitement pour objet et forge des modèles permettant d'en rendre compte.

Abstraitement une coïncidence entre le sens total dont une société est porteuse et cette société elle-même en tant qu'elle aurait surmonté en son sein l'hétérogénéité des points de vue et la divergence des intérêts est pensable. Mais de fait elle est exclue si on vise par là une transparence de l'action historique ; et cela non seulement pour des raisons sociologiques — existence d'une marge incompressible d'irrationalité sociale — mais plus profondément en fonction du décalage toujours présent entre l'ordre vrai et le contenu immédiat de toute existence. Ce cadre qu'introduit la rationalité scientifique (1) ne peut jamais être le corrélat des phénomènes pris dans leur ensemble ; il suppose une abstraction fondamentale opérée sur son objet, un certain arbitraire dans le choix des variables, une généralisation des données mises en jeu (2) ; et ces opérations laissent nécessairement subsister une indétermination que toute action, tout choix réel viennent remplir, véhiculant avec eux une irréductible contingence. Mais le rapport entre la science et son objet n'est pas, de ce point de vue, foncièrement différent de celui qui rattache le langage, quelle que soit sa forme, à la réalité

(1) « Scientifique » est ici employé dans le sens fort du terme : mise à jour de relations nécessaires entre les phénomènes. En ce sens l'histoire n'est pas « scientifique », car les rapports qu'elle introduit entre les « événements » sont toujours contingents.
Cette proposition peut surprendre : il est clair cependant que nulle nécessité ne peut être introduite par l'historien au niveau où il se place ; et cela parce qu'entre une « cause » et un « effet » se situe toujours une infinité de données intermédiaires dont on a choisi de ne pas tenir compte. En réalité la nécessité peut seulement se donner à un double niveau ; soit pour une intelligence suprahumaine qui prendrait en considération la totalité des faits, sans négliger une seule transition ; soit un plan suffisamment général et épuré pour qu'aient pu être isolées un certain nombre de variables se définissant réciproquement.
(2) Nous nous référons ici à certaines caractéristiques générales de l'activité scientifique, mais vu le problème posé — compréhension de la praxis actuelle de nos sociétés — c'est en ce dernier cas le phénomène lui-même qui n'est pas suffisamment développé pour que l'ordre qui le régit puisse se révéler pleinement.

sociale ; dans les deux cas aucun recouvrement complet n'est concevable : le discours n'est jamais dans une relation univoque à ce
qu'il signifie, l'effort pour rapporter les idéologies à un lieu réel
à partir duquel elles perdraient leur opacité n'a donc qu'une portée
limitée, valable dans certains cas qu'il est possible de rencenser et
de classer ; de par ses principes organisateurs tout discours redé-
finit la réalité à laquelle abstraitement on voudrait la référer, l'ordonne. Ordonner signifie ici outrepasser ce que le réel de lui-même
livrerait en le rapportant à un lieu où il se décante, perd une partie
de son contenu ; et je ne pourrais saisir le contenu d'une telle opération qu'en lui donnant toute son autonomie, en la pensant comme
réelle. Par contre tout processus historique est amalgame d'éléments diversifiés, les sens vécus, intentionnés par les protagonistes
étant fort variés. Ce qui permet de passer de l'un à l'autre plan c'est
moins un dénominateur commun à ces visées et qu'une phénoménologie pourrait dévoiler que la mise à jour du système intellectuel
que de telles actions actualisent et qui peut être ignoré de ceux-là
mêmes qui en sont les sujets.

C'est là à notre avis un point essentiel ; dans le schème logique
qu'il est possible de dégager de l'*Idéologie Allemande*, les relations
entre les termes sont relativement simples : l'homme est le producteur de sa propre existence sociale ; il agit et un rapport d'intériorité lie son action à la conscience que le sujet peut prendre de lui-
même (1). La conscience n'est rien d'autre que la conscience de
l'être réel et il est normalement toujours possible de passer de l'un
à l'autre. La critique de la métaphysique, de la religion, du monde
réifié de la politique à laquelle Marx se livre s'appuie sur cette
« déduction » du plan symbolique à partir de ce qui n'est pas
lui.

Or c'est une telle « déduction » qui ne paraît pas avoir de sens pour
la recherche historique ; et cela parce que le réel — l'introduction
d'un tel concept est par elle-même équivoque si on ne précise pas
sa validité relative (2) — est toujours donné aux individus et aux
groupes sociaux comme articulé linguistiquement, articulation qui
définit le champ à l'intérieur duquel tout prend un sens pour
l'homme. Aux yeux de l'historien il n'est donc jamais question d'engendrement absolu du sens, mais seulement de transitions partielles,
orientées diversement ; à cette condition il obéit à l'idée de rigueur
qu'implique son projet même. Mais ce faisant il est dans une situation qui ne diffère pas fondamentalement de celle de tout individu

---

(1) En fait la relation est double : intériorité de l'idéologie au réel ; extériorité
du réel à la sphère des idéologies.
(2) L'opposition entre réalité et symbolisation est toujours différentielle, relative à l'échelle conceptuelle utilisée.

ou de tout groupe social confronté à un monde qu'il ne constitue pas dans sa totalité puisqu'il lui est toujours prédonné.

La genèse absolue que vise Marx n'a donc pas de signification historique réelle ; au niveau structural par contre les problèmes d'origine tendent à disparaître. Elle possède, par contre, une portée métaphysique, la pratique humaine se donnant là — quoique pensée à partir d'opérations opposées (1) — comme un véritable analogue du Cogito cartésien (2).

L'incapacité de la science historique à poser de tels problèmes ne tient pas à des insuffisances intrinsèques, mais à sa soumission à l'objet même de l'étude ; et l'ignorance de ces mêmes problèmes par l'analyse structurale provient du fait que c'est à cette seule condition qu'elle peut faire apparaître son objet.

En nous reportant à notre séparation première entre ces deux types de rationalisation nous dirons que les relations entre éléments empruntés à des plans distincts de la réalité sociale sont dans le premier cas *d'ordre métonymique*, fondées sur la contiguïté, dans le second cas *d'ordre métaphorique*, mettant à jour des similitudes qui portent non pas sur des traits particuliers considérés isolément, mais sur la structure de l'ensemble. Cette contiguïté est de nature diverse : soit mécanique : telle hausse des prix entraîne la raréfaction de certains produits sur le marché, etc... ; soit s'appuyant de manière plus ou moins accentuée sur les projets des individus et des groupes qui fournissent la médiation indispensable entre deux faits : telle défaite engendre telle paix : la relation causale n'a de sens que dans la mesure où je peux montrer que la défaite a été vécue comme telle, qu'elle est apparue comme irréversible, etc... (3).

(1) La référence au fondement est inversée dans les Philosophies du Savoir et dans celles de la Volonté. Dans le premier cas le fondement cherché sera apodictiquement premier ; et toute pensée ultérieure s'enracinera en lui. Dans le second cas il apparaît comme ce qui n'est pas donné encore et qui pourtant seul confère sens à tout ce qui est.

Les philosophies de la Volonté seront donc révolutionnaires, se donnant pour fin explicite d'inscrire dans l'Etre ce fondement non encore actualisé. Seule d'ailleurs la possibilité d'une transparence actuelle de l'action humaine à elle-même permet d'établir un lien non contestable entre ce qui se fait présentement et la fin visée, dégagée logiquement par une analyse réflexive. Cf. à ce sujet les thèses sur Feuerbach.

(2) Disons, en employant le langage heideggerien, que dans les deux cas on s'en tient à la recherche d'une stabilité et d'une permanence propre à un étant particulier qui pour sa part peut varier, sans éclaircir la relation à l'Etre qui sous-tend une telle position de l'étant.

(3) Les Philosophes ont longuement discuté de l'histoire, de ses fondements existentiels, de l'objectivité de ses méthodes. A notre connaissance cependant il n'existe pas de travail qui, utilisant un certain nombre d'ouvrages d'historiens, choisis en fonction de critères opératoires, ait recensé la syntaxe propre au récit historique. A la différence des sciences qui relèvent d'un traitement axiomatique, cette syntaxe tend à se plier aux mouvements qui sont ceux de l'objet. Il s'agit donc de recenser les types de transition entre les faits que l'historien reconnaît comme valables, leurs fondements logiques et leurs degrés de probabilité.

Ces types de transition varient suivant les domaines considérés et les éléments mis en jeu. Elles seront donc partiellement éclaircies par une analyse structurale définissant la « sémantique » et la « syntaxe » de chaque champ de réalité.

De même l'usage du terme « métaphorique » ne doit pas laisser penser que c'est toujours le même contenu qui se trouve articulé sur chaque plan ; les relations entre domaines différents peuvent être d'ordre multiple ; similitude au sens étroit, inversion, complémentarité, mais, quelles qu'elles soient, ces connexions supposent toujours la discontinuité initiale, l'existence de plusieurs chaînes dont chacune est régie par sa propre logique.

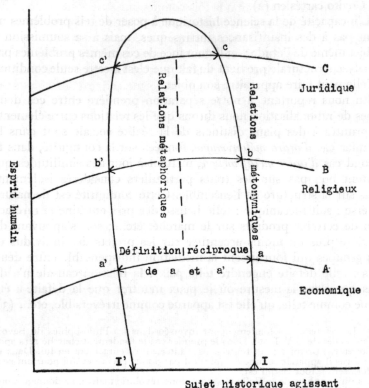

C'est cet ensemble de relations que notre graphique (1) vise à exprimer. Sa signification est double : ontologique d'une part, épistémologique de l'autre (2).

Signification ontologique tout d'abord puisqu'un tel graphique vise à traduire le rapport que toute action humaine entretient avec

(1) Ce graphique reprend en les appliquant à une autre matière et en en transformant partiellement le contenu, certains des éléments de la série de graphes construits par Jacques Lacan pour rendre compte de la dialectique du désir.

(2) Cette correspondance ne peut évidemment être postulée que dans le domaine humain où les mêmes phénomènes se trouvent articulés deux fois, ce qui n'est pas le cas pour les sciences de la nature.

la société considérée comme totalité; cette action se déploie verticalement : tout comportement fait intervenir une pluralité de déterminations économiques, psychologiques, sociales, idéologiques qui se donnent comme liées, supportées par un sujet qui est tout cela à la fois ; et pourtant ce sujet chaque fois qu'il agit — j'achète du pain, écris un article, reçois des amis — s'inscrit dans des systèmes qui le font partiellement éclater ; de ce fait l'individu considéré comme source émettrice apparaît à la fois comme puissance énergétique qui permet à chaque instant l'articulation réciproque des différents systèmes symboliques qui constituent une société et comme puissance dissolvante qui dissout leurs figures particulières, les intègre à son être. Cette double fonction peut se marquer diversement ; la racine en est certainement, sous sa forme active, l'*énergie pulsionnelle* qui dynamise le système, sous sa forme passive, l'*affect* qui transpose en les élargissant et les déformant les valeurs propres au système intellectuel que la subjectivité intériorise ; mais à tous les niveaux nous retrouverons ce même doublet. C'est peut-être la symbolisation individuelle qui permet de s'en apercevoir de la manière la plus claire ; dans leurs productions symboliques, qu'elles soient normales (rêves, lapsus, mots d'esprits, actes poétiques) ou pathologiques (symptômes, formations délirantes, etc.) les sujets réalisent une subversion permanente et de la syntaxe et du lexique. Le code auquel recourent ces messages est à tout moment entièrement transformé puisque les conditions de l'émission sont telles que ce code n'est destiné à être utilisé que par un émetteur unique. De plus la plasticité du message à communiquer est si marquée que la syntaxe utilisée pourra être pratiquement de n'importe quel ordre. Il n'est que de se reporter à la « Science des Rêves » de Freud pour s'en rendre compte : le rêve utilise à titre d'unités signifiantes celles qui lui sont fournies par la totalité des systèmes symboliques que lui offre la culture : sons, images, couleurs, phonèmes, monèmes, etc... et il les combine sous toutes les formes possibles. Le symbolisme individuel reproduit tel un microcosme toutes les variantes du symbolisme collectif ; mais du même coup il leur fait perdre une partie de leur spécificité. Certains rêves sont des poèmes, et d'autres des jeux de mots jouant de toutes les subtilités de la chaîne signifiante ; d'autres encore se développent comme des mythes, les êtres n'intervenant que comme représentants de leurs classes, ces classes s'articulant elles-mêmes les unes aux autres ; et certains sont les trois à la fois. Les syntaxes s'enchevêtrent, se dissolvent partiellement, le message communiqué étant tel qu'il peut se plier à n'importe quelle organisation formelle.

On voit du même coup pourquoi par principe est absurde l'idée d'une interprétation universelle du symbolisme du type de celle

préconisée par les Jungiens ; elle revient à méconnaître la distorsion qui est à l'origine de toute symbolisation individuelle et qui en
fait la permanente ambiguïté. On voit aussi le paradoxe qui est le
propre de l'interprétation analytique. Par définition le code que
le rêve actualise n'est donné ni à celui qui veut interpréter ce dernier, ni à celui qui en est le producteur ; les règles de constitution
des unités lexicales, leurs équivalences, les lois de leurs combinaisons sont enfouies dans le message ; et c'est l'association libre à laquelle se livre le patient qui doit permettre de décoder le message.
Le rêve se trouve donc délimité, cerné de toutes parts par la chaîne
associative qui se donne au premier abord comme réalité extérieure
au message initial ; de la même manière le contexte ethnographique,
extrinsèque au mythe, me permet dans bien des cas de l'interpréter.
Mais une telle similitude n'est qu'apparente. Entre le mythe et la
réalité sociale la différence est de nature. Par contre l'extériorité
des associations renvoie à un décalage temporel (elles viennent après
le rêve), à un mode d'apparition différent (je rêve, durant mon
sommeil, j'associe en séance) ; mais ces critères ne suffisent pas
pour admettre qu'il s'agisse d'un message et de son commentaire
et non pas d'un message unique qui se serait manifesté en deux fois.
En fait le phénomène est dans ses deux phases de même nature : il
s'agit d'un discours et c'est dans sa totalité qu'il doit être compris.
La meilleure preuve réside dans le fait que le rapport entre rêve
et associations peut parfois s'inverser, le premier n'ayant eu lieu
que pour me permettre de me livrer aux secondes ; ou encore que
les associations peuvent se révéler trompeuses. Face à de telles
antinomies il n'y a pas d'autre solution que le redoublement du
second message par un troisième, et cela à l'infini. Certes plus le
texte est long, plus la certitude dans l'interprétation est grande, mais
il n'en reste pas moins que par essence toute psychanalyse considérée
sous l'angle scientifique est indéfinie ; son arrêt indique seulement
qu'on juge le degré de probabilité d'existence atteint, non par notre
savoir mais par son objet, suffisant. Il n'en est évidemment pas de
même en ce qui concerne la vie propre du patient (1).

   Cette référence aux créations individuelles les plus particulières
ne doit pas faire perdre de vue que les différents traits mis ici à jour
à l'état pur sont à des degrés variables le propre de toute expérience
individuelle. Parce que toujours décalé par rapport au sens dont il
est le porteur, l'individu — et ceci vaut évidemment aussi pour
tout groupe lorsqu'on le traite comme une unité — réalise une syn-

---

(1) Les considérations sont évidemment très générales et ne pourront prendre
leur sens qu'intégrées à une épistémologie psychanalytique dont l'absence encore
aujourd'hui renvoie à la position particulière de la psychanalyse dans le corps des
sciences.

thèse dont l'originalité se double d'une fragilité permanente ; les éléments qu'elle s'approprie ne se suffisant pas à eux-mêmes. En ce sens toute existence individuelle dans son rapport aux divers systèmes symboliques remplit une triple fonction :

— incarnation de ce qui n'est encore qu'un cadre formel ;

— effacement des limites et voilement des antinomies logiques du système qu'elle incarne, rendus possibles par l'introduction de facteurs d'ordre affectif qui relèvent d'un autre registre ;

— déplacement des significations qui à tout moment peut amorcer un progrès ou une régression dont la validité dépendra du devenir total de la société.

Ces propriétés sont celles de toute praxis individuelle ou collective conçue comme réalité partielle surgissant dans un univers déjà ordonné. C'est cela même que vise très schématiquement à traduire notre graphique. Cependant sa signification est aussi épistémologique ; et nous pouvons là, à titre provisoire, formuler quelques règles dont la méconnaissance vicie toute théorie des idéologies.

Soit une série de domaines A, B, C ; ils sont définis par l'organisation d'un certain nombre d'éléments homogènes les uns aux autres. Chaque « ensemble » est caractérisé par un lexique et une syntaxe qui lui sont particuliers. Ceci admis nous pouvons écrire que :

L'ensemble « A » n'est jamais en relation métonymique avec l'ensemble « B », dans la mesure où il possède son propre plan d'efficience auquel correspond une certaine organisation de ses éléments. Le rapport ne peut être que d'ordre métaphorique, posant l'équivalence, l'antithétie ou la complémentarité sémantique et syntaxique des deux domaines envisagés comme des touts.

Par contre le terme « a » appartenant à l'ensemble « A » peut, quelle qu'en soit la nature (trait linguistique, rituel, fait économique), être dans une relation métonymique (cause-effet ; facteur-produit ; exprimant-exprimé) avec le terme « b » appartenant à l'ensemble « B » ; mais cette relation sera insuffisante à expliquer leurs valeurs sémantiques respectives en tant qu'ils appartiennent aux ensembles « A » et « B » ; ils sont à tout moment redéfinis par les lois de ces derniers.

De même le rapport métonymique qui lie un élément « b' » à un élément « b » antérieur dans le temps et de même nature est insuffisant à rendre compte de sa fonction et de sa signification. Les raisons d'une telle limitation sont évidemment les mêmes que précédemment.

Cependant l'ensemble « B » contenant le terme « b » est en rapport métonymique avec l'ensemble « B' » contenant le terme « b' ». Un structuralisme diachronique est possible.

Enfin le processus de redéfinition des termes, preuve manifeste de l'existence d'un système implique que les éléments qui en sont l'objet, peuvent primitivement appartenir à des domaines distincts et avoir des origines multiples. C'est une des tâches importantes de la recherche historique que de reconstituer ces différentes filiations. La plupart des mythes ou des panthéons religieux sont le produit toujours remanié d'une fusion de données empruntées à de multiples cultures ; et il est important de retrouver dans chaque cas l'itinéraire qui a été suivi (1). Mais si le mythe existe comme tel c'est justement dans la mesure où il a redonné un sens spécifique à la matière qu'il a emprunté un peu partout. Il peut donc bien du moins en un premier temps, être traité à son propre niveau, comme une unité réelle, indépendante du devenir historique qui a permis sa constitution.

Histoire et Analyse structurale portant sur le même contenu, se distinguent donc par leur manière d'organiser celui-ci, leur opposition pouvant globalement se caractériser comme celle entre la métonymie et la métaphore ; à ce titre elles sont complémentaires, s'éclairant l'une l'autre à de multiples titres.

Cette dichotomie méthodologique est inscrite dans l'être même. A la science historique correspond évidemment la praxis propre des individus et des groupes restituée dans toute la richesse de ses déterminations, mais inversement les systèmes qu'une telle praxis met en forme à tous les niveaux peuvent être considérés comme autant de produits de l'esprit humain qui structure à tout moment un donné extraordinairement diversifié. C'est ceci qui maintenant demande à être compris.

Pour Marx la pensée est d'abord pensée de la vie réelle et cette vie est d'abord vie matérielle : « la production des idées, des représentations, de la conscience est, en premier lieu, liée directement à l'activité matérielle et au commerce matériel des hommes ; elle est le langage de la vie réelle. Les représentations, la pensée, le commerce intellectuel des hommes apparaissent ici comme l'éma-

(1) Il est d'ailleurs certain que ces évolutions ne sont pas de simples courroies de transmission qui n'interviennent que quantitativement (plus ou moins grande quantité d'informations transmise) dans la diffusion du message. Claude Lévi-Strauss a avancé une hypothèse qui si elle se vérifiait permettrait de préciser considérablement les rapports entre structure et histoire. La diffusion de certains thèmes mythiques pourrait obéir à des lois de reconversion et d'inversion du contenu des termes en fonction de la distance entre l'émetteur et le récepteur et des propriétés du milieu à travers lequel s'opère la communication : « on doit admettre qu'il existe une inversion d'un autre type liée, non à des changements de structure, mais à l'élévation du seuil à partir duquel la communication se fait entre les deux sociétés, en raison de leur éloignement géographique ou de difficultés linguistiques » (Annuaire de l'E.P.H.E., *Sciences Religieuses*, année 1958-59, p. 52).

nation directe de leur comportement matériel. Il en est de même de la production spirituelle, telle qu'elle se manifeste dans le langage de la politique, des lois, de la morale, de la religion, de la métaphysique, etc..., d'un peuple. Les hommes produisent leurs idées, leurs représentations, etc..., mais ce sont les hommes réels, actifs, tels qu'ils dépendent d'un développement déterminé de leurs forces productives et du commerce qui leur correspond, jusque dans ses formules les plus complexes. La conscience ne peut jamais être autre chose que l'existence consciente et l'existence des êtres humains est leur vrai procès vital (1) ». L'emploi du terme « langage » est significatif : la religion, la métaphysique sont autant de traductions opérées par le moyen de certaines formes d'une réalité qui se situe à une autre échelle ; l'ensemble des systèmes intellectuels que l'homme bâtit sont d'abord des idéologies exprimant des conflits réels qui prennent corps sur le plan socio-économique ; la pensée ne peut être comprise que dans son rapport aux différents groupes sociaux qui l'engendrent, la développent, l'utilisent en vue de certaines fins qui nous seront livrées par l'analyse de la production et de la reproduction de l'existence matérielle des sociétés.

Aussi catégoriques qu'elles paraissent, de telles affirmations ont eu une valeur philosophique et sociologique essentielle ; et cela à un double titre : elles ont d'une part posé de manière radicale la distinction, fondamentale à nos yeux, entre réalité sociale et représentations forgées à son propos par les individus et les groupes sociaux ; d'autre part, elles ont arraché les différents langages à leur ciel intelligible pour penser leur production et leur fonctionnement au niveau collectif, pour les comprendre comme créations humaines. Sous cette forme générale, ces propositions ont été intégrées par les diverses disciplines scientifiques et elles sont partie constituante de leur charte méthodologique, mais elles sont loin d'épuiser le problème posé par la nature et la fonction des systèmes intellectuels ; et cela non seulement parce que la conception de Marx en est fort étroite, mais aussi dans la mesure où l'opposition entre réalité et idéologies est intérieure à une certaine échelle de l'activité scientifique, le réel étant en un certain sens aussi « conceptuel » que ce que nous recouvrons traditionnellement par ce terme.

En ce qui concerne le premier point nous partirons de quelques affirmations centrales, hypothèses globales qui semblent le plus probables. Quelles que soient les origines du langage, son introduction bouleverse totalement les rapports de « l'homme » à l'univers, aux autres hommes, à ses propres créations ; il permet un déve-

_____

(1) *Idéologie Allemande*, cité par Rubel : *Pages choisies pour une éthique socialiste*, p. 34-35.

loppement sans précédent de l'esprit humain, rendant aisée la
transmission des techniques, des savoirs, des règles. Nous nous
trouvons là devant une mutation intellectuelle, caractérisée par la
création d'instruments qui modifient toute aperception immédiate
du réel. Cette place centrale reconnue au langage s'explique doublement ; il apparaît comme le prototype de la culture en fonction de
la contingence primordiale qu'il apporte dans la relation de l'homme à la nature ; et il contient en germe, effectivement, tous les développements ultérieurs de la pensée symbolique qui particularisera,
appliquera à de nouveaux objets certaines règles qu'il implique.
Il est donc l'intellect dans ce qu'il a d'essentiel et ce qui permettra
ultérieurement à cet intellect d'étendre son activité à des domaines
toujours plus différenciés.

Quelles sont ses caractéristiques principales : il trouve dans une
réalité qui lui est extérieure la matière à partir de laquelle il se construira ; il soumet cette matière à un ensemble de schèmes qui supposent la *différenciation des unités constitutives* (en aucun cas l'ambiguïté n'est concevable ; à tout moment la discrimination doit
pouvoir se faire), *leur mise en système* (leurs relations réciproques
définissent à des degrés divers leur valeur sémantique) et l'énoncé
d'un certain nombre de *règles permettant leur combinaison*. La langue
créée à partir de tels principes s'appliquera au réel sur un mode
identique ; elle permettra de signifier la réalité, c'est-à-dire d'y
introduire la discontinuité, de l'organiser en définissant des équivalences et des incompatibilités entre régions et de permettre suivant des critères qui varieront en fonction du but visé, une combinatoire entre les « parties » du réel ainsi isolées. Qu'il s'agisse du
mythe, de la philosophie, de la logique ou de la science, ce sont toujours ces mêmes opérations fondamentales qui sont mises en œuvre ;
ce qui varie par contre ce sont les règles auxquelles obéissent le
découpage lexical aussi bien que les lois de la combinatoire.

A tous les niveaux cependant nous retrouvons la contingence,
c'est-à-dire un « choix » opéré par l'homme entre plusieurs possibles ;
par définition toute réfraction d'une réalité à travers un langage
implique une perte d'information, ce qui est abandonné pouvant à
son tour devenir objet d'un traitement du même ordre. L'activité
linguistique apparaît donc comme un effort permanent pour soumettre à un ensemble de formes un donné qui outrepasse toujours
leurs limites. Mais ce n'est pas là le propre du seul langage ; c'est
la culture tout entière qui se laisse définir de la même manière. La
relation du donné naturel met ceci en pleine lumière : qu'il s'agisse
de la sexualité, des rythmes de développement corporel, de la gamme des sensations ou des affects, chaque société apparaît comme
soumettant à un principe d'organisation qui n'est jamais le seul

concevable, une réalité qui se prête à une multiplicité de transformations. On comprend de ce fait pourquoi l'explication naturaliste est toujours insuffisante ; car l'être du besoin dévoilé en deçà des diverses modulations culturelles ne peut jamais nous donner que l'esquisse de la forme même de la culture, jamais de son contenu : or c'est ce dernier qui doit être compris.

Mais ce qui vaut pour la nature vaut aussi pour la réalité sociale ; si les relations de causalité sont toujours insuffisantes, c'est que toute société détermine en son sein des zones d'inertie qu'elle soumet à une systématisation qui leur est extrinsèque ; en ce sens les relations sociales apparaissent dans le mythe qui les traduit à son niveau propre comme une réalité naturelle ; l'inverse est tout aussi vrai.

Ainsi opèrent les différents systèmes que nous saisissons — religions, philosophies, idéologies politiques, etc. Ce n'est pas là une activité gratuite et il semble normal de rapporter ces productions à des projets humains qui sont d'un autre ordre ; toute théorie des idéologies découle de cette supposition initiale ; les divers messages seront donc toujours compris sous un angle fonctionnel et leur signifié reproduira certains aspects de la réalité sociale correspondant aux « intérêts », aux « préoccupations » des hommes de la société. Ainsi voulant expliquer les classifications primitives Raoul et Laura Makarius (1) les présentent comme décalque de partages effectifs des espèces animales et végétales entre les moitiés exogamiques, partages qui correspondent pour leur part à des préoccupations alimentaires. Ce qui caractérise une classification c'est bien un certain ordre introduit dans l'univers phénoménal ; mais dans ce cas elle n'est pas créatrice de cet ordre ; elle ne fait que reproduire une réalité socio-économique.

Cela peut parfois être le cas ; mais une telle coïncidence ne fera pas disparaître le problème ; il est possible que nous nous trouvions en face de deux systèmes totalement redondants l'un par rapport à l'autre ; mais si cette identité se donne immédiatement, s'il n'est pas besoin de la faire apparaître par un travail préalable de conceptualisation, elle reste inexplicable ; non seulement on ne voit pas pourquoi une société prendrait la peine d'articuler à deux reprises le même contenu, mais on méconnaît que les syntaxes utilisées à chaque niveau sont « créatrices » de l'ordre qu'elles révèlent.

Un mythe, un système philosophique, une théorie scientifique mettent à jour non seulement un type déterminé d'objets, mais une certaine organisation logique de ces objets qui n'est que le revers de leur propre organisation syntaxique. L'ensemble possible de ces

(1) *L'origine de l'exogamie et du totémisme.* Paris 1961.

organisations définit l'intellect, considéré sous l'angle le plus large possible. Toute théorie des idéologies qui ne voit en celles-ci que des discours dérivés obéissant dans leur genèse comme dans leurs effets à une dialectique d'un autre ordre, fait de l'intellect un moyen s'appliquant à des fins qui lui sont extérieures et auxquelles il se soumet. On ne dit pas autre chose lorsqu'on emploie le terme de reflet qui indique la dépendance de l'esprit par rapport à ce qu'il signifie ; et cela même si les produits de son activité peuvent à leur tour jouer un rôle moteur et transformer différents aspects de la réalité sociale. Mais l'intellect dans son usage comme dans les lois auxquelles il se soumet est tout aussi *réel* que ce qu'on lui fait refléter ; *et parce que réel il se prend pour objet dès l'origine.* La conscience n'est pas seulement comme l'écrit Marx conscience de la vie réelle mais aussi de son être propre ; celui-ci n'est pas simple présence immédiate, intuitive du sujet à lui-même ; il se définit comme système de règles qui ne sont pas décalquées, mais acquises par et à travers l'usage progressif de l'intelligence s'appliquant à un univers d'objets. De ces règles on peut faire de simples instruments puisque ce sont elles qui permettent d'organiser le donné, de mettre à jour l'ordre qui lui est sous-jacent ; mais inversement ce donné n'est que la matière dans laquelle l'intellect puise pour signifier sa propre organisation logique. En fait les deux propositions sont réciprocables, mais de discours à discours le rapport entre cette double exigence variera.

L'intellect est donc dès l'origine source de problèmes, la réalité ne devenant elle-même problématique que confrontée à l'architectonique logique de l'esprit. L'hypothèse la plus probable, celle que l'anthropologie comme l'histoire semblent confirmer est que ces problèmes ont comme tels été dès le début objet de réflexion et d'élaboration. Lorsque Dukheim parlait de la tendance à épuiser l'univers au moyen de classifications, qui était celle de l'esprit humain, il mettait à jour une exigence de cet ordre. Par rapport à la reconnaissance de ce fait, la volonté de faire de ces classifications un reflet du partage réel des espèces animales à des fins alimentaires apparaît comme une curieuse illusion. En effet, elle est inopérante au double niveau lexical et syntaxique ; lexicalement les êtres classés n'entrent que pour une part assez faible dans les classes alimentaires (1) ; ce n'est donc que par une opération arbitraire qu'on isole ces classes pour les considérer comme premières ; syntaxiquement il est absurde de déduire la tendance logique à la classification de la répartition initiale de la nourriture, car cette

---

(1) Cf. sur tout cela les deux derniers ouvrages de LÉVI-STRAUSS : *Le totémisme aujourd'hui*, Paris, 1961 et *La Pensée sauvage*, Paris, 1962.

répartition est elle-même une classification qui suppose un intellect capable de l'effectuer, dès qu'elle possède une certaine permanence et n'est plus fondée sur la pure compétition instinctive. La logique est première par rapport aux différents niveaux de l'organisation sociale qui apparaissent comme autant de réalisations de cette logique correspondant aux fins multiples que l'homme se propose. Lorsqu'on passe au plan intellectuel, celui où cette logique jusque-là implicitement mise en œuvre, devient objet explicite de traitement, ce sont des fins proprement intellectuelles qui sont visées. Elles se doivent d'être reconnues comme telles.

Tout nous confirme que ces problèmes ont été objet de réflexion dès qu'une société humaine a existé et que les réponses apportées si elles ont dépendu de l'ensemble de l'évolution sociale n'ont pas été de simples épiphénomènes de cette évolution ; des solutions proposées renvoient à une élaboration qui a été le fait de « penseurs », d'hommes réfléchissant et se confrontant comme tels aux questions soulevées ; rien de plus vain à cet égard que l'idée de création collective par laquelle on a parfois cherché à distinguer les œuvres des archaïques de nos propres productions : de ce point de vue une chanson populaire, un mythe ou un système philosophique supposent de la même manière des individus qui les ont *conçus* et qui ont su ce qu'ils faisaient (1). Mener à bien leur réalisation a supposé un travail, c'est-à-dire une transformation d'un donné initial, qui ne peut pas s'expliquer par ce donné même. En ce sens il est vain de faire de ces différents langages de simples superstructures qui ne feraient que traduire d'une manière particulière une réalité primordiale d'ordre socio-économique.

Pour l'ensemble de ces raisons qui tiennent aussi bien à la nature de ce qui est dit qu'aux conditions dans lesquelles cela est dit, l'ensemble des systèmes intellectuels que l'homme construit ne peuvent pas être conçus comme de simples idéologies élaborées par des groupes sociaux en vue de justifier leur position sociale ou d'atteindre certaines fins. Ce qui est par contre possible c'est l'*utilisation idéologique de ces systèmes*, le développement de certains thèmes en fonction de fins particulières. Là encore le mythe peut fournir un bon exemple : dans une société déterminée l'ensemble des variantes d'un mythe ne se laisse nullement ramener à une quelconque forme d'intérêt ou à des visées particulières que certains individus ou groupes poursuivraient ; à travers lui une société se pense, c'est-à-dire développe et systématise ce qu'elle esquisse dans toutes ses formes d'activité ; parfois cependant une variante s'oriente plus

_____

(1) Ce qui varie ce n'est pas tant l'individualité de la création que la manière dont cette individualité se trouve partiellement niée par l'usage qui est fait de l'œuvre.

précisément ; il s'agit de justifier les pouvoirs de telle confrérie ou la possession par une famille déterminée de certains objets sacrés. Le mythe sanctionne alors certaines prérogatives réelles ; mais il ne le fait qu'en appliquant les catégories générales qui sont les siennes, catégories qu'il serait absurde de vouloir engendrer dans leur totalité à partir de cette situation particulière.

Soit, dira-t-on, mais il s'agit là de sociétés où les conflits d'intérêts, où les antagonismes sociaux sont encore embryonnaires ; mais dès que nous avons affaire à des collectivités véritablement hiérarchisées où certaines classes dominent la vie économique et sociale du pays, cette partition s'impose à toute création intellectuelle et commande toute compréhension de la nature des « phénomènes idéologiques ». Cependant plusieurs remarques doivent être faites qui contribueront peut-être à préciser l'enjeu du débat :

a) Il n'est nullement question de faire de la philosophie, de la religion ou de la science des domaines totalement indépendants de la réalité sociale dans laquelle ils sont plongés. La pensée puise sa matière dans le monde qui lui est donné à penser et se trouve ainsi confrontée aux problèmes soulevés par l'existence de classes sociales antagonistes dont les intérêts ne convergent pas au sein d'une collectivité qui doit fonctionner comme une unité ; mais cette proposition très générale qui indique la dépendance relative de l'intellect par rapports à ses objets n'ôte rien de sa valeur au fait que ces objets doivent se plier à la syntaxe propre du langage qui les signifie (1) et que la création de cette syntaxe répond à des exigences proprement intellectuelles. Le fait est évident pour la science et il ne reste rien de l'opposition entre science bourgeoise et science prolétarienne ; mais la chose vaut également pour la religion, le mythe, la langue et les différentes formes de l'activité esthétique.

Pour tous ces domaines ce sont des considérations identiques qui valident une telle interprétation. La présence de ces phénomènes est en effet si généralisée qu'ils doivent primordialement être rapportés à eux-mêmes et *qu'aucun lien nécessaire ne peut être établi entre une situation sociale particulière et leur apparition.* Au contraire si ces situations interviennent comme facteurs différenciants, c'est toujours à l'intérieur de ces cadres premiers en tant qu'elles déterminent des écarts entre leurs diverses modalités. Les antagonismes sociaux se réfractent bien à travers les systèmes symboliques ; ils ne sont pas la raison de ces systèmes. Lorsque Marx l'affirme, faisant de la religion la conséquence directe d'un monde aliéné, il se livre à

---

(1) Lorsque cette syntaxe est violée, on sort du domaine considéré au profit de formes abâtardies et idéologiques qui sont dès l'origine reconnues et dénoncées comme telles. Rosemberg n'est pas la philosophie ; et son œuvre n'est même pas la branche flétrie d'un tronc qui serait sain.

une extrapolation que rien dans l'ordre rationnel ne permet de fonder. En effet, la mise à jour d'un lien nécessaire entre deux aspects de la réalité sociale est strictement indémontrable si je n'ai pas la possibilité de mettre en rapport le domaine ainsi délimité avec d'autres ensembles partiellement divergents, partiellement similaires. De ce fait une proposition valant pour la totalité des sociétés humaines existantes ou ayant existé, n'a de sens que si elle permet d'opposer le monde de la culture considéré comme une unité à celui de la nature. Or ce n'est certainement pas là le sens de l'affirmation de Marx. Si un lien nécessaire est postulé entre pensée religieuse et oppression sociale c'est au nom d'une certaine image de la société future qui aurait intégralement surmonté ses aliénations et pourrait de ce fait se passer de la religion. Mais pour que cette image ait une valeur, puisse guider une action rationnelle et dessiner la forme d'un avenir, il aurait fallu que soit légitimée l'interprétation qui a été donnée de l'existence du fait religieux dans les sociétés existantes. Ce qui n'est évidemment pas le cas.

b) A cette constatation s'en ajoute une seconde dont le poids nous semble plus important. En effet un fait s'impose lorsqu'on prend en considération l'histoire des mouvements religieux, à savoir l'impossibilité d'admettre une correspondance rigoureuse entre tel ensemble d'idées religieuses et telle pratique sociale. Bien au contraire les mêmes concepts peuvent avec autant de poids signifier des réalités diamétralement opposées, l'inverse étant également vrai. Rien de plus éloquent à cet égard que les transpositions du Christianisme chez les peuples archaïques résistant à l'implantation occidentale et à la destruction physique ou morale de leur culture (1) ; ce sont les mêmes idées centrales qui se trouvent utilisées, mais elles prennent un contenu tout autre du seul fait qu'elles sont articulées à des forces sociales différentes ; certes ce déplacement implique un certain remaniement de cet ensemble conceptuel qui, surgi en de tout autres circonstances et en une tout autre période historique, se trouve — pour des raisons contingentes par rapport à ce qui est ici en jeu — être le seul langage disponible pour signifier les transformations subies par les cultures archaïques sous le choc colonisateur ; rien de plus frappant à ce propos que de voir comment des catégories qu'un long usage nous a amené à considérer comme naturellement associées à certains contenus psychologiques, émotionnels et sociaux, se chargent d'une valeur nettement différente tout en conservant une forme identique.

Ce décollement du signifiant par rapport au signifié auquel nous

(1) On trouvera une bonne analyse d'un très grand nombre de ces faits dans l'ouvrage de Vittorio LANTERNARI : *Les mouvements religieux des peuples opprimés*, Paris, 1961.

avons déjà fait allusion, apparaît peut-être comme le signe le plus marquant de la vie culturelle. C'est la tâche de l'historien de nous décrire la manière dont s'est opéré un certain découpage du réel, c'est-à-dire la promotion de certains signifiants qui deviennent l'instrument privilégié à travers lequel l'homme accède à la réalité ; en ce domaine cependant il n'y a jamais de commencement absolu mais toujours une série de renvois où interfèrent la logique interne des systèmes en voie de constitution comme les transformations des conditions de leur élaboration (la situation de ceux qui ont cette dernière charge se modifie). La surgie d'un tel langage cependant correspond à une certaine expérience historique qu'il s'efforce d'exprimer ; mais une fois instauré il apparaît comme la médiation essentielle à laquelle les individus et les groupes recourent pour rendre compte de réalités qui peuvent être très éloignées de la situation initiale.

Il ne s'agit nullement de faire des différents langages — mythes, religions, doctrines politiques et sociales — des groupes de termes entièrement vides aptes à recouvrir n'importe quel contenu, mais de saisir à la fois la marge d'indétermination que le signifiant entretient par rapport au signifié et inversement la dépendance du signifiant à l'égard des contenus multiples qu'il a pu recouvrir. Imaginons une société qui d'une part aurait évolué en vase clos et sans le moindre contact avec d'autres cultures et qui d'autre part serait telle que son développement aurait suivi une voie rectiligne, tous ses éléments constituants se correspondant rigoureusement à chaque moment de son évolution. Admettons que cette évolution obéisse elle-même à un déterminisme initial, d'ordre techno-économique par exemple et la situation se présentera comme suit : à chacune des transformations affectant l'activité socio-économique feront suite un certain nombre de modifications touchant les autres domaines de la vie sociale ; ces modifications seront d'une nature telle qu'elles pourront toujours être prévues à l'avance ; sur le plan idéologique, il suffit d'admettre pour qu'une telle hypothèse soit vérifiée une rigoureuse adéquation de la réalité et de la manière dont elle est pensée.

Or les trois axiomes ainsi admis (évolution en vase clos, prédominance absolue d'un plan de développement, correspondance interne entre la pensée et son objet) se caractérisent par leur inaptitude à recouvrir une quelconque situation réelle ; dans le domaine que nous traitons le refus de les considérer comme valables participera pour chacun d'entre eux d'une même intention fondamentale ; c'est dans la mesure où la pensée n'est pas le simple reflet de ce qui n'est pas elle, qu'aucune valeur absolue ne peut être accordée à un certain type de phénomènes sociaux par rapport aux autres ;

et la contingence ainsi introduite implique qu'il est vain d'imaginer une société dont le développement obéirait à sa propre logique et seulement à elle. Non pas que l'idée en soit absurde ; elle peut avoir une valeur empirique — car il n'y aurait rien eu d'impossible à ce qu'une société vive pendant des millénaires privée de tout contact avec l'extérieur ; sur des périodes plus ou moins longues le cas s'est parfois produit — et elle a certainement une signification théorique capitale ; car en excluant d'un devenir social déterminé tout contact avec ce qui lui est étranger, c'est l'événement inattendu, imprévisible qu'on veut éliminer parce que ne correspondant pas aux formes d'existence, aux catégories qu'une société met en œuvre.

Mais cette situation exemplaire qui demande à être traitée comme un cas limite n'en fait pas disparaître pour autant le problème. Même dans ce cas l'hétérogénéité subsisterait ; découlant du fait primordial qu'a une certaine exigence dans l'ordre du signifié — nécessité pour une culture déterminée de traduire sur le plan idéologique les formes d'existence qui sont les siennes, etc.. — correspond la possibilité de recourir à une pluralité de systèmes signifiants, souvent capables, au prix de faibles transformations, de rendre compte d'une réalité déterminée. Ainsi se comprend la diversité des systèmes conceptuels permettant de penser des situations sociales globalement identiques, chaque société empruntant aux autres — du fait d'une rencontre toujours contingente par rapport à son histoire propre — aussi bien un matériel lexical fort varié — divinités, êtres multiples, actions — que certains schèmes logiques présidant à l'organisation de son contenu. A cette multiplicité des sources que révèle toute analyse historique dès qu'elle peut suivre précisément le développement d'une collectivité humaine, se superpose le poids des décalages temporels.

Penser une société comme une totalité participe toujours plus ou moins d'une illusion ; certes l'unité existe et la meilleure preuve en est que certaines institutions — l'État par excellence — s'en veulent l'incarnation directe ; mais que cette unité se manifeste explicitement en un point de la communauté suffit à dévoiler combien elle suppose de différenciation et d'hétérogénéité. C'est qu'une société est faite de la juxtaposition d'une multiplicité de logiques qui ne peuvent se recouvrir que partiellement. Cette disparité renvoie d'une part à la distinction fondamentale des ordres — nature/culture ; individu/société — d'autre part à la superposition et à la complexité des histoires ; une société complexe porte la marque d'innombrables actions humaines qui se sont orientées dans des directions variées et dont les produits sont souvent passablement contradictoires, un ordre se constituant à travers la fusion inachevée de systèmes souvent opposés que l'histoire a mélangés, brassés, fait coexister sans qu'une volonté une ait présidé à leur développement.

Ce poids de l'histoire, rien ne le révèle avec plus de force que la variété d'origine, de nature, de fonction du matériel signifiant — images, concepts, mots, symboles — qui sont à un moment donné disponibles au sein du champ culturel ; ce sont là les produits d'événements qui aussi bien spatialement que temporellement peuvent être fort éloignés les uns des autres ; mais à chaque moment individus et groupes sociaux utilisent ces données, les organisant afin de leur permettre de signifier telle réalité nouvellement surgie. Rien ne peut mieux donner une idée de cette refonte permanente à partir d'éléments existant antérieurement, que le travail de systématisation qui est le propre des religions. Qu'il s'agisse de l'Égypte, de la Grèce Antique, ou de l'aire méso-américaine on ne peut qu'être frappé par l'extraordinaire travail d'intégration des traditions, des mythologies, des concepts antérieurs qu'implique chacun des panthéons en question, entreprise qui est consciemment menée dès qu'existe une caste sacerdotale, mais qui est le fait de toute pensée religieuse même la plus « primitive ».

Pour caractériser cette forme d'activité Claude Lévi-Strauss a utilisé l'opposition entre événement et structure. Par événement, il faut entendre aussi bien les débris multiples des univers conceptuels antérieurs (1) que les événements réels de tout ordre — modifications de la flore, de la faune, du climat, transformations sociales, etc. — qui peuvent survenir à tout moment. C'est à partir de cet ensemble de données, hétérogènes par définition, que se construit le mythe, signifiant une certaine problématique qui pour sa part est structurée — en privilégiant certains traits du matériel ainsi disponible, afin d'en opposer les termes : « Or le propre de la pensée mythique, comme du bricolage sur le plan pratique, est d'élaborer des ensembles structurés, non pas directement avec d'autres ensembles structurés, mais en utilisant des résidus et des débris d'événements : « odds and ends », dirait l'anglais, ou, en français, des bribes et des morceaux, témoins fossiles de l'histoire d'un individu ou d'une société. En un sens le rapport entre diachronie et synchronie est donc inversé : la pensée mythique, cette bricoleuse, élabore des structures en agençant des événements ou plutôt des résidus d'événements, alors que la science en marche du seul fait qu'elle s'instaure, crée, sous forme d'événements, ses moyens et ses résultats, grâce aux structures qu'elle fabrique sans trève et qui sont ses hypothèses et ses théories (2). » En effet la science se caractérise essentiellement par l'expérimentation, c'est-à-dire par la

---

(1) Ce qui permet la comparaison avec le bricolage.
(2) *La Pensée sauvage*, p. 32-33.

possibilité d'engendrer le fait à partir d'un univers instrumental qui concrétise la structure de la théorie qui lui permettra de penser ce fait ; et pour le faire, elle intégrera ce qui doit être expliqué dans toute la gamme possible de ses transformations, transformations qu'elle aura fait surgir artificiellement. C'est en créant des para-objets, des para-événements à partir d'un certain cadre théorique que la science ordonne objets et événements qui lui sont initialement donnés.

Cependant, l'opposition entre mythe et méthode scientifique (1) ne doit pas masquer la profonde unité qui caractérise toutes les formes de l'activité symbolique et qui consiste dans tous les cas à viser en dernière instance à construire des événements à partir de structures. Certes le mythe se développe en empruntant ces termes à tous les secteurs de la vie sociale, mais constitué, il fonctionne comme une grille relativement stable permettant de donner sens à tout objet, fait, réalité non initialement contenus dans la matière qu'il a traité. Et ce faisant, il parvient, dans certains cas à faire *comme si* c'était lui qui engendrait l'événement, dans d'autres cas à le faire réellement surgir avec le maximum de garanties.

Comment opère le mythe (2) par rapport au réel ? il l'ordonne, classant les êtres en une multiplicité de classes qui entretiennent certains rapports les unes avec les autres, la forme de ces rapports pouvant s'appliquer à tout nouveau contenu lexical ; mais cette classification ne dit pas seulement ce qui est ; elle révèle l'organisation permanente de l'univers, celle qui instaurée aux origines, s'étend à tous les temps à venir. Il ne s'agit cependant pas d'un pur schème théorique ; comme la science le mythe débouche sur une praxélogie qui est l'analogon de la création expérimentale dans le domaine scientifique : il affirme que le gibier ne sera abondant que si l'homme rend régulièrement grâce au maître des animaux qui peuple la terre de nourriture animale ; ou encore que l'homme ne sera pas malade s'il suit fidèlement certaines prescriptions rituelles que les ancêtres, les Dieux et les héros civilisateurs ont léguées aux hommes avant leur disparition. A partir du mythe, c'est donc aux hommes à créer l'événement que le texte a anticipé et rendu possible. Soit dira-t-on ; mais l'activité scientifique réussit effectivement cette création, alors que dans le mythe il s'agit là d'une opération illusoire dont on comprend difficilement qu'on puisse lui accorder un quelconque crédit après les innombrables démentis que le réel lui apporte quotidiennement.

(1) Nous laissons de côté le domaine artistique qui pose des problèmes fort complexes.
(2) Mais en réalité les idéologies de toute espèce fonctionnent de la même manière ; c'est aujourd'hui dans le domaine politique qu'on en trouverait les illustrations les plus frappantes.

Mais cette objection est inopérante et elle l'est à quatre niveaux que nous allons recenser par ordre d'importance.

a) Même si cela était, il n'en resterait pas moins que par leur intention tous les systèmes symboliques tendraient — sur un plan très général évidemment — vers la même fin ; seule l'insuffisance des moyens, expliquerait les degrés différents de réussite. Nous toucherions là à une propriété de la pensée symbolique qui s'appliquant à des domaines différents recevrait des modes de remplissement variés.

b) D'autre part — et sur ce point tous les travaux des anthropologues concordent — les classifications mythiques s'appuient sur une observation continue et patiente du monde extérieur qui fournit une information objective, permettant une certaine certitude dans la prévision ; le progrès technique, la domination de la nature même sous ses formes les plus minimes sont inconcevables sans la possession de ces connaissances objectives.

c) Ces deux arguments qui touchent l'un à l'intention, l'autre au procès de construction des classifications primitives, n'atteignent pas encore l'essentiel. Ce qui doit être compris c'est d'une part l'inanité des démentis « expérimentaux », d'autre part le mode sur lequel les événements sont réellement produits à partir de la grille dont dispose l'individu ou le groupe social. Le premier point ne fait aucune difficulté : Le mythe comme la science introduisent un *ordre aléatoire* dont la forme est : si A donc B, formule qui concerne toute série particulière d'événements et qui se détache avec plus ou moins de vigueur à partir d'un ordre primordial qui lui n'est pas en question. Ce qui caractérise la démarche scientifique, c'est qu'au stade expérimental, elle maîtrisera entièrement la production de A (1) ; le mythe, par contre, même si ses prescriptions peuvent pénétrer la vie quotidienne, implique une marge de contingence irréductible, à laquelle il pourra recourir dès que l'événement ne sera pas produit dans les conditions voulues : « Si les dieux sont priés suivant les règles minutieuses, depuis longtemps édictées, par des hommes ayant un cœur pur, il pleuvra et les moissons seront abondantes. » Les confréries accomplissent donc normalement leur tâche ; tout semble s'être passé pour le mieux. Et pourtant il ne pleut pas. Comment expliquer cette faillite ? Nullement en mettant en question la série causale précédemment établie. Le lien entre A et B ne fait aucun doute ; et si B n'est pas apparu c'est que — malgré les apparences — A ne s'est trouvé qu'imparfaitement exécuté ; une faute a dû se glisser dans le déroulement du rituel ; ou

(1) Du moins dans les sciences de la nature ; dans les sciences de l'homme par contre la situaion est différente et présente certaines singularités sur lesquelles nous reviendrons dans notre dernier chapitre.

bien un des officiants n'a pas observé les règles, les accomplissant d'un cœur mauvais (1). De fait réussite comme échec valident le schème logique dont l'homme dispose ; ceci exclut du même coup qu'on conçoive les progrès accomplis dans la connaissance du monde extérieur, comme le résultat d'une série de démentis partiels fournis par la réalité et grignotant progressivement l'ancien système. En effet il faut encore que ce système soit tel qu'il laisse une place permanente au démenti ce qui est le cas de la pensée scientifique. Le passage à un autre type de relation à la réalité ne se conçoit donc qu'à partir d'une modification totale des cadres théoriques qui avaient cours.

d) Il y a plus : l'analyse précédente se maintient encore sur le plan de l'illusion et de sa justification ; le mythe est tel qu'il peut donner l'impression que des événements extrinsèques à l'ordre qui est le sien sont en fait des événements qui découlent de cet ordre ; mais cette transmutation n'est concevable que dans la mesure où elle s'appuie sur une véritable information de l'existence humaine qui est le fait du système symbolique considéré ; l'extériorité du signifiant par rapport au signifié n'exclut en aucun cas qu'une fois qu'il a pris forme, il devienne une voie d'accès primordiale à ce signifié pour ceux qui en ont reçu la marque ; rendez inopérants les langages fondateurs de l'existence humaine et cette existence elle-même vacillera. Là encore l'anthropologie fournira un matériel multiple sur les innombrables faits pathologiques pouvant aller jusqu'à la mort qu'entraîne l'écroulement des vieilles croyances dans les sociétés archaïques soumises aux processus colonisateurs. Une telle situation équivaut déjà à une production négative d'événements ; mais de fait c'est bien d'une production positive dont il s'agit ; l'usage et la répétition de certains codes qui se sont vus, dès le début de la vie individuelle, profondément valorisés à travers une série d'épreuves qui culminent dans les cycles initiatoires, provoque une transformation biologique et psychologique des individus qui les rend autres qu'ils n'étaient, transformation qui est à la fois anticipée, provoquée et régularisée par le mythe ; la récitation de celui-ci en certaines occasions produit alors des effets qui ne sont en aucun cas de l'ordre de l'illusion ; que la cause disparaisse et les hommes retourneront à leur état antérieur : ce sont évidemment les mêmes propriétés que nous trouvons à l'œuvre dans les faits de sorcellerie ; il suffit qu'un individu se croit l'objet d'un mauvais sort pour qu'il tombe malade et puisse même se laisser mourir. Il est donc toujours vain de se demander comment la

(1) Cette situation est d'ailleurs dans la plupart des cas traitée explicitement par le mythe qui relate la faillite de l'ordre qui avait jusqu'alors été instauré, obligeant à une restructuration des rapports avec les dieux.

croyance peut se maintenir sans vérification aucune, car du moment qu'il y a croyance, il existe toujours, à un certain niveau au moins, une forme réelle de vérification.

Ces remarques permettent de préciser le statut de la pensée symbolique ; même dans le cas — qui est d'ailleurs le plus courant, la science constituant une exception — où la structure s'est construite à partir d'un lexique plus ou moins chaotique, elle intervient dans le réel comme productrice d'événements.

Il est courant d'opposer pensée archaïque et pensée moderne en marquant le traitement différent de la réalité historique dans l'un et l'autre cas. Valorisée et mise au premier plan de ses préoccupations par la pensée moderne, l'histoire se trouverait au contraire niée, abolie par la pensée archaïque ; non pas que l'événement autre ne soit pas reconnu ; il est saisi comme tel, mais sa nouveauté est réduite par son assimilation aux actes primordiaux qui ont institué le monde et l'humanité. Le mythe apparaît donc comme le corrélat d'une épuration de la vie profane qui ne laisse subsister que cela même qui est conforme à l'essentiel en l'homme ; et si cela est possible, c'est dans la mesure où l'homme peut en un temps déterminé se rendre contemporain de ce langage premier en lequel se sont cristallisées toutes les significations et qui lui est communiqué sous la forme même où il a été instauré à l'origine. Un hiatus existe bien qui sépare l'existence profane dans toute la variété de ses manifestations et ce que recouvre le système signifiant qui l'ordonne ; mais ce hiatus — synonyme de toute condition humaine et dont le mythe rend compte puisqu'il se réfère à une réalité antérieure à la vie actuelle — peut être périodiquement aboli : « Pour l'homme des sociétés « primitives » et traditionnelles, le mythe est au contraire, la seule révélation valable de la réalité. Pour lui, le mythe est censé exprimer une vérité absolue, puisqu'il raconte une histoire sacrée, c'est-à-dire un événement primordial qui a eu lieu au commencement du Temps. Narrer un mythe, c'est proclamer ce qui s'est passé *ab initio*... Le mythe devient le modèle exemplaire de toutes les activités humaines. Car lui seul révèle le réel, le surabondant, l'efficace. « Nous devons faire ce que les dieux firent au commencement », affirme un texte indien (Catapatha Brâhmana, VII, 2, I, 4). « Ainsi ont fait les dieux, ainsi font les hommes », ajoute Taittirîya Brâhmana (I, 5, 9, 4). La fonction maîtresse du mythe est donc de fixer, les modèles exemplaires de tous les rites et de toutes les activités humaines significatives : aussi bien l'alimentation ou le mariage, que le travail, l'éducation, l'art ou la sagesse (1). »

(1) Mircea ELIADE : *Structure et fonction du mythe cosmogonique dans la Naissance du monde*, volume collectif de la collection « Sources Orientales » paru aux Éditions du Seuil, en 1959, p. 473-74.

Mais une telle opposition que tant de faits semblent valider doit être utilisée avec la plus grande prudence. En aucun cas en effet, une valorisation de l'événement comme tel n'est concevable dans nos sociétés modernes, et pour prendre conscience de l'existence du problème il suffit de se rendre compte que le schéma ici évoqué par Mircea Eliade inverse le rapport entre événement et structure développé par Lévi-Strauss. C'est en effet le mythe qui par son caractère originaire informe le réel alors que l'homme contemporain semble livré à tous les avatars de la contingence historique. Mais rien n'est moins vrai : la valorisation du temps qui se fait jour dans certaines sociétés n'est pas abandon à l'irrationalité du devenir, mais effort pour le maîtriser, c'est-à-dire pour le rendre conforme à un ordre qui n'est pas réductible à tous les détails de ce qu'on pourrait appeler la vie profane. La pensée révolutionnaire est sans aucun doute une des formes privilégiées de cette promotion du temps ; mais il est aisé d'apercevoir que son intention fondamentale est de rendre l'existence de l'homme conforme à son essence. Le Marxisme est incompréhensible sans la reconnaissance de cette essence humaine qui, indépendamment de ses modes d'extériorisation, le définit comme Négativité, Travail, Action, Pratique sociale, etc. ; c'est dans la mesure où toutes les sociétés sont des mises en formes de cette essence qui simultanément la développent, la masquent et l'alièent que le projet d'une communauté humaine où l'aliénation aurait été surmontée, le voile levé, devient concevable.

Cet effort pour se rendre maître de ce qui est initialement non significatif est donc le fait de tous les systèmes symboliques et préside tant à leur mode de constitution qu'à la matière qu'ils organisent ; de fait il est constitutif de l'apparition de l'humanité.

Ainsi l'intellect apparaît comme créateur de formes au moyen desquelles il organise des contenus multiples d'origine diverse ; ces contenus sont de deux ordres : matière à partir de laquelle les systèmes symboliques se construisent ; événements que ces systèmes permettent de penser et ce qui plus est de créer. Ce qui caractérise la science à son niveau propre de fonctionnement, c'est sa capacité à fusionner les deux plans , toute réalité pensée — et ce n'est concevable qu'après que la gamme de ses transformations a pu être obtenue — devenant pièce de l'ensemble théorique en perpétuelle reconversion ; ce que le mythe nous a permis de mettre en évidence — ce qui vaut pour lui, valant pour l'ensemble des idéologies, religions, théories politiques, etc. — c'est par contre l'existence d'une divergence des plans dont la réduction supposerait la domination absolue du processus historique, une équivalence totale entre le contenu de la pensée et le monde auquel elle s'applique.

Notre sensibilité à l'égard de l'idée de planification, découlant elle-même de la complexité des rouages des sociétés modernes a mis au premier plan de nos préoccupations l'image d'une collectivité dont toutes les parties se trouveraient ajustées à la fin qui serait la sienne ; ce qui ne signifie rien d'autre que l'image d'une société qui aurait éliminé de son être toutes les disparités liées au poids de l'événement passé pour soumettre tous ses éléments constituants à la loi même de son présent et de l'avenir qu'elle dessine. Ce faisant la pensée moderne ne peut en aucun cas apparaître comme une excroissance aberrante ; elle ne fait que porter à l'absolu les exigences dernières de l'intellect — à savoir la création d'un ordre dont les termes soient tels que leur valeur dépende de leur position fonctionnelle au sein de l'ensemble —, un tel mouvement n'ayant cependant un sens que dans la mesure où la science en apparaît par certains de ses aspects comme la réalisation exemplaire. Ceci explique d'ailleurs le scientisme inhérent aux groupes et idéologies visant une profonde transformation de la société ; ils s'appuient en effet — en raison d'affinités véritables liées à la forme même du projet — sur une science incapable pour l'instant de leur fournir ce qu'ils lui demandent. Ajoutons que si cela était ces mouvements — en fonction de données qui tiennent à l'essence même de nos sociétés — n'auraient plus de raison d'être.

On comprend alors la valeur exemplaire de toute révolution ; car en niant même temporairement les hiérarchies existantes, en réalisant une intégration de ce qui dans le monde ancien était dispersé, opposé, elle tend à abolir tout ce qui n'émane pas de sa volonté propre et à faire de la société une totalité véritable dans la mesure où elle est tout entière sous-tendue par une intentionalité unique. Ceci explique aussi son échec partiel toujours nécessaire et le fait qu'elle ne s'achève généralement qu'après l'élimination physique ou morale de ceux qui l'ont menée à bien. Car la marge de nouveauté, d'innovation supportable reste, même dans les cas extrêmes, limitée ; que ces objectifs partiels ne puissent être atteints que si ce qui est visé se situe au delà d'eux, n'ôte rien de sa force au fait que le passé garde encore une grande partie de son poids et que tôt ou tard il faut accepter de transiger avec lui. De la manière la plus profonde qui soit, la terreur est liée à la phase intermédiaire des révolutions ; car l'incapacité à modifier la réalité dans sa totalité et à en faire le corrélat de l'exigence révolutionnaire conduit à envisager sa destruction physique pure et simple ; la pureté du projet se double d'une hécatombe gigantesque qui vise les multiples impuretés que toute société charrie et que le rêve messianique et puritain fait prendre pour des excroissances transitoires (1).

(1) L'histoire de la plupart des révolutions illustre une telle dialectique ; il suffit, par exemple, de se reporter à l'attitude du parti bolchevik à l'égard des

C'est qu'il ne s'agit de rien d'autre alors que de faire correspondre l'ensemble de la vie sociale à la visée politique qui comme tout projet traite tous les éléments que la réalité lui fournit comme autant de signes sur lesquels une série d'opérations peut être menée à bien. Le décentrement du signifiant par rapport à ce qu'il signifie nous a paru impliquer qu'une société n'est jamais ce qu'elle dit, qu'entre l'image qu'elle se fait d'elle-même et ce qu'elle est existe un écart irréductible, découlant des lois mêmes de toute symbolisation. Mais qu'on réfléchisse à ce que suppose la démarche inverse, à savoir l'effort pour transformer une collectivité humaine en la rendant adéquate à un système conceptuel qui par définition ne peut pas être homogène au domaine auquel il s'applique.

C'est que le passage du réel au symbolique implique que le premier ne soit symbolisé qu'en certains de ses éléments seulement et que les signes ainsi obtenus se prêtent à une série d'opérations qui réelles ou virtuelles définissent seules leur valeur sémantique. L'aptitude du signifiant à recouvrir des signifiés multiples découle de la capacité de reconversion de la pensée symbolique qui contraste de manière absolue avec l'inertie relative propre à l'existant. A quoi renvoie cette forme contrastée de subversion sociale qui consiste soit à traiter la réalité comme un univers de signes — la conséquence directe peut en être la terreur qui vise à la disparition des anomalies du réel, répondant en cela à l'activité du logicien qui abandonne les symboles dont il estime ne plus avoir besoin — soit à faire de ces signes la réalité même, et à leur ôter toute fluidité, mouvement que les diverses formes de totalitarisme ont poussé jusqu'à l'absurdité : le signe se voit alors chargé de toute la rigidité de l'objet ; ne suffit-il pas d'avoir changé un mot de place pour être suspecté de vouloir renverser les institutions politiques ? Mais aussi loin que soit poussée cette rigidité, le signe n'en perd pas sa propriété essentielle (1), à savoir celle de signifier toujours plus qu'il ne dit (2).

Il est maintenant possible de faire le point en synthétisant les diverses données que nous avons jusqu'alors maintenues éparses.

a) L'engendrement d'un système conceptuel déterminé à partir d'une pratique sociale quelconque est insuffisant pour rendre compte de l'être même de ce système ; car ce qui s'articule au niveau sym-

---

mouvements d'opposition pour saisir cette extension progressive de la sphère de l'impureté et le fait que nécessairement elle finit par s'appliquer au corps révolutionnaire lui-même.

(1) Cf. à ce sujet l'ouvrage de LEO-STRAUSS, *Art of Writing*.
(2) Ces remarques n'ont rien d'incident car elles nous semblent définir un des aspects essentiels du marxisme, à savoir sa tendance à éliminer toutes les sources d'hétérogénéité au profit d'une vision unitaire du processus social. A cela correspond la coïncidence entre le prolétariat et l'être total de la société affirmée pour le capitalisme, comme la transparence qui serait le fait des sociétés socialistes.

bolique outrepasse toujours en raison des lois constitutives du signifiant, la réalité qui lui a servi de point de départ. Comme l'écrit Jean Piaget : « La sociogenèse des structures n'explique pas leurs fonctions ultérieures, parce que, en s'intégrant dans des totalités nouvelles, ces structures peuvent changer de signification. En d'autres termes, si la structure d'un concept dépend bien de son histoire antérieure, sa valeur dépend de sa position fonctionnelle dans la totalité dont il fait partie à un moment donné (1). »

b) Cette mise en système est le propre de l'intellect ; elle définit le passage de la nature à la culture, les cadres à l'intérieur desquels se développe toute praxis humaine ; la créativité qui se manifeste à ce niveau — même si elle dépend des multiples transformations de la vie sociale — possède une autonomie propre. Le fait de la réflexion n'est pas déductible et l'invention des solutions reste la forme fondamentale de l'évolution humaine.

c) De cette puissance systématisante de l'intellect découle une capacité permanente du signifiant à exprimer des réalités souvent contradictoires au prix d'*écarts minimes* (ce qui introduit dans les débats idéologiques une confusion de principe) qui contrastent avec *leur coût réel,* les conséquences qu'ils impliquent. L'inverse peut évidemment être tout aussi vrai.

d) Cette capacité renvoie au fait que la chaîne symbolique se trouve définie non parce qu'elle recouvre en un temps donné, mais par l'ensemble des contenus qu'elle pourra traiter, soumettre à sa logique première au prix de certains changements. Ainsi tout système symbolique — mythe, panthéon religieux, théorie politique — se présente comme un groupe de transformations, chacune d'entre elles se définissant par sa place dans le tout. C'est ce dernier qu'il faut donc retrouver même si toutes les modalités n'en sont pas actualisées. Ainsi l'opacité et la présence du réel s'opposent à la maniabilité et à la virtualité du symbole.

e) Et ce sont justement ces dernières caractéristiques qui sont recherchées lorsque les membres d'une société utilisent un tel instrument ; car elles impliquent une possibilité de surmonter les incompatibilités, de pallier les contradictions, de triompher du désordre qui est le propre de l'exercice de la pensée.

Or c'est en mettant à jour un tel hiatus entre la réalité sociale et son traitement symbolique que Marx parle d'idéologie dans le sens général du terme (2). Ne voit-il pas dans l'œuvre hégélienne une

(1) *Épistémologie génétique,* III, p. 213.
(2) Il n'est évidemment pas question de mettre en cause le sens restreint : utilisation de doctrines philosophiques, religieuses, etc..., à des fins politiques ou économiques précises ; de tels faits existent ; *ils ne sont pas la règle générale* ; et s'y référer est une entreprise vide de sens dès qu'il s'agit d'authentiques formes de pensée. Aussi nous a-t-il semblé impossible de confondre l'utilisation poli-

idéologie dans la mesure où il reproche à Hegel d'avoir déduit la rationalité sociale en laissant subsister au delà d'elle les mille formes d'irrationalité propres à la société capitaliste ; et ne propose-t-il pas, face à la métaphysique, à la religion ou aux théories politiques qui réalisent des transmutations artificielles de la réalité sociale, de tenir un discours qui révélerait à la fois la racine humaine de ces édifices logiques et la manière dont elle s'est trouvée voilée.

Le problème des rapports entre infrastructure et superstructure n'a donc pas une simple signification épistémologique ; il touche à ce qui peut être légitimement recherché par l'action humaine, parce que correspondant à la nature même du champ à l'intérieur duquel elle se déroule.

Constatons tout d'abord que l'opposition entre langage et réalité qui semble s'imposer ici ne recoupe que très indirectement celle entre infrastructure et superstructure. L'infrastructure — Marx n'emploie d'ailleurs que très rarement ce terme et parle de la base de la société sur laquelle s'élèvent diverses constructions secondaires — ce sont les rapports de production ; et la superstructure comprend aussi bien les différents types d'institutions politiques que le droit, la religion, la métaphysique. Ce que nous appelons langage n'entre donc que pour une part dans ce qui est recouvert par le terme super-structure. Or pour l'ensemble des raisons données précédemment, cette dichotomie, introduite entre paliers de la réalité sociale nous semble insoutenable ; rien ne peut fonder les priorités ainsi dévoi-lées sinon le processus historique qui nous livre une série de ren-vois permanents où les causes se convertissent en effets et inverse-ment.

La distinction entre langage et réalité — la seule dont nous dis-cutons maintenant — ne se réfère par contre ni à une antériorité temporelle, ni à une prééminence logique, l'une n'étant que le reflet de l'autre. Le seul critère discriminant reste la différence de traite-ment des éléments — êtres réels dans un cas, signes dans l'autre — impliqués à l'un et à l'autre niveau. Réversibilité des opérations, convertibilité des données les unes dans les autres, existence d'un

tique d'une doctrine, l'élaboration précise de thèmes particuliers en rapport avec telle forme de demande sociale et le système intellectuel qui est ainsi traité et du sein duquel surgit cette série secondaire. Ce sont toujours des spécifications d'un système symbolique qui sont utilisées à des fins idéologiques et jamais le système dans sa totalité. Inversement il est illusoire de croire qu'une doctrine puisse être élaborée qui soit telle qu'elle exclue toute utilisation idéologique. L'écart entre les règles qui la définissent et les contenus qu'elle peut subsumer existe toujours à l'état potentiel, permettant, aussi grandes que soient les précautions prises, une distorsion du sens qui jouera le rôle de voile. A cet égard l'histoire du mar-xisme fournit un exemple étonnant ; il est frappant de constater combien peu les exigences les plus radicales de libération qu'une doctrine politique ait jamais mises en avant ont empêché ceux qui s'en réclamaient de légitimer toutes les formes de terreur et d'exploitation sociale, à la belle époque du stalinisme.

champ signifiant dont les termes peuvent en un même temps être contradictoires et qui seul pourtant donne valeur à chacun d'eux, autant de traits qui permettent d'opposer au niveau psychologique activité motrice et activité symbolique, au niveau sociologique les institutions et les comportements des groupes sociaux aux modèles forgés à ce propos par ces mêmes groupes. De ce point de vue l'activité politique est tout aussi infrastructurelle que l'activité économique ; et c'est un problème tout à fait différent de celui dont nous débattons ici que de se prononcer sur leurs rapports.

Cependant certaines dimensions valent pour les uns et les autres : ainsi dans tous ces cas la priorité temporelle est impossible à affirmer de manière absolue ; l'histoire illustre une interférence permanente de leurs logiques respectives. Affirmer comme le fait Lucien Goldmann (1), qu'il n'y a pas d'histoire autonome de la philosophie, de l'art ou de la religion, mais seulement une histoire totale fait de ce point de vue disparaître la difficulté : en effet la dépendance du concept à l'égard de ce qui lui est extérieur, n'exclut pas qu'une fois constitué, il se trouve régi par une téléologie interne qui commande toute réfraction du contenu à travers eux. En ce sens la dépendance ontologique postulée comme allant de soi masque le véritable problème. Certes, lorsque je pense, je pense toujours quelque chose ; l'activité intellectuelle trouve dans une réalité extérieure à l'esprit, à la fois son champ d'application et le matériel qu'elle utilisera pour donner un support à ses opérations ; il est donc possible d'insister sur le fait qu'elle est toujours postérieure et que « la chouette de Minerve ne se lève qu'au crépuscule », mais cela vaut évidemment pour toute œuvre y compris la *Cité du Soleil* de Campanella ou l' *Utopie* de Thomas More qui décrivent un tout autre monde que celui qui nous est donné. C'est que la pensée n'est jamais reflet et qu'elle soumet l'objet à un ensemble de transformations ; ainsi se manifeste à la fois son pouvoir de filtre et la productivité logique qui est la sienne ; en soumettant les contenus initiaux à un ensemble de remaniements, elle peut surmonter les contradictions réelles et développer ce qui n'était qu'esquissé par l'existant.

Dans cette perspective rien de plus ambigu que ce concept de réification intellectuelle (2) que Marx utilise pour désigner les phénomènes d'inversion qui, dans telle ou telle doctrine, font de la réalité sociale un simple appendice de l'Idée religieuse, métaphysique ou logique. C'était déjà là tout le sens de sa critique de l'Hégélianisme et tout spécialement de la Philosophie du Droit. Or il est

(1) *Sciences humaines et Philosophie.*
(2) Georg LUKACS a donné à ce concept une place essentielle dans *Histoire et Conscience de classe.*

essentiel de voir que cette inversion, dans certains de ses aspects au moins, *est directement liée à l'exercice même de l'activité symbolique*. Celle-ci soumet en effet ce qui est à une série d'opérations qui intègre le réel à un système où il se trouve défini par sa relation à une multiplicité de possibles avec lesquels il est à la fois en corrélation et en opposition ; et cela même si certains de ces possibles ne seront par la suite jamais réalisés. Penser une langue suppose que toutes les langues possibles puissent en leur principe au moins être mises en relation avec elle. Cette mise en corrélation suppose une phase *empirique* (analyse d'un nombre suffisant de langues pour que tous les éléments qui constituent le champ où se déploie l'activité linguistique puissent m'être connus) et une phase proprement *déductive* : à partir de ces éléments de base je peux *a priori* réaliser tous les types possibles de combinaisons, j'anticiperai alors et sur les découvertes ultérieures et sur ce que le réel lui-même ne pourra jamais me fournir. Il y a plus : les langues réelles — une fois cette entreprise menée à bien — m'apparaîtront comme autant de réalisations d'un système logique qui leur préexiste. L'analyse empirique est bien première, mais elle s'achève en droit lorsque la réversibilité devient possible, c'est-à-dire lorsque je peux déduire la réalité empirique à partir du traitement formel de la matière ainsi obtenue. Chaque langue apparaît comme actualisant d'une manière spécifique les propriétés qui définissent l'idée même de langue.

Se référer ici à la simple méthode scientifique n'a rien de superflu ; car l'œuvre hégélienne est, dans un de ses aspects au moins, mise à jour des conditions de possibilité de tout savoir portant sur l'histoire humaine considérée comme une totalité. A cet égard la « fin de l'histoire » équivaut d'abord à poser la possibilité même de la réversibilité. Non pas que les temps à venir n'impliqueront pas innovation et transformation, mais il ne s'agira là que de la réalisation de certaines virtualités que le déroulement passé et présent de l'histoire universelle me permet actuellement de penser. Une fois l'objet parvenu à maturité, je peux repartir de la forme ainsi achevée et en déduire les moments antérieurs et postérieurs. Il n'y a donc de science que de l'ensemble du processus historique, la Phénoménologie de l'Esprit ayant justement pour fonction de dévoiler le processus de dissolution des figures particulières qui prétendent limiter la vérité à un seul point de la chaîne. Cette dissolution opérée, l'inversion devient concevable, les diverses sociétés apparaissant comme autant de moments de la réalisation de l'Idée.

Or Marx critique cette procédure à un double titre ; il y voit à la fois une négation de la genèse réelle au profit de la genèse idéale et une méconnaissance des véritables priorités, l'activité intellectuelle apparaissant comme antérieure à la praxis réelle des individus

et des groupes sociaux. Cette critique met en jeu deux types d'opérations que nous qualifierons tout à fait conventionnellement de
traitement « horizontal » et de traitement « vertical » de la réalité ;
le fait à expliquer se trouve dans le premier cas défini par un certain nombre d'éléments ;   de ces éléments je construis les différentes permutations possibles, la signification de l'une quelconque
d'entre elles restant indéchiffrable si je n'obtiens pas la totalité du
système ; les diverses variantes ainsi mises à jour restent cependant
toutes du même ordre ; dans le second cas par contre, la comparaison porte sur des réalités d'ordre différent ;   pour être valable
elle suppose que la première opération ait été menée à bien (1) ; ce
sont donc non pas des collections de faits empiriques qui sont confrontées mais des ensembles pourvus d'une structure, la recherche
portant sur la construction d'un langage commun permettant de
penser la relation de ces deux plans initialement distingués par
l'analyse. De fait, en poursuivant l'étude de ce qui est impliqué par
ces deux modes d'élaboration conceptuelle, nous nous situerons à
un niveau où le débat Hegel-Marx prend toute sa spécificité ;   et
cela dans la mesure où il reste lié à un usage encore insuffisant de
catégories dont la complexité nous apparaît plus précisément au
bout d'un siècle de développement scientifique. C'est par le second   problème que nous commencerons, le traitant à partir d'un
exemple précis, celui des mythes d'émergence des indiens Keresans
du Nouveau-Mexique (2).

L'organisation socio-politique des Indiens Acoma (3) est fondée
sur une dualité essentielle entre les pouvoirs du cacique et ceux du
chef de guerre (nommé encore chef de l'extérieur, ou chef de la
brousse). Le cacique est l'homme le plus important du pueblo,
nommé à vie il remplit donc sa fonction de sa sélection à sa mort et
appartient toujours au même clan, celui de l'antilope ;   ses tâches
sont définies avec précision et sont caractérisées par une priorité
du rôle du « prêtre » sur celui du chef ; il prend les décisions essentielles, celles qui mettent en jeu la vie de la communauté dans son
ensemble, abandonnant les problèmes multiples que pose l'existence quotidienne aux autres « magistrats » ;   c'est lui qui fixe la date
des cérémonies, nomme tous les personnages officiels et instruit les
chefs de guerre de l'usage de leurs instruments sacrés. Sa tâche primordiale est de promouvoir le bien-être de son peuple ;   il incarne

(1) On voit par là combien sont périlleuses les théories générales qui portent
sur le rapport entre « réalité sociale » et « faits idéologiques » sans être sûrs d'être
en possession de l'ensemble du système qui permet d'interpréter l'un et l'autre.
(2) Ces remarques résument certains résultats d'un travail mené sur l'ensemble
de ces mythes, travail qui fera l'objet d'une prochaine publication.
(3) Cf. Leslie WHITE, *The Acoma Indians* (Annual Report of American Bureau
of Ethnology, 1932) et *New material from Acoma*, 1942.

une tradition qui est sacrée, mais lui-même vit comme tout le monde, à l'exception du fait qu'il ne travaille pas la terre, le peuple la cultivant pour lui. Dès qu'un cacique est nommé, son successeur est désigné, ce qui exclut une rupture brusque à la mort du cacique. L'élection cependant doit être ratifiée ; lorsque s'effectue le véritable passage, il y a donc un interrègne qui dure un certain temps et au cours duquel le successeur présumé assure l'accomplissement normal de la fonction. Le cacique sait ce qui s'est passé aux origines, comment l'humanité a été créée et à travers quelle histoire les Acomas sont parvenus à leur état actuel ; il exerce sa fonction solitairement, ses aides étant réduits au minimum ; il a la charge de la principale confrérie, celle des Katchinas, divinités que les hommes personnifient en portant des masques dont les modèles leur ont été donnés par les dieux eux-mêmes.

Tournons-nous maintenant vers les chefs de guerre, ils sont nommés pour une période d'un an et sont aidés par dix petits chefs qui sont désignés en dehors de toute affiliation clanique. Ils sont très proches des hommes du village, servant de messager entre eux et le cacique ; ce sont des êtres mobiles par excellence qui montent la garde autour du village et ont la responsabilité de l'espace, alors que le cacique vit au centre du village, bouge fort peu et apparaît associé à la maîtrise de la fonction temporelle ; ce sont les chefs de guerre qui prennent les décisions quotidiennes et surveillent le comportement de chacun ; aussi leur pouvoir coercitif est-il plus marqué et ont-ils le droit de punir ; leur lien à la société des guerriers est attesté en toute occasion et leur activité, de par son caractère combatif, s'oppose à la quiétude propre au cacique, comme la « matérialité » à la « spiritualité » ; ce sont eux d'ailleurs qui assurent l'organisation collective du travail des hommes sur la terre du cacique. Leur cérémonie d'intronisation qui dure une quinzaine de jours — celle du cacique est plus courte — est caractérisée par une série de voyages dans chacune des quatre directions, un jour étant consacré au nord, un autre à l'ouest, etc..., ce cycle de mouvements se répétant une seconde fois au cours de la cérémonie.

Reportons-nous maintenant au mythe d'émergence de ces mêmes indiens (1). A l'origine de l'humanité deux sœurs Iatiku et Nautsiti qui vivent dans le monde souterrain et émergent à la lumière au bout d'un certain temps de croissance ; ces deux sœurs s'opposent l'une à l'autre de plus en plus profondément à mesure que le mythe se déroule. Iatiku est associée à l'agriculture, au respect à l'égard des végétaux, à l'ordre, à l'obéissance, au sacré, au temps, Nautsiti est associée à la chasse, à l'espace, au désordre, à une certaine indifférence à l'égard du sacré, à la désobéissance.

(1) STIRLING : *Origin myth from Acoma*, publication du « Bureau of American Ethnology », n° 135.

L'opposition est poussée si loin que les deux sœurs ne pourront pas vivre ensemble ; elles se sépareront divisant l'humanité en deux tronçons distincts : Iatiku est la mère des Pueblos, Nautsiti la mère des indiens nomades (Navahos, Apaches, etc.) (1). Après cette dichotomie fondamentale, Iatiku entreprend d'instaurer les diverses institutions et fonctions qui permettent à la société humaine de vivre après son départ. Le premier officiel qu'elle nomme est le cacique qui la représente directement, qui est en contact permanent avec elle et dont les fonctions supposent l'exercice des qualités mêmes qui sont le fait de Iatiku ; le chef de l'extérieur est congru à Nautsiti ; comme elle, c'est un être mobile, lié à la brousse, et quelque peu éloigné de la sphère du sacré.

Ainsi la dichotomie de fonctions est rapportée à une dualité originelle qui est celle des êtres qui ont engendré l'humanité. Tel est du moins le schéma que développe le mythe. Mais pour l'analyse ethnologique la relation s'inverse naturellement ; car l'opposition entre les deux sœurs est pour la pensée mythique un moyen de coder les champs sémantiques hétérogènes auxquels est confronté l'exercice de la souveraineté. Un ordre de causalité est d'autre part impliqué d'emblée par la nature même des éléments mis en cause ; il est exclu que Nautsiti et Iatiku soient antérieures — sous la forme qui est la leur dans le mythe — au cacique et au chef de guerre ; la différence entre réalité et langage implique dès que cette réalité est traitée par le langage, la postériorité de celui-ci sur celle-là. A ce niveau de l'analyse, la distinction entre infrastructure et superstructure — étant admis l'usage conventionnel de ces termes qui n'est pas celui de Marx — a valeur opératoire ; car elle s'appuie sur la nature même des domaines mis en cause. Ce qui importe c'est de savoir si à un autre niveau cette distinction ne s'effacera pas.

Remarquons tout d'abord que si le mythe correspond à la réalité sociale, les solutions choisies dans l'un et dans l'autre cas divergent ; les deux sœurs ne peuvent pas continuer à vivre ensemble et leur disjonction est si violente que chez les Sia et les Cochiti, voisins des Acomas, elle aboutit à un combat mortel au cours duquel Nautsiti est tuée. Par contre le cacique et le chef de l'extérieur appartiennent à la même société ; ils accomplissent leurs tâches particulières dans le même temps, comme si ce qui n'avait pas été concevable au niveau mythique — la coexistence des deux sœurs — se révélait acceptable au niveau réel. Pour rendre compte de cette

---

(1) Dans certaines versions, l'opposition ne s'établit plus entre agriculteurs (Pueblos) et chasseurs et collecteurs (nomades) mais entre les indiens pris dans leur totalité et les Blancs dont Nautsiti est alors la mère.

disparité, c'est peut-être la référence tout à fait curieuse ici à Descartes qui s'impose avec le plus de pertinence : en droit l'âme et le corps s'excluent ; en fait elles se trouvent réunies en l'homme, constituant véritablement une troisième substance dont on ne peut que reconnaître l'existence sans pouvoir la penser. Ainsi se trouve marquée la non-concordance entre les exigences de l'intellect et les nécessités de l'existant. Or c'est une non-correspondance du même ordre que développe le mythe ; ne semble-t-il pas affirmer que si la vie bonne ne peut être que celle que promet Iatiku, une société réelle, confrontée à des difficultés multiples, doit pourtant faire place à ce qui a été éliminé sur le plan proprement conceptuel. Le mythe code donc bien la différence entre les deux formes de souveraineté, mais la manière dont il le fait n'est pas tout entière impliquée par l'organisation réelle du pouvoir. Le schème logique qu'il met en œuvre possède une autonomie dont ne rend pas compte l'analyse de l'infrastructure. On peut évidemment se demander à quoi se réfère une telle priorité dans l'ordre des valeurs ; on sera alors renvoyé à d'autres aspects de la vie sociale et culturelle ; mais là s'ouvre une série de références à des au delà qui est incapable de fonder une quelconque prééminence ontologique.

Il faut cependant aller plus loin : l'écart entre l'institution et le mythe ne doit pas cacher que l'un et l'autre sont la mise en œuvre du même schéma logique qui se manifeste à des niveaux différents — la différence de solution étant directement liée à la nature particulière des éléments mis en jeu à chacun de ces niveaux — la convertibilité réciproque du langage et du réel n'étant concevable qu'au profit de l'intellect. En effet dès qu'on essaye de caractériser précisément l'opposition entre cacique et chef de guerre ce sont à autant de couples de concepts antithétiques auquel on parvient, concepts que par ailleurs le mythe traite sous des formes variées. Le rapport entre ces deux formes du pouvoir peut en effet se caractériser comme opposition entre :

Temps	Espace
Continuité de la fonction	Discontinuité
Centralisation	Éparpillement
Sacré	Profane
Théorique	Pratique
Agriculture	Chasse et Guerre
Végétal	Animal

Ces oppositions le mythe nous en décrit la genèse, les transformations, les antinomies ; et il le fait avec une liberté extrême — de par la maniabilité propre au signe — mais les institutions réelles qui en un premier temps se donnaient comme praxis véritable du groupe social par rapport auquel mythes et rituels apparaissent comme des constructions secondes, fruits d'une élaboration intellectuelle relativement extrinsèque à ce à quoi elle s'applique, se révèlent tout autant pétries d'intellect que les formulations idéologiques.

C'est qu'il est vain de chercher une réalité qui soit à la fois de l'ordre de la culture et qui ne puisse être traduite en termes d'activité intellectuelle ; car les individus, ou les groupes sociaux luttant les uns contre les autres, transformant la nature, organisant leur propre vie en commun mettent en jeu un système de concepts qui n'est jamais le seul possible et qui définit la forme même de leur action. A ce niveau la distinction entre infrastructure et superstructure s'efface car les rapports économiques, sociaux, politiques comme les théories qui en rendent compte au sein d'une société déterminée sont tout autant produits de l'esprit. Ce n'est pas entre la réalité des comportements et la particularité des opérations de l'intellect que doit être établie l'opposition, mais entre des degrés différents de l'activité intellectuelle (1). Qu'on ne voie là nulle trace d'idéalisme ; mais la constatation d'un fait décisif : au delà des déterminismes du corps nous entrons dans ceux de l'intellect que l'évolution biologique a rendu possibles, et ceci qu'il s'agisse de comprendre la fabrication d'une hache, l'invention de la machine à vapeur, ou la construction de tel ou tel système philosophique. La convertibilité des différents niveaux de la réalité sociale n'est concevable que dans la mesure où la culture tout entière s'enracine dans un ordre qui lui est antérieur, ses différents aspects impliquant dans leur variété l'effort réalisateur de l'esprit humain.

On comprend pourquoi toute théorie affirmant la prédominance de l'un de ces plans, qu'il soit économique, politique ou religieux — — est d'emblée en porte à faux ; non seulement la détermination des priorités conduit à d'insurmontables contradictions méthodologiques, mais les « portions de réalité » qu'elle isole tendent à perdre leur autonomie à un certain moment de la recherche, cette autonomie qu'un autre moment leur avait accordée. Pour que l'infrastructure soit « cause » de la superstructure, il faut encore qu'elle en soit distincte. Or cette distinction n'est pas directement donnée par le réel ; les hommes en agissant synthétisent une pluralité de plans que je ne dissocie que par une opération qui introduit une certaine marge d'arbitraire, mais qui est éminemment féconde dans la mesure où je cherche à mettre à jour l'ordre qui régit cette activité.

---

(1) En ce sens l'opposition, valable au niveau psychologique entre activité sensori-motrice et activité intellectuelle, n'a pas d'équivalent sur le plan sociologique, la culture se caractérisant en particulier par une mise en forme toujours renouvelée de cette activité sensori-motrice.

Seulement cette dissociation sera abolie dès que ce sont les *ordres eux-mêmes* que je m'efforcerais de penser ; ils m'apparaîtront alors comme autant de réalisations d'un vaste système de transformations dont la structure doit être déchiffrée au delà de la variété des contenus.

C'est peut-être Spengler qui a le mieux marqué la vacuité de l'opposition entre théorie matérialiste et théorie spiritualiste de l'histoire :

« Disons carrément qu'il y a une manière matérialiste et une manière idéologique de voir l'antiquité. Les partisans de la première déclarent que la descente d'un plateau est causée par la montée de l'autre. Ils démontrent — sans doute de façon péremptoire — que cette règle ne souffre point d'exception. Nous trouvons donc chez eux la cause et l'effet et — naturellement — les faits sociaux et sexuels, en tout cas purement politiques, représentent les causes, les faits religieux, spirituels, artistiques, les effets... Inversement, les idéologues démontrent que la montée d'un plateau résulte de la descente de l'autre et ils le prouvent avec la même exactitude. Ils s'abîment dans les cultes, les mystères, les rites, les secrets du vers et de la ligne, et jugent la vie triviale quotidienne, conséquence pénible de l'imperfection terrestre, à peine digne d'un regard oblique. Alors, la série des causes étant aperçue distinctement, chacun montre que l'autre ne voit pas, ou qu'il ne veut pas voir, la cohésion manifeste des choses, et il finit par traiter son adversaire d'aveugle, de léger, d'idiot, d'absurde ou de frivole, de drôle et d'original ou de vulgaire philistin (1). »

Certes les formules spenglériennes sont empreintes d'un intuitionisme qui ouvre la voie à tous les abus, mais le caractère hasardeux des équivalences établies ne doit pas faire perdre de vue qu'il s'agit de forger des moyens rigoureux de les établir.

Or ceci implique à titre de démarche première la reconnaissance de l'existence d'une pluralité d'échelles permettant de conceptualiser le donné empirique ; les problèmes comme les méthodes utilisées pour les résoudre étant liés spécifiquement à un niveau particulier, toute confusion de domaine est génératrice d'ambiguïtés : les notions d'infrastructure et de superstructure qui peuvent avoir un sens — du moins en droit — tant qu'on s'arrête à la variété des contenus — perdent de leur valeur lorsque c'est le type d'organisation de ces contenus qui est explicitement pris pour objet ; car même si le langage est postérieur à la réalité qu'il code, le schème que le langage développe sur un mode épuré est celui-là même qui rend compte de l'organisation de la réalité. Le couple Iatiku-Nautsiti

(1) *Le Déclin de l'Occident*, p. 40-41.

et les attributs qui lui sont conjoints apparaissent comme mise en forme d'une opposition réelle entre deux types de pouvoir ; mais c'est la même logique qui est à l'œuvre et dans le texte religieux et dans les institutions politiques, le système intellectuel considéré apparaissant alors comme premier par rapport à ses spécifications.

Certes les relations ainsi introduites sont le fait de la démarche scientifique ; mais ceci n'implique nulle forme de subjectivisme. La multiplicité des échelles et leur emboîtement sont liées aux dimensions et à la nature même du phénomène envisagé ; en effet le passage d'un plan à un autre est une entreprise qui obéit à des règles très strictes ; en prenant pour point de départ la réalité immédiatement présente, on peut dire qu'elle sera soumise à une série d'opérations qui toutes marqueront un progrès dans la formalisation et donc dans l'universalisation permettant du même coup la comparaison entre domaines que jusqu'alors l'hétérogénéité de matière faisait apparaître fort éloignés l'un de l'autre ; mais le contenu abandonné à chaque étape doit être homogène (je dois laisser de côté des éléments du même ordre) et exhaustif (je ne peux pas mettre hors jeu certaines données et en utiliser d'autres de nature identique). A travers le chevauchement des échelles, c'est donc à une véritable dissociation de l'objet à laquelle nous assistons, révélant sur un plan vertical et non plus horizontal, les origines et la qualité différente de ses constituants.

Ceci apparaîtra plus clairement dans la suite de notre analyse des mythes d'émergence Pueblos. L'organisation sociale des Tewa (1) (Pueblos qui se trouvent à l'est d'Acoma) présente d'importantes différences par rapport à celle des Keresans. Parallèlement au déclin de l'institution clanique qui n'est plus ni l'unité exogamique classique existant chez les autres Pueblos, ni l'un des moyens termes essentiels entre la société prise comme un tout et les diverses fonctions socio-cérémonielles, apparaît au premier plan un système de moitiés qui est un véritable substitut dans la conscience indigène du système clanique ; un informateur ne déclare-t-il pas : « A San Juan il n'y a pas de clan mais nous avons le peuple de l'été et le peuple de l'hiver. » Les moitiés cependant ne sont pas des moyens de réglementer les mariages ; par contre, c'est en fonction d'une telle division que prend forme le pouvoir politique puisque la charge de cacique est dédoublée ; il existe en effet deux caciques, un par moitié, chaque moitié prenant en charge pendant une durée de six mois l'ensemble de la vie cérémonielle et politique du pueblo. De novembre à avril le chef de l'hiver a la charge de tout le peuple ; de mai à octobre c'est le chef de l'été qui remplit ce rôle. Entre les

(1) PARSONS : *The social organization of the Tewa of New Mexico*, Mém. 36, American Anthropological Association, pp. 1-309.

deux caciques, il n'y a aucune priorité ; ils sont de rang identique, chacun gouvernant exclusivement pendant sa période.

Les deux moitiés sont évidemment associées à un ensemble de notions antithétiques ; c'est tout l'univers — soleil, lune, étoiles, montagnes, nourriture, jeux, etc. — qui est ainsi divisé. La moitié de l'été est sud, le nord étant associé à la moitié de l'hiver ; la moitié de l'été est courge, l'autre est turquoise. La féminité est conjointe au peuple de l'été dont le chef est appelé « Mère Vieille Femme », la virilité au peuple de l'hiver dont le cacique est appelé « Père Vieille Femme ». Ainsi les gens de la moitié de l'été sont des femmes, ceux de la moitié de l'hiver sont des hommes. Cette opposition qui traverse toute la vie des cinq villages Tewa tend à reléguer au second plan le rapport entre le cacique et le chef de guerre qui à Acoma avait une telle importance : nombre des traits distinctifs relevés précédemment disparaissent alors : personne ne travaille plus la terre pour les caciques ; d'autre part ils ont plusieurs aides dont le nombre est souvent supérieur à celui des aides du chef de guerre ; à San Juan la cérémonie d'intronisation dure près d'un an ; et à cet éclatement de la fonction temporelle qu'implique la dualité de la chefferie et le partage de l'année en deux périodes qualitativement dissemblables, correspond la maîtrise respective des caciques sur l'espace environnant ; ainsi ils se partagent les montagnes et les divinités suivant qu'elles sont localisées dans telle ou telle direction. Non pas que les chefs de l'extérieur n'existent pas, mais ils sont plus directement associés à la fonction militaire, ne se donnant en aucun cas en position d'assurer le pouvoir total.

Or les deux sœurs se retrouvent dans les mythes d'émergence Tewa (1) où elles ne manquent pas de jouer un rôle important ; mais elles sont les mères respectives du peuple de l'été et du peuple de l'hiver, chacune patronnant l'une des moitiés. Le schéma dualiste que développe le mythe est alors conforme à l'organisation dualiste de la société ; et ce sont les Dieux de la guerre qui donnés en opposition aux deux sœurs seront les chefs des nomades (2). Il en découle un déroulement tout à fait autre du récit mythique.

Tout d'abord les deux sœurs ne se sépareront pas mais resteront unies jusqu'au terme de la migration humaine, chaque cacique possédant aujourd'hui le fétiche de la mère du peuple qu'il dirige. Ce refus de la dichotomie, ce n'est pas nous qui le constatons ; il est explicitement mentionné ; en effet le mythe Tewa contient un

---

(1) Parsons, *op. cit.*, p. 142-150.
(2) Les Dieux de la guerre se retrouvent chez tous les pueblos et donc à Acoma où leur couple s'oppose à celui des deux sœurs ; le chef de l'extérieur leur est associé comme il l'est à Nautsiti. Ainsi l'opposition se situe à un double niveau : les deux paires sont données en position antithétique, les termes de chaque paire se faisant à leur tour vis-à-vis de la même manière.

épisode qui est l'incontestable équivalent du combat entre Iatiku et Nautsiti chez les Keresans : au cours de leur marche vers le centre du monde, les hommes s'aperçoivent que l'une des deux mères est mauvaise ; c'est exactement là la situation à laquelle nous ont confrontés les mythes Keresans ; mais la solution choisie est tout à fait opposée ; ce n'est pas à un combat auquel nous assistons, mais à une opération chirurgicale qui remplace les mauvais objets qui se trouvent dans l'estomac de la mère Été par de bons objets. La conjonction entre les deux femmes reste alors possible, l'humanité reprenant sa route dans de bonnes conditions.

D'autre part les mères sont bien moins individualisées que dans les mythes Keresans ; elles ne portent pas de nom personnel et ce sont à la fois des personnages réels et des fétiches les représentant, ce qui était inconcevable à Acoma où le passage de la divinité à sa symbolisation était un processus à la fois complexe et dramatique ; c'est que l'individualisation des êtres mythiques était indispensable à Acoma pour marquer l'écart entre la solution mythique et la solution réelle dont le mythe décrivait par ailleurs l'instauration. C'est parce que Nautsiti existe véritablement qu'elle peut s'en aller en emmenant son peuple, et c'est dans la mesure où ce départ devient inutile qu'elle ne porte même plus de nom chez les Tewa.

Ceci explique aussi pourquoi le mythe Tewa commence par poser l'existence des hommes alors que les mythes Keresans nous relataient d'abord la naissance et la croissance des deux sœurs ne faisant apparaître l'humanité que bien plus tard ; c'est que dans la mesure où la divergence entre les solutions se manifeste nécessairement diachroniquement (la disjonction des deux sœurs, la conjonction du cacique et du chef de guerre ne peuvent évidemment pas être données simultanément), l'humanité ne peut être que seconde, l'inverse n'ayant absolument aucun sens.

Le schéma mythique et l'organisation réelle de la société sont donc bien plus conformes l'un à l'autre chez les Tewa que chez les Keresans ; mais la confrontation des deux cultures permet d'établir que si les mythes ne se recoupent pas en ce qui concerne les solutions choisies (l'une des mères est éliminée dans un cas, les deux mères sont conservées dans l'autre), ils restent fondés sur la même structure logique (existence de paires dont les termes, en position antinomique sont associés à des valeurs opposées), les mêmes signifiants permettant de coder des réalités au premier abord fort éloignées l'une de l'autre.

De fait l'analyse doit se dérouler à un triple niveau : le premier, le plus formel, touche au système logique que Tewa et Keresans mettent en œuvre dans leurs sociétés aussi différentes soient-elles, les diverses oppositions ne se développant qu'en obéissant à cer-

taines formes qui se manifestent dans des domaines variés. Au second niveau, c'est la structure qualitative des oppositions qui sera
prise en considération ; la distinction sera alors introduite dans la
mesure où chaque culture en réalisant une combinaison spécifique
des mêmes termes tant sur le plan réel que sur celui de l'exercice
de la fonction symbolique valorise certains éléments, en rejette
d'autres au second rang, etc. Enfin à un palier supérieur sera discutée l'hétérogénéité des solutions réelle et idéelle et la marge de
distorsion qu'implique le passage d'un domaine à un autre domaine.

Sous quelles formes nous sont apparus ces trois moments au cours
de nos remarques précédentes ; à la mise à jour du système logique
a correspondu l'analyse d'un schéma dualiste qui, présent chez tous
les pueblos orientaux, tend à définir chaque terme par son rapport à
un autre terme de même nature, les relations en miroir étant ainsi
privilégiées : la réalité qualitative que met en forme un tel schème
nous est livrée par l'opposition entre Agriculture-Chasse, Temps-
Espace, Continuité-Discontinuité, qui a été développée plus haut.
Enfin ce schème se réalisant imparfaitement en fonction des champs
auxquels il s'applique et des sociétés dans lesquelles il se manifeste,
se fait jour la possibilité permanente d'une dysharmonie, la société
réelle devant faire place à ce qui a été exclu au niveau conceptuel.

Les trois plans ainsi distingués permettent de rendre compte aussi
bien d'Acoma que de Tewa. A Acoma le schéma dualiste met en
forme l'opposition entre A (Temps, Agriculture, etc.) et B (Espace,
Chasse, etc.). Résultat net : l'hétérogénéité est trop forte pour que
le rapport duel puisse être maintenu au niveau conceptuel ; et la
dissociation entre Iatiku et Nautsiti tend à valoriser le contenu des
oppositions plutôt que la forme qui est la leur. Les Tewa par contre
procèdent de manière différente ; ils conservent la dualité en reléguant en un registre secondaire la réalité qualitative des oppositions,
la dualité se trouve donc introduite au sein d'un seul des termes,
à savoir celui qui a la plus forte connotation positive, A qui se
dédouble, les mêmes signifiants (les deux mères de l'humanité)
servant en un cas à coder l'opposition entre A et B, en un autre cas
la structure dualiste de A.

Cette transformation du récit mythique n'est évidemment concevable que sur la base d'une modification de la réalité sociale elle-
même ; le rôle que jouent les deux sœurs à Acoma et à Tewa envoie
respectivement à l'opposition entre le cacique et le chef de guerre
d'une part, à l'organisation dualiste de la chefferie d'autre part ;
mais ceci n'ôte rien de sa valeur au fait que ces deux types d'institution mettent en jeu les mêmes procédés logiques que ceux que le
mythe nous a permis de dégager dans toute leur pureté. En ce sens
réalité sociale et idéologies apparaissent comme autant de réalisa-

tions particulières d'un même système intellectuel ; c'est ce système qui, à une étape au moins de la recherche, doit être pris pour objet d'étude ; les problèmes que pose sa conceptualisation sont d'un tout autre ordre que ceux qu'entraîne l'analyse des processus historiques à travers lesquels les choses sont devenues ce qu'elles sont.

Un autre exemple permettra de s'en rendre compte. Imaginons qu'un ethnologue des temps à venir soit en possession d'une monographie lui donnant une description complète de l'U.R.S.S. contemporaine ; les institutions politiques, les mécanismes économiques, les idéologies principales seront dévoilées dans tous leur détails ; par contre l'ouvrage se maintenant sur un plan rigoureusement synchronique et ne faisant aucune allusion aux événements qui ont précédé ceux dont l'auteur a été le témoin, notre ethnologue ne saura rien du devenir antérieur de la société soviétique ; il ignorera même si une telle société est née d'une révolution radicale ou d'une lente modification de toutes les institutions. Quelles sont alors les moyens qui sont en sa possession pour conceptualiser le phénomène et pour établir des priorités. De fait il abandonnera immédiatement tout espoir de reconstituer le passé manquant ; et cela en raison de l'impossibilité primordiale d'engendrer la diachronie à partir de la synchronie ; ce qui évidemment ne serait pas le cas si une quelconque forme de théorie « matérialiste » ou « spiritualiste » de l'histoire était acceptable. Plutôt que de s'aventurer dans la voie d'une reconstruction hypothétique dont l'histoire de la science ethnologique n'offre que trop d'exemples inconsidérés, il s'efforcera d'isoler au sein de la totalité sociale, une série de plans de fonctionnement relativement autonomes pour en déterminer les éléments constituants. Ainsi au triple niveau économique, politique, idéologique, il mettra à jour une centralisation extrême du pouvoir, une tendance marquée à l'unification des différents agents qui deviennent tous des salariés, un effort systématique pour éliminer l'imprévisibilité au profit d'une planification rigoureuse de tous les rouages de la vie sociale. Entre les diverses institutions économiques qui permettent l'établissement du plan et sa réalisation, le mode de fonctionnement du parti communiste et de l'état soviétique et les systèmes officiels à travers lesquels cette société se pense, il révélera l'existence d'un certain nombre d'équivalences (1) qui lui permettront de faire de ces diverses manifestations d'une même réalité globale, la réalisation d'une certaine conception de l'existence

_____

(1) « Équivalence » ne signifie évidemment pas qu'il n'y ait pas de transformations, d'inversions, etc., lorsqu'on passe d'un plan à un autre mais seulement que les mêmes prédicats permettront de rendre compte de ces différentes opérations.

sociale, d'un système intellectuel qui s'incarne de manière différente suivant les domaines.

Ce système comment s'est-il forgé ? il importe de voir qu'à une telle question il ne peut y avoir que des réponses relatives, fragmentées. Si notre ethnologue est marxiste il tendra à reconnaître la priorité du plan économique en affirmant que c'est là que se sont nouées les options décisives ; mais ce sera une hypothèse tout à fait gratuite ; que les faits cependant ne nous trompent pas : nous savons certes que c'est le processus inverse qui a eu cours ; le modèle idéologique — celui d'une société unifiée, gérée à partir d'un centre exclusif — est apparu en premier, guidant les révolutionnaires qui l'ont transposé sur le plan étatique, l'État à son tour impulsant le développement économique à partir des instruments ainsi créés ; mais ce n'est là qu'une vérité de fait ; il serait tout à fait concevable qu'une société se soit intégralement étatisée par des voies tout autres que celles de la société soviétique ; la construction de Burnham, anticipée par Engels dans l'*Anti Dühring*, suppose une priorité très nette de l'économique sur le politique ; de plus le modèle idéologique qui est celui des révolutionnaires de 1917 transpose au niveau de la société globale certains aspects de l'organisation capitaliste de la production qui eux-mêmes renvoient à la rationalité que promeuvent les sciences de la nature (1). Sur le plan empirique aussi bien l'une que l'autre théorie pourrait dans certaines limites être validée, validation qui s'appuierait sur tout l'appareil d'investigation et de critique de la science historique. Le problème posé n'en serait pas résolu pour autant ; et cela pour des raisons de principe.

En effet il n'est pas possible d'envisager pour ce système intellectuel que j'ai saisi, sous-jacent à l'ensemble des paliers de la réalité sociale, une genèse qui soit homogène à son être actuel ; il s'est en effet instauré à travers un jeu multiple dont certaines formes remontent à plusieurs siècles tandis que d'autres font intervenir des données totalement hétérogènes à ce qui est ici en cause. C'est sans doute là que la dissymétrie entre méthode structurale et méthode historique atteint son amplitude maximum, l'une et l'autre ne se conformant à leur intention profonde qu'en prenant conscience de cet écart. Pour l'analyse structurale il s'agit d'abord de mettre en évidence la systématique des différents plans de la réalité sociale ; une forme est dégagée qui suppose à chaque étape de la conceptualisation l'abandon d'une matière qui lui reste extrinsèque ; ce sont donc des totalités qui sont visées. Or pour l'historien, aussi

(1) Il est évident qu'il ne faut voir dans ces remarques que de simples illustrations possibles, sans prétention scientifique ; ce sont elles cependant qui nous paraissent le plus probables.

profondes que soient les ruptures qu'il décrit, il n'existe jamais que
des modifications de détail impliquant l'interférence d'une pluralité
d'ordres. Entre les deux versions ainsi obtenues, il n'y aura donc
pas de coïncidence ultime, l'objet cependant ne pouvant être connu
que par le passage permanent d'une échelle à l'autre.

Continuons dans la voie tracée par l'exemple utilisé en supposant
que notre ethnologue soit en possession non seulement d'une étude
de la société soviétique, mais de la description d'une société capitaliste classique qui présente les mêmes particularités que l'ouvrage
précédent dans la mesure où elle ne contiendra aucune allusion au
passé de cette société ; de la même manière un modèle sera dégagé
qui mettra en évidence certaines homologies entre les domaines
économique, politique et idéologique, les uns et les autres étant
fondés sur la pluralité des centres de décision, l'hétérogénéité des
agents, l'institutionalisation de la compétition. Là encore l'histoire
ne pourra pas être retrouvée à partir de cette matière isolée hors
de toute détermination temporelle. Par contre, les deux modèles
ainsi obtenus pourront être confrontés.

Cette confrontation aboutira au même résultat que la précédente
formalisation, à savoir à la construction d'un méta-modèle qui fera
de la société capitaliste et de la société socialiste deux variantes d'un
même système dont les attributs généraux seront évidemment autres
que ceux qui caractérisent l'opposition entre les deux sociétés :
parler de variantes implique que l'une et l'autre ont été rendues
possibles par un même « choix » fondamental qui a consisté dans
l'application systématique de la science à l'industrie, la valorisation
de tous les modes de domination de la nature, l'importance grandis-
sante accordée à l'activité techno-économique ; et que les formes
d'organisation sociale qu'elles développent répondent au même
type de problèmes qu'elles résolvent de manière différente. Qu'il
s'agisse de « variantes » suppose d'autre part que soit forgé un
concept dont l'extension est plus réduite que ceux de capitalisme et
de socialisme. Ainsi l'Union Soviétique et les États-Unis sont tous
deux des sociétés industrielles ; ce dernier terme ne se spécifiant
que dans son opposition à un certain nombre de notions caractérisant des sociétés dont l'existence est fondée sur de tout autres
critères.

Toutes les variantes se situent d'autre part sur le même plan ;
ce qui signifie qu'elles ne peuvent pas être ordonnées l'une par
rapport à l'autre dans une perspective diachronique, aucune perspective cumulative ne pouvant alors être introduite. A partir des
deux modèles qui sont le résultat de son travail, le chercheur des
temps futurs ne pourra savoir ni si A est antérieur à B, ou l'inverse, ni si les deux formations sociales se sont développées simul-

tanément et indépendamment l'une de l'autre (1). Nous savons pour notre part qu'en Russie le capitalisme a été renversé par une révolution qui a réalisé une étatisation complète des moyens de production ; mais cet ordre que l'historien justifiera en reprenant toute l'histoire de la société russe, est extrinsèque à la structure des systèmes considérés ; je ne peux pas le déduire de la prise en considération de ces derniers. Pour qu'Histoire et Structure se recouvrent il faut alors que je fasse intervenir des éléments qui sont par nature extérieurs à la logique des ensembles qui sont ainsi considérés.

De ces axiomes extrinsèques à l'analyse et intervenant avec force de décision, l'histoire de la théorie des systèmes de parenté fournit un exemple classique et connu de tous. Lorsque Morgan donne son plein essor à cette théorie, il le fait dans une double voie : d'une part il met en évidence le caractère systématique de chacune des multiples terminologies répandues dans le monde ; d'autre part, alors que ces terminologies lui sont données simultanément — elles ont toutes été relevées dans des sociétés qui fonctionnent au moment même où il vit — il les ordonne en les situant l'une par rapport à l'autre sur un plan diachronique. La première démarche ouvre la voie à une investigation structurale, la seconde lui tourne résolument le dos.

Ce n'est pas un hasard si cet exemple vient ici à être discuté, car Engels et Marx lisant Morgan et reprenant ses analyses y trouvent une illustration de leur méthodologie propre. Pour l'ethnologue américain la relation entre les relations familiales réelles et les terminologies est du même ordre que celle entre infrastructure et superstructure. Les terminologies sont bien des systèmes de termes qu'il faut recenser dans toutes leurs modalités, termes qui permettent d'organiser l'ensemble des membres de la communauté en plusieurs classes, situées à des distances variables les unes des autres, la nature des rapports que les individus entretiennent entre eux, variant selon leur appartenance respective à telle ou telle classe. Mais cette mise en forme des relations sociales qui s'étend aussi bien aux prestations économiques et aux attitudes envers autrui qui sont la règle, qu'aux états affectifs qui colorent la vie quotidienne, apparaît à Morgan comme à Marx secondaire ; la véritable

---

(1) Ceci évidemment s'il s'agit bien de variantes du même système ; ce qui est notre opinion propre mais demande à être étayé scientifiquement. Cette thèse apparaît cependant comme la plus logique dans la mesure où nombre de pays sous-développés tendent vers une organisation de type socialiste sans passer par l'intermédiaire du système capitaliste. Mais rien de moins conforme à l'esprit de Marx que cette vision synchronique de l'opposition entre le capitalisme et le socialisme ; à ses yeux en effet il existe entre les deux une stricte relation d'antériorité ; seule garantie d'ailleurs de la supériorité du second sur le premier, le développement de la productivité du travail permettant en un temps déterminé et sans possibilité de retour le passage d'une société à une autre société.

fonction des nomenclatures de parenté n'est pas à chercher à leur niveau ; et il est même difficile de parler à leur propos de fonction ; car ce sont d'abord des reflets normalement adéquats — le décalage temporel explique seul la distorsion — d'une réalité sociale qui prend forme sur un autre plan. Aussi Engels cite-t-il ce texte de Morgan :

« La famille est l'élément actif ; elle n'est jamais stationnaire, mais passe à une forme plus élevée, à mesure que la société se développe d'un degré inférieur à un degré plus élevé. Par contre les systèmes de parenté sont passifs ; ce n'est qu'à de longs intervalles qu'ils enregistrent les progrès que la famille a faits au cours du temps, et ils ne subissent de transformation radicale que lorsque la famille s'est radicalement transformée. »

Et Marx ajoute de manière tout à fait révélatrice : « Et il en va de même pour les systèmes politiques, juridiques, religieux, philosophiques en général (1). »

On comprend dès lors dans quelle mesure une perspective historique peut s'imposer naturellement ; si les terminologies reflètent l'état réel des relations sexuelles, il suffit qu'un ordre puisse être introduit au sein de ces relations, pour que du même coup ils s'étendent aux systèmes eux-mêmes. Or pour Morgan comme pour Engels une telle logique existe sans la moindre ambiguïté : le passage n'a pu se faire que dans un seul sens : de la communauté totale des femmes à des unions de plus en plus individualisées ; certes de ce stade archaïque du développement de la famille, il n'existe pas de traces directes mais les terminologies le reflètent encore. Aussi ces dernières peuvent-elles être relativement datées.

Pourtant si Histoire et Structure semblent ici se confondre c'est dans la mesure où on a à la fois laissé de côté certaines caractéristiques essentielles du champ considéré et utilisé pour rendre compte de ce dernier des concepts appliqués arbitrairement. Les deux attitudes vont d'ailleurs de pair : car c'est en faisant des terminologies de parenté le simple reflet des relations familiales, en les privant de tout dynamisme propre, qu'on peut se référer à ce qui n'est pas elles, pour décider de leur place dans l'histoire.

Or, là encore, l'hypothèse du reflet est inacceptable ; les termes ne décalquent pas une réalité déjà organisée ; ils organisent une matière qui, quoique partiellement structurée, se prête à une pluralité de traitements possibles. Aussi le détail de la critique ethnologique a-t-il consisté à montrer d'une part que si on appliquait à la lettre le principe de l'adéquation, on aboutissait pour certaines

---

(1) Texte cité par ENGELS, *Origine de la famille, de la propriété privée et de l'État*, p. 34.

sociétés à des conséquences totalement absurdes — des hommes étant appelés mères, des femmes pères, etc. — d'autre part que les fonctions positives remplies par de tels langages dépassaient largement la réglementation des relations familiales au sens étroit du terme.

L'histoire ne peut donc devenir partie intégrante d'une analyse structurale que dans la mesure où il est possible d'établir pour le domaine considéré l'existence d'une série continue qui soit telle que B exige pour exister que A l'ait précédé ; ce qui implique non pas que l'on mette en rapport le plan ainsi délimité avec d'autres plans, mais qu'on étudie l'ensemble de ses spécifications. De fait nous passons là du *traitement vertical* des données, dont nous avons vu qu'il consistait à formaliser les différents aspects de la réalité sociale, sur un mode tel qu'ils puissent être considérés comme autant de réalisations d'un système intellectuel déterminé (1) qui se particularise sous des formes diverses, ces formes étant liées par un ensemble de connexions qui les font dépendre l'une de l'autre — isomorphie, complémentarité, inversion, etc... — à un *traitement horizontal* qui prend pour objet l'ensemble des transformations possibles d'un groupe d'éléments homogènes isolés par une analyse empirique préalable.

Le premier type d'analyse porte sur ce qui est et exclusivement sur cela, mais la diversité des contenus l'oblige à une formalisation extrême, chaque progrès réalisé en cette voie impliquant la possibilité de soumettre une matière croissante à des opérations identiques ; le second type intègre le donné au champ que ses composants définissent virtuellement, cette extension au domaine du possible se doublant d'un effort pour pénétrer aussi profondément que possible dans la texture du contenu. Pour rendre compte de l'antithétie propre aux deux méthodes, c'est au même exemple que nous ferons appel, celui des mythes d'émergence des Keresans.

La comparaison entre le mythe et l'organisation politico-cérémonielle (2) nous a permis de mettre à jour un certain nombre de catégories que les hommes actualisent sur le plan religieux et le plan politique. Cette confrontation n'a été concevable qu'après avoir dégagé à chaque niveau un schème d'organisation qui

(1) Ce n'est évidemment pas le seul mode de traitement vertical de la réalité sociale. L'historien, pour sa part, met sans cesse en rapport des faits émargeant de domaines distincts ; mais en le faisant, il se réfère à de tout autres préoccupations et à une tout autre méthlodogie que celle sous-jacente à l'analyse structurale.

(2) Cette comparaison aurait pu évidemment être menée beaucoup plus loin. Il semble qu'aux transformations qu'on observe lorsqu'on passe de la mythologie des Zunis à celle des Hopis et de ces derniers aux Pueblos orientaux (Keresans, Tewa) correspondent des modifications de la structure des systèmes de parenté (cf. à ce sujet certaines remarques de Lévi-Strauss dans *Anthropologie structurale*, p. 84-86).

pouvait être universalisé ; du même coup la plupart des éléments
spécifiques à partir desquels le schème a été obtenu, ne sont plus
directement traités. Le mythe code l'opposition entre Continuité
et Discontinuité, Temps et Espace en mettant en corrélation les
comportements antithétiques du blaireau et de la sauterelle ;   à
quoi correspond au niveau politique la dualité du cacique et du chef
de guerre ;   entre ces deux paires la relation n'a pu être introduite
qu'après un appauvrissement de leur contenu lexical. C'est cet
appauvrissement qui maintenant n'est plus de mise ; il m'importe
de connaître toutes les spécifications des conduites des deux animaux, les attributs souvent antagonistes dont ils peuvent se charger,
les êtres auxquels ils sont conjoints.

Cette exigence est d'abord dictée par les règles mêmes de l'interprétation du mythe ;   au cours d'un récit un être apparaît au sujet
duquel il nous est livré une certaine information — il est tel, agit
de telle manière, etc. — qui se présente comme relativement opa-
que ;   c'est cette opacité que je dois réduire, déterminant le niveau
sémantique auquel il faut se placer pour que le message véhiculé
par le mythe devienne intelligible ;   la sauterelle est un insecte,
un animal, un être vivant — ceci pour ne prendre en considération
que des propriétés tout à fait objectives. A quelle classe le mythe
fait-il appel lorsqu'il fait intervenir la sauterelle ? certainement pas
à toutes ;   ou du moins si cette hypothèse se réalise parfois, elle n'a
rien d'une loi générale. Or le problème est d'importance : si c'est
l'animal qui est vu dans la sauterelle, ceci implique que le blaireau,
l'aigle et le puma auraient pu jouer le même rôle ;   si c'est l'insecte
par contre qui est en cause, le champ se restreint d'autant, ce ré-
trécissement lexical s'accompagnant d'une extension au niveau des
classes. Il y a moins d'insectes que d'animaux mais les sauterelles
sont et des insectes et des animaux et des êtres vivants. Pour sortir
de l'indétermination analyse interne et analyse externe au texte se
combinent étroitement ;   la première qui ne nous concerne pas ici
consiste à dresser le tableau de tous les éléments récurrents, à développer leurs champs associatifs, à connoter toutes les positions de
termes explicitement attestées ;   la seconde traitera l'apparition de
la sauterelle dans ce texte comme utilisation par le mythe, à des fins
qui lui sont propres, de certains traits choisis dans le groupe bien
plus vaste de caractéristiques qui définissent cet animal. C'est ce
groupe qui doit donc être découvert, permettant ainsi de construire
le profil biographique, psychologique, etc., de l'être en question.
Par quelle voie ? En recensant toute l'information que la culture
nous fournit sur le personnage en question ;   et cela, que nous l'em-
pruntions à la série des mythes, aux rituels, aux classifications
empiriques des individus ou à la vie des sociétés.

Le champ ainsi délimité n'est pas harmonieux ; nombre de propriétés attachées à l'animal sont contradictoires ; celui-ci apparaît comme apte à remplir une multiplicité de fonctions ; mais ces disparités ont elles-mêmes valeur ; de ce point de vue il nous semble possible d'admettre, au moins à titre d'hypothèse générale, qu'il s'agit d'un système dont les éléments se définissent réciproquement. La sauterelle est bien des choses à la fois — animal phallique, guerrier, être associé au monde souterrain et à l'émergence de l'humanité, personnage courageux et désobéissant — mais chacun de ces traits n'est tel que dans la mesure où il s'appuie sur la totalité de la série. Cette série n'a elle-même été obtenue que par une analyse de l'ensemble du matériel qui était à notre disposition ; mais par la suite chaque conte, chaque mythe apparaît comme utilisant certaines des propriétés d'un système qui lui est extrinsèque. Il y a là un rapport du même ordre que celui qui peut être établi entre la langue considérée comme un système autonome et les actes des sujets parlant qui actualisent certaines virtualités du système. Chacun de ces actes consiste en une série de choix entre plusieurs possibilités qui se présentent à chaque moment du déroulement de la chaîne sonore.

De la même manière chaque mythe apparaît comme opérant un choix entre un ensemble de possibles sémantiques ; et cela même si ces possibles n'ont pu être établis qu'après une étude rigoureuse de la mythologie elle-même (1). Or les notions de système et de choix s'imbriquent étroitement. Il y a système lorsque les éléments se trouvent définis par leurs corrélations mêmes ; dès lors se référer à un choix implique qu'au moment où je pose un terme quelconque « a », c'est aussi à « b » que je pense en tant que justement il se trouve exclu ; à ce niveau au moins toutes les unités dont il sera possible de se servir sont données synchroniquement à la conscience du sujet ; l'usage qu'il en fait se déroulant dans le temps implique par contre un tri qui n'a de sens qu'en fonction de ce qui est nié.

Or c'est à la seule condition de démonter le mécanisme d'un tel processus qu'on parviendra à rendre compte de telle ou telle de ses réalisations ; certains mythes sont totalement inexplicables, relevant d'une simple paraphrase, parce que donnés à un seul exemplaire ; on ne prendra jamais assez conscience de ce fait que l'objet

<hr />

(1) Cette règle vaut surtout dans la mesure où les corpus mythiques sont toujours limités. Au contraire les phrases prononcées par les sujets parlants sont en nombre illimité par rapport à celles dont je me suis servi pour établir la structure de la langue. Cependant on peut imaginer une culture ayant une littérature orale d'une telle ampleur qu'à partir d'un certain moment le dépouillement de cette littérature n'apporterait plus d'information nouvelle sur la nature et la fonction des unités de base qu'elle combine. Ce qui est fort important si on envisage la construction d'un modèle automatique pouvant être utilisé sur machine, d'analyse structurale des mythes.

n'est pensable que par son intégration à la série possible de ses transformations, les sciences de la nature ayant justement la possibilité de construire expérimentalement cette série ; c'est à ce même problème que les sciences de l'homme sont confrontées et le destin qu'elles ont connu depuis un siècle n'est pas étranger à cette exigence première (1). Dès lors la méthode s'inspire toujours de principes identiques ; et pour nous maintenir sur le plan horizontal, cette dialectique — jeu d'opérations contradictoires qui n'existent que l'une par l'autre — à laquelle le savant recourt pour rendre compte de la relation entre le système et ses spécifications, doit être sans cesse étendue, les systèmes ainsi mis à jour devenant à leur tour parties constituantes d'un méta-système plus vaste qui ne se situe pas à leur niveau.

Cependant ce passage du système au méta-système ne va pas sans soulever certaines difficultés qui expliquent nombre de malentendus ; de fait nous avons marqué que jusqu'alors il n'était pas réellement question de formalisation : l'analyse du système phonologique suppose bien la construction d'un modèle qui n'est certainement pas le seul possible, mais ce modèle a pour objet de rendre compte de *toutes* les données qui sont à ce niveau pertinentes pour la langue en question. Il en est de même pour l'analyse mythique. Les concepts de système et de choix ont alors un sens tout à fait rigoureux : un individu peut utiliser tous les phonèmes qui constituent le système phonologique d'une langue et s'il ne le pouvait pas, il serait vain de parler de système. Il n'en est pas de même lorsqu'on procède à une conversion d'échelle.

En effet s'il s'agit dans chaque cas de construire des totalités permettant de penser leurs éléments dans la mesure où ils sont intégrés à des groupes de transformations, chaque totalité ne devenant à son tour pensable que soumise à un traitement du même ordre, il n'en reste pas moins que ces totalités ont un sens tout à fait différent suivant le support réel auquel elles renvoient. De fait il importe de distinguer deux paliers essentiels, correspondant à deux types de système :

a) Ceux dont le fonctionnement renvoie à une unité réelle de type psychologique ou sociologique — individu, groupe social, société déterminée. Une subjectivité concrète est toujours, en ce cas, le support auquel le système dans son ensemble peut être rapporté. Parler de choix possède alors un sens très précis : ce n'est pas seulement à une relation d'exclusion entre deux termes à laquelle on se réfère, mais à un acte réel qui a véritablement éliminé une branche de l'alternative ; la présence simultanée de ce qui est

(1) Cf. à ce sujet notre chapitre IV.

choisi et de ce qui ne l'est pas apparaît donc comme un axiome qui va de soi. D'une situation de cet ordre, telle langue, tel corpus mythique, telle esthétique ayant cours à une époque déterminée nous offrent des exemples probants.

A ce niveau d'analyse nous ne rencontrons pas de difficulté de principe puisque le découpage utilisé est celui-là même que directement la réalité impose.

b) Ceux qui sont caractérisés par la disparition de tout support, le nouveau système obtenu ne pouvant pas être rapporté à un quelconque sujet réel, celui-ci ne prenant en charge qu'une partie du champ envisagé.

Qu'on réfléchisse, par exemple, à l'idée d'un système total des langues incluant toutes les langues existantes ou possibles. Sa construction suppose une étape préalable, à savoir que toute langue puisse être identifiée comme telle ; ce qui implique que son essence, ce qui la fait être ce qu'elle est, ait pu être définie avec toute la rigueur nécessaire. Cette définition fera entrer en ligne de compte quatre ordres de données :

1º la fonction,

2º la matière à partir de laquelle se construit l'édifice linguistique,

3º les principes d'organisation de cette matière,

4º enfin le type de données auquel cet instrument s'applique. Suivant le niveau auquel on se place — phonologique, syntaxique, sémantique — ces divers éléments acquièrent plus ou moins d'importance. Tenons-nous pour l'instant sur le plan phonologique qui exclut totalement le quatrième type de préoccupation ; or c'est à la seule condition que 1 et 2, fonction et matière soient identiques pour tous les sous-systèmes (chaque système phonologique se donne comme un sous-système inclus dans l'ensemble des systèmes phonologiques possibles), aucune langue n'apportant sur ce point de changement par rapport à l'autre, que des variations significatives peuvent être repérées au troisième niveau. C'est en raison de cette constance de la matière et de la fonction qu'il devient convenable de parler de « choix » ; toutes les langues ont pour objet de permettre la communication ; certes ce qui sera dit, varie d'une culture à l'autre mais cette diversité qui introduit une réelle hétérogénéité sémantique, ne se répercute en aucune manière sur la sélection phonologique ; et dans la mesure où les sons que peut naturellement articuler chaque homme à sa naissance sont identiques pour toute l'humanité, le choix de tel ou tel système phonologique ne s'explique par aucune considération extrinsèque au travail de l'intellect qui organise certains matériaux en fonction de fins déterminées.

L'universalité de la fonction nous indique qu'il s'agit là d'une exigence qui caractérise l'être même de la culture ; l'identité de matière renvoie à des constantes biologiques : l'une et l'autre ne pourront donc pas, en raison de leur similitude d'un bout à l'autre de la chaîne, être dotés d'un pouvoir de différenciation linguistique. Il n'en est pas de même évidemment pour les moyens par lesquels la fonction se trouve remplie, la matière organisée ; car ici nous sommes renvoyés au pouvoir de structuration propre à l'esprit humain ; pouvoir qui est l'objet même de la science linguistique. Un système général de possibles sera donc défini parmi lesquels à chaque moment un certain choix sera opéré. On peut trouver l'esquisse d'un tel système dans les *Fundamentals of Language* de Roman Jakobson, les différents types d'opposition qui sont à la base de la constitution des unités phonologiques étant recensés, la recherche tendant d'autre part à définir leurs possibilités de combinaison (1).

C'est ici cependant que la difficulté prend forme ; car l'usage du terme de choix est à ce niveau partiellement au moins métaphorique. Aucun acte ne correspond à cette coexistence de tous les possibles. Aucun sujet réel ne peut apparaître comme supportant la totalité du champ ; la référence à l'intellect ne signifie nullement qu'il s'agisse d'une pensée située et donc nécessairement partielle ; c'est au contraire l'ensemble des réalisations qui est pris pour objet de traitement. On doit alors se demander si il ne s'agit pas là d'un jeux de mots : Lorsque je prononce une phrase déterminée « la terre est ronde » je suis poussé par certaines raisons qui expliquent ma décision de le faire à un moment déterminé ; mais il est non moins clair, que du point de vue linguistique, j'aurais pu tout aussi bien déclarer : « l'enfant est malade », le système auquel je me réfère me fournissant les moyens pour l'une et pour l'autre. De même lorsque telle culture choisit entre le blaireau, la taupe, le lapin, etc..., le premier de ces animaux pour signifier le monde chthonien, il est normal de parler de choix puisque les uns et les autres sont effectivement donnés dans son champ sémantique ; mais il est vain d'invoquer le rat des champs si celui-ci n'appartient pas à la faune du milieu où la société en question s'est développée.

On voit la nature du problème ; il est normal de postuler l'unité de l'intellect mais le milieu sous toutes ses formes — géographique, historique, sociologique — introduit des facteurs de différenciation qui font éclater l'homogénéité du domaine ; les disparités sont de tout ordre et leur contingence de fait — ces virtualités que porte telle ou telle culture ne se concrétiseront peut-être jamais du seul fait d'une certaine configuration du milieu extérieur — rend caduque la nécessité que l'on cherche ici à introduire. Sous une autre forme

_____

(1) Cf. dans la traduction française publiée dans la collection *Arguments* les pages consacrées à l'idée d'un système total des langues : *Essais de linguistique générale*, pp. 126 et 59.

se repose le problème des rapports entre la systématique structurale et la diversité historique ou en ce dernier cas naturelle.

Or non seulement une telle objection ne peut être écartée mais sa prise en considération est décisive car c'est en y répondant que l'analyse structurale prend toute sa spécificité. Que signifie donc l'usage de la notion de choix ? D'abord il est signe qu'on se situe à un certain niveau de réflexion et que tous les phénomènes étudiés dépendent bien de ce niveau ; il marque l'homogénéité de l'échelle utilisée ; il implique la convertibilité réciproque des différents sous-systèmes ; or cette convertibilité est indispensable pour penser chacun d'eux séparément. Penser l'objet avons-nous dit, c'est l'intégrer à la série possible de ses transformations ; c'est en effet là le seul moyen de le constituer en objet en marquant la solidarité de ses éléments constituants. C'est en effet parce que les modifications qui les différencient ne portent pas sur des traits isolés mais sur de véritables groupes qui disparaissent ou se transforment dans leur totalité, que l'existence même de ces groupes peut être établie.

Soit un mythe relatant l'enlèvement d'une femme par un être céleste (la geste de Kasewat à Acoma) (1) ; le rapt apparaît comme sanctionnant le fait que cette femme refuse d'assumer sa condition féminine, valorise les activités exclusivement masculines et que le mari accepte le fait, la division sexuelle du travail ne régnant pas dans le ménage. L'époux pourtant récupérera sa femme mais cela impliquera une transformation de l'un et de l'autre, un changement de nature qui s'effectuera à travers une série d'épreuves auxquelles les héros seront soumis dans le monde céleste. Au terme du mythe le couple se reconstituera sur de nouvelles bases. Le message véhiculé est donc interprétable en ces termes ; mais il est bien d'autres histoires d'enlèvement et l'opposition entre hommes et monstres de toutes sortes connaît chez les Pueblos une pluralité de formes. L'analyse syntagmatique se trouve confirmée par la systématisation paradigmatique lorsque des histoires tout à fait semblables mettant en jeu les mêmes êtres présentent un certain nombre de différences qui ne portent pas sur des aspects multiples et hétérogènes des mythes mais touchent certains éléments qui aussi divers soient-ils nous sont apparus signifier une réalité du même ordre. Ainsi il existe à Laguna un récit tout à fait similaire à celui d'Acoma où scules ont été modifiées les données relatives à la division sexuelle du travail, à l'opposition masculinité, féminité, etc. ; le fait que leur disparition est simultanée, valide négativement l'interprétation avancée pour la geste de Kasewat.

De la même manière la prise en considération du champ total à l'intérieur duquel s'opère telle cristallisation met en évidence

(1) Cf. Lucien SEBAG : « La geste de Kasewat », L'Homme, tome III, n° 2, pp. 22-76.

l'insuffisance de types d'explications qui apparemment au moins pouvaient valoir pour une de ses parties. Ainsi lorsque Claude Lévi-Strauss définit le totémisme (1) comme un cas particulier des relations entre deux séries, l'une naturelle, l'autre culturelle et qu'il recense ensuite leurs formes possibles de relation (2), il exclut du même coup toute théorie qui ne s'appuierait que sur une seule de ces formes, et il indique que c'est seulement en reconstituant l'ensemble que chacune de ces dernières peut être comprise.

Cette constitution de séries implique cependant qu'on se situe sur un plan où l'hétérogénéité mentionnée précédemment ait pu être surmontée. Or à cet effet il existe deux voies possibles : soit travailler sur une aire restreinte et relativement homogène où les systèmes envisagés apparaissent comme autant de modulations se développant à partir de données initiales identiques, soit se livrer à une formalisation suffisante pour que l'hétérogénéité première des contenus ne soit plus prise en considération. De fait l'une et l'autre méthode usent également de la formalisation et de la généralisation mais à des degrés divers, tout progrès dans la première permettant une extension de la seconde ; dans chaque cas il s'agit de parvenir à ce que les éléments extrinsèques soient constants ; et cela afin de dévoiler la logique propre aux éléments intrinsèques. Or paradoxalement cette constance n'est atteignable que de deux manières : soit elle m'est directement donnée ; ainsi plusieurs sociétés agricoles peuvent dans une région déterminée être confrontées aux mêmes conditions géologiques, climatiques, etc..., soit je la construis en agissant non pas sur elle mais sur ce qui lui fait vis-à-vis ; les facteurs naturels seront alors inopérants dans la mesure où je soumets plusieurs mythologies à un traitement tel, que le poids de l'impact extérieur ne se fasse plus sentir. Prenons garde cependant qu'il s'agit de formalisation et non pas d'abstraction (3) ; rien n'est abandonné mais tous les prédicats de ce qui est conservé ne sont pas pris en considération.

De la première méthode on peut trouver une illustration dans le livre de Jean Guiart, *Les Religions de l'Océanie* (4) ; dans son introduction en effet il précise :

(1) *Le totémisme aujourd'hui*, Paris, 1962.
(2) Il importe de citer le passage en entier : « La méthode que nous entendons suivre consiste : 1° A définir le phénomène mis à l'étude comme une relation entre deux ou plusieurs termes réels ou virtuels. 2° A construire le tableau des permutations possibles entre ces termes. 3° A prendre ce tableau pour objet général d'une analyse qui, à ce niveau seulement, peut atteindre des connexions nécessaires, le phénomène empirique envisagé au départ n'étant qu'une combinaison possible parmi d'autres, dont le système total doit être préalablement reconstruit » (*Le totémisme aujourd'hui*, p. 22-23).
(3) Nous employons ce terme dans le sens hégélien qui nous semble le plus satisfaisant ; il signifie « détacher de, isoler » ; seule la restitution de tous les éléments étant concrète. A quoi correspond la dichotomie entendement/raison.
(4) Paris, P.U.F., 1962.

« En ce qui concerne la vie économique des populations anciennes du Pacifique, précisons qu'il s'agit là pour nos études, d'une aire en quelque sorte privilégiée, où la culture matérielle est restée très stable, tandis que les structures sociales, politiques et religieuses évoluaient en permanence vers des systèmes de plus en plus complexes. Cultivateur de tubercules, ou de fruits, pêcheur ou chasseur, l'Océanien n'a vu au cours de plusieurs millénaires, sa condition se changer qu'une fois au moyen du passage de la vie de cueillette à une agriculture fondée sur l'écobuage. L'apparition, par endroits, de techniques d'irrigation, correspond bien plus à l'existence de conditions géographiques favorables, ou plutôt à une nécessité physique étant donné la nature du terrain, qu'à l'introduction d'une civilisation différente. Aussi bien les cultures irriguées n'ont-elles provoqué le développement d'aucune institution nouvelle. Quand elles existent, elles n'interviennent pas plus qu'il ne serait normal dans les représentations religieuses. En termes de linguistique, nous dirions que leur présence ou leur absence n'est pas pertinente de notre point de vue présent. Une conclusion similaire s'impose quant aux autres techniques culturales. Que la vie de l'homme soit fondée sur l'igname, le bananier, le taro ou le sagautier il n'est pas nécessaire en fait de le préciser pour l'analyse de ses représentations religieuses, sinon pour information anecdotique. De même la complexité de ces représentations ne peut-elle reposer sur l'absence ou la présence de l'élevage du porc, connu depuis la Nouvelle-Guinée jusqu'en Polynésie-Orientale (1). »

Mais ce qui vaut ici pour la pensée religieuse vaut évidemment pour les autres domaines. La fécondité de la géographie humaine n'est jamais sans doute aussi grande que lorsqu'elle a la possibilité d'étudier comment à partir de conditions naturelles globalement identiques, certaines sociétés du même type organisent l'espace, le cycle des activités productives, le découpage du terroir, les rythmes d'utilisation du sol, etc. Les déterminismes envisagés sont alors d'un autre ordre que ceux qu'impose le milieu, chaque société aurait pu faire le même choix que la voisine et ne l'a pas fait pour des raisons qui sont le signe de ses visées essentielles.

On voit alors en quel sens la notion d'infrastructure peut retrouver un sens relatif ; il s'agit toujours de la limite de l'esprit, de ce qui est irréductible à un certain niveau de fonctionnement de la société. L'élevage de telle sorte d'animaux, la pratique de tel type de culture sont le produit d'un travail permanent de l'intellect qui s'exerce sur un certain milieu naturel ; la fabrication d'instruments, le travail de la terre, l'utilisation ordonnée et régulière de l'univers

(1) *Op. cit.*, p. 3 et 4.

animal supposent une masse d'observations, de recherches, d'analyses qui ne peuvent en aucun cas être menées à bien de manière fragmentaire ; elles ne prennent forme qu'à travers la médiation d'un système de pensée bien plus vaste qui dépasse le plan technologique ou simplement économique. En ce sens ces derniers n'ont pas plus un caractère naturel que n'importe quel autre aspect de la culture d'une société. Rien n'est donc jamais réellement infrastructurel sinon par une décision de l'esprit qui tend à opérer un certain découpage du réel et considère certains des aspects de celui-ci comme un donné premier et provisoirement intransformable.

Cette uniformité, la formalisation nous est apparue comme un autre moyen de l'atteindre ; le travail d'épuration des données doit alors être suffisamment poussé pour que les modifications des autres paliers de la réalité sociale ne soient pas pertinentes ; la preuve qu'il en est effectivement ainsi sera trouvée dans la récurrence des thèmes traités dans des aires fort éloignées l'une de l'autre — ce qui exclut toute diffusion — et dans des sociétés situées dans des conditions naturelles et sociologiques tout à fait différentes. Un exemple pourra faire saisir de quoi il s'agit : dans la plupart des mythologies, qu'elles soient américaines, africaines ou australiennes, on peut trouver un certain nombre de contes qui narrent comment certains animaux se sont transformés, sont devenus tels qu'ils sont aujourd'hui ; la liste de ces animaux est fort longue et ils sont empruntés à des classes différentes ; le récit de leurs mésaventures contient d'autre part de multiples épisodes ; souvent la même transformation est rapportée à des événements qui n'ont pas de point commun entre eux ; le fait que la pie soit devenu un animal charognard sera expliqué par des fautes tout à fait dissemblables ici et là. Au niveau le plus riche la comparaison entre l'ensemble de ces contes fera ressortir l'existence de plusieurs niveaux où les déterminismes extérieurs acquièrent une importance centrale : ainsi la diversité des animaux mis en cause doit d'abord être rapportée à la diversité des faunes auxquelles ont affaire les sociétés en question ; la nature des fautes et celles des punitions dépendent des catégories générales de la culture étudiée, de son mode d'existence ; le type de récit et le détail de son déroulement renvoient aux esthétiques variées qui peuvent avoir cours, etc... Et pourtant à une certaine échelle ces disparités peuvent se trouver réduites.

La faute fournit le centre autour duquel ces différents mythes gravitent ; or il semble que ces fautes multiples en leur nature comme en leurs effets puissent se ramener à un certain nombre de catégories très générales ; de fait il s'agit chaque fois d'un rapprochement de ce qui doit rester séparer ou d'une division de ce qui doit normalement rester uni ; disjonction et conjonction qui peuvent être d'ordre temporel (ce sera alors l'avance ou le retard) ou d'ordre spatial ; il peut s'agir du passage d'un pôle à son opposé ou d'un mélange des genres. Les punitions se laissent classer suivant les mêmes catégories : de blanc l'animal devient noir ou inversement ; ou encore sa peau se tachette, signe du mixte réalisé ; de chasseur il se transforme en charognard, la vie n'étant plus assurée que par la mise au premier plan de la mort, etc. Ainsi seraient définies un certain nombre de variables permettant de rendre compte de l'ensemble du corpus mythique, leur combinaison permettra de substituer à chaque récit la succession d'un certain nombre de concepts dont l'extension appellera un remplissement progressif au fur et à mesure qu'on restreint l'ampleur du champ géographique et sociologique, remplissement qui atteindra son terme lorsqu'il ne sera plus possible de passer de la classe où se situe l'analyse à une classe inférieure.

Une telle méthode appelle deux remarques ; tout d'abord il apparaît clairement que la formalisation joue tant au niveau horizontal que sur le plan vertical ; les deux modes de traitement recourent à des procédés identiques de conceptualisation ; il en découle qu'en droit — nous sommes évidemment fort loin de pouvoir remplir un tel programme — ces différents systèmes obtenus à partir de la mise en ordre des catégories qui permettent de rendre compte des différents paliers de la réalité sociale, peuvent eux-mêmes être conçus sur le même mode. Ce serait alors les sociétés elles-mêmes qui apparaîtraient comme autant de possibles se développant à partir de certaines options de base ; celles-ci définiraient d'entrée de jeu les voies dans lesquelles peut se développer la praxis humaine.

D'autre part les rapports entre Histoire et analyse structurale prennent un contenu nouveau ; le passage d'un certain niveau de généralisation à un niveau inférieur, faisant la place à une matière plus vaste, revient chaque fois à réintroduire ce qu'on avait précédemment exclu ; et l'écart entre les deux plans est toujours le produit soit de la nature (variations dans le milieu, etc.) soit de l'histoire. Le codage que celle-ci implique découlera alors des résultats de l'analyse structurale.

Regardons-y de plus près : soit un premier essai pour définir ce qui constitue la société humaine comme telle ; un certain nombre de critères seront alors établis et ils vaudront pour toutes les sociétés quelles que soient par ailleurs les différences qui pourront les séparer ; ainsi en sera-t-il par exemple de l'existence du langage. Ce niveau de généralité présente une pertinence réelle dans la mesure où il permet d'articuler l'ordre culturel à ce qui n'est pas lui, à savoir la nature (1) ; de plus il importe de se demander — ques-

(1) Celle-ci apparaît alors comme une infrastructure dont l'analyse relève d'une autre discipline.

tion éminemment anthropologique — ce qui est impliqué pour toute collectivité par l'utilisation de la langue. Cette première démarche opérée, une première spécification sera opérée ; on divisera toutes les sociétés humaines en hiérarchisées et non hiérarchisées, opposition binaire qui recouvre tout le champ concevable ; il est donc possible de classer toute formation sociale dans l'un ou l'autre de ces ensembles ; et cela par définition ; il s'agit donc là d'une nécessité d'ordre logique ; l'esprit humain est tel que les deux termes ne laissent rien en dehors. Mais sur ce point les sciences humaines sont dans une situation tout à fait privilégiée par rapport aux sciences de la nature ; car les catégories qui me servent à penser les sociétés sont les mêmes que celles qui ont présidé à leur constitution ; l'identité du sujet et de l'objet n'est plus alors l'idéal limité vers lequel tend le développement de la connaissance, mais une affirmation première d'ordre ontologique (1).

Nous pourrons donc dire que le premier choix auquel sont confrontées les sociétés est celui entre égalité et inégalité ; mais les deux termes peuvent-ils être placés sur le même plan ? Admettons par exemple avec Marx que l'existence d'un surplus soit la condition de toute division en classes ; s'il existe des sociétés où ce surplus n'est pas obtenu, l'homogénéité de choix disparaîtra ; le passage de l'une à l'autre forme d'organisation sociale ne sera alors possible qu'après une histoire qui aura permis d'atteindre un niveau technologique et une certaine domination de la nature. Ce seront là des considérations structurales qui nous renverront à la dimension temporelle.

L'inverse cependant peut être également vrai, les deux branches de l'alternative étant homogènes l'une à l'autre, des raisons, contingentes par rapport à celles retenues par l'analyse, ayant déterminé ici et là le choix qui a été fait. Soit l'opposition entre systèmes de parenté patrilinéaires et systèmes de parenté matrilinéaires. L'historien dont l'objet est une société particulière introduit, lorsqu'il relate la formation de la terminologie de parenté, de l'ensemble de droits et de devoirs qui lui est adjacent, des attitudes qui lui sont liées, etc..., une certaine nécessité dans son récit ; au moment où s'est déroulé un tel processus, la culture en cause ne voyait s'ouvrir devant elle qu'un nombre limité de voies ; ainsi la recherche historique établira qu'en fonction de ce que les membres de cette société étaient, de leurs aspirations, de leurs préoccupations intellectuelles, seul un système patrilinéaire était apte à résoudre les problèmes qui se posaient ; mais en ce cas le lien entre la question et la réponse est contingent, l'ordre ainsi instauré n'étant pas né-

___

(1) Ce qui signifie qu'en termes kantiens, une opposition entre une analytique et une dialectique transcendantale n'est pas possible.

cessairement structural. En effet, ce qui est cause en ce dernier registre, c'est de savoir si en fonction des besoins auxquels répondent les systèmes de parenté, des fonctions qu'ils remplissent, une relation diachronique menant toujours d'une forme organisation A à une forme B peut être établie (1) ; les variables qui entrent alors en jeu doivent être celles-là mêmes qui ont servi pour l'analyse de ces systèmes — ce qui ne serait pas le cas, par exemple, de l'idéologie religieuse. Or l'introduction d'une telle consécution ne semble pas être possible ; c'est à tous les stades de l'évolution sociale que de tels systèmes se retrouvent ; d'un point de vue structural le choix apparaît alors comme libre.

Ces remarques sont évidemment très fragmentaires ; et de fait l'élaboration des relations entre la sychronie et la diachronie nous semble être une des grandes tâches de l'anthropologie d'aujourd'hui. Mais quoi qu'il en soit des développements ultérieurs, un certain nombre de points aussi généraux qu'essentiels peuvent être considérés comme acquis.

Au terme de ce long effort il est possible de faire le point. Nous sommes partis d'une certaine conception de la relation entre l'activité humaine et ce qu'on qualifie généralement d' « idéologies » ; cette conception se formulait sur un double plan : méthodologique et philosophique ; dans le premier cas on définissait certaines règles d'interprétation fondées sur un ensemble de postulats qui eux-mêmes n'étaient pas réellement discutés ; dans le second cas on dégageait de ces interprétations un certain modèle du rapport véridique que l'homme pourrait entretenir à sa propre action. C'est cette double construction que nous avons refusée, en centrant notre réflexion sur la nature des opérations intellectuelles par lesquelles nous pensons la réalité sociale. Ainsi avons-nous dégagé, à la suite de bien d'autres, certaines conclusions essentielles qui touchent à l'esprit du problème posé ; brièvement il est possible de les récapituler comme suit :

(1) Il est par ailleurs évident qu'entre A et B il n'existe pas de relation d'ordre cumulatif. Si cela était le cas, les différents moments s'engendrant nécessairement les uns les autres, sont ramenés à leur origine, à la démarche initiale (toujours définie relativement) qui a permis la suite. La construction des pyramides suppose un outillage dont la constitution implique une longue histoire. B est toujours alors postérieur à A ; mais jamais non plus A et B ne seront présentés comme deux branches d'une alternative.
En fait trois plans doivent être distingués :
a) Existence de séries cumulatives ; c'est le cas le plus simple ; celui de la technique, de la science ; d'un terme de la série à un autre lien plus éloigné aucun rapport synchronique ne peut être établi, mais à chaque moment par contre des coupes horizontales peuvent être opérées.
b) C'est là le second palier qui implique toujours la non-cumulativité ; un système patrilinéaire n'implique pas pour exister d'avoir été précédé par un système matrilinéaire, etc...
c) Introduction de différenciations secondaires d'ordre naturel ou historique découlant des concepts utilisés pour rendre compte des systèmes étudiés synchroniquement.

— existence d'un écart permanent entre le signifiant et le signifié qui introduit une certaine distorsion idéologique, au sein
de toute forme d'activité symbolique. Aucune transparence absolue ne peut, de ce fait, être postulée entre le réel et ses traductions
conceptuelles, de quelque ordre qu'elles soient ;

— impossibilité de faire de la praxis humaine comprise dans son
sens restreint le lien primordial auquel la construction des systèmes symboliques et les fins qui leur sont propres pourraient être
intégralement rapportées. Reconnaissance d'un plan autonome où
l'intellect se déploie et où il apparaît, dès les origines, comme régi
par une finalité interne ;

— réalité de l'opposition entre les modes de construction des
systèmes symboliques qui définissent l'être de la culture et l'intériorisation de ces mêmes systèmes par les individus, une logique de
type différent mais concrète dans les deux cas, étant à l'œuvre ici
et là ;

— nécessité pour penser ce qui est, à la fois de l'inclure dans la
gamme de ses transformations possibles — ce qui relativise toute
relation à une subjectivité concrète en lequel le tout viendrait s'en-
raciner — et de le soumettre à un travail préalable de formalisation
qui fait disparaître une certaine diversité du réel dont se nourrit
l'existence empirique ;

— enfin relative hétérogénéité des différents processus de conceptualisation qui sont le propre de l'analyse scientifique ; ce qui
exclut cette donation ultime de la totalité dont se nourrissent les
messianismes politiques et religieux.

Ces conclusions concordent ; elles tendent à définir une certaine éthique de la pensée qui situerait toute action, toute relation
au réel dans une perspective déterminée par les moyens mêmes qui
nous permettent de penser cette réalité. De ce point de vue le
marxisme a été discuté dans la mesure où il transformait le sujet
empirique — individu, classe sociale, collectivité — en sujet de la
connaissance, les visées ultimes de toute réflexion philosophique se
trouvant remplies par une transformation de l'être même de ce
sujet ; il en découlait une coïncidence entre existence empirique et
savoir qui, postulée dès l'origine, allait devenir le but de la pensée
comme de l'action. Mais cette synthèse revenait à remettre au premier plan la subjectivité.

Très profondément le marxisme est une philosophie de la subjectivité ; que celle-ci soit conçue comme praxis, transformation de la
matérialité est certes un fait capital ; mais il faut y voir non pas une
rupture radicale avec ce qui précède mais le point d'aboutissement
d'une tradition dont la mise en forme est corrélative du développement de la conception moderne de la nature.

Chapitre IV

SCIENCE ET VÉRITÉ

Les analyses précédentes permettent de reprendre le débat entre Hegel et Marx sous une forme différente ; la critique de Marx portait de prime abord sur l'achèvement de la synthèse spéculative ; or cet achèvement — les textes de Hegel sont sur ce point formels — était la seule condition de la Science. C'est parce que le concept a développé toutes ses virtualités qu'il se donne comme concept, et c'est seulement en ce cas que la réversibilité devient possible ; les formes empiriques, dans leur variété, apparaissent alors comme autant de réalisations de l'Idée ; et ce qui n'a été pensable qu'au terme du processus devient l'origine à partir de laquelle s'organisent les différents aspects de la réalité. Il est courant de qualifier ce renversement d'idéalisme et il est tout aussi courant de déclarer, à la suite de Marx lui-même, que celui-ci a remis la dialectique hégélienne sur ses pieds.

Autour de ces formules, les débats sans fin se sont poursuivis ; il est vain de les reprendre. Il importe plutôt de mesurer l'importance de la problématique et d'essayer de la réorienter en fonction d'une certaine image de la rationalité qui se dégage de certaines des sciences existantes.

De l'une à l'autre œuvre, la différence des solutions n'exclut pas une profonde similitude des projets. Pour Hegel comme pour Marx, il s'agit d'accomplir ce qui est ; pour l'un comme pour l'autre aussi, tout ce qui existe n'est pas réel. Cette primauté de l'être se double de son inachèvement, lequel se résout dans le temps. Et si l'histoire est le lieu de cette passion, la pensée aujourd'hui doit s'y confronter, mais non pas seulement pour en constater les effets ; en ces domaines l'extériorité est apparente ; ce que l'individu s'approprie, c'est sa propre réalité, et ce qu'impliquent l'ignorance, l'aliénation, etc., c'est la perte de cette réalité (1). Oubli de l'esprit, inégalité du Pour Soi et de l'En Soi, exploitation du travail

---

(1) Le même schéma vaut également pour l'œuvre de Feuerbach.

humain, etc..., ces termes ne sont que secondairement chargés d'une résonance éthique ; ils indiquent d'abord la méconnaissance de l'Etre, méconnaissance qui est aussi bien théorique que pratique ; la rigidité de la substance à laquelle se heurte la conscience singulière est le signe qu'une partie importante d'elle-même lui est devenue étrangère ; la vente de la force de travail au possesseur des moyens de production amorce un processus de dépossession qui porte non seulement sur les biens, mais aussi sur l'acte producteur ; l'homme est arraché à sa propre essence : fétichisation, réification désignent cette dissociation dont la profondeur est telle qu'elle peut être ignorée de ceux-là mêmes qui en sont la proie.

C'est évidemment sur ce point que les options se font plus précises ; car pour l'un comme pour l'autre la réconciliation est aujourd'hui devenue possible : l'homme peut réintérioriser son être dispersé ; cette possibilité, il faut à la fois la légitimer et en décrire la réalisation. Or là les deux doctrines divergent : la légitimation hégélienne est d'ordre philosophique ; la science achevée est sa propre justification ; rien ne lui demeure extérieur et il n'est pas une de ses propositions qui ne soit fondée car la totalité du système en est le répondant.

Mais c'est l'idée même de système que Marx met en question ; non pas d'ailleurs d'une manière radicale ; car le mode de production capitaliste marque encore à ses yeux une rupture profonde avec tout ce qui l'a précédé ; le rapport que l'homme entretient avec ses propres créations en est aussi profondément modifié que celui de la conscience singulière à la substance. Il n'en reste pas moins que le centre de la discussion s'est ainsi trouvé déplacé ; aux doctrines antérieures, Marx oppose le déchiffrement de la praxis humaine transformant nature et société ; et dans les « métaphysiques dogmatiques », il voit de vastes constructions imaginaires méconnaissant leur origine véritable. La normativité sociale qu'il dégage est immanente aux conduites des individus et des groupes qu'engendre le monde capitaliste ; ou plutôt de ceux d'entre eux qui sont placés dans une position telle que leur action dessine l'avenir de la communauté.

Ce passage de l'Hégélianisme au Marxisme est, à bien des égards, un progrès considérable : la substitution d'une humanité véritable, engagée dans toutes les formes d'activité qui constituent la vie sociale au sujet spéculatif qui, gonflé d'histoire, reste encore le héros de l'odyssée hégélienne, conduit à une revalorisation pleine et entière de l'empirie. L'ordre qui est le sien doit être dévoilé sous une forme universalisable ; et ceci est la tâche de la science. Avant même tout projet politique ou éthique, c'est de ce qui est dont il s'agit ; et si, parce que philosophe, je ne peux vouloir que ce qui est rationnel en l'homme, il me faut encore que nous soient donnés les moyens de le penser.

C'est à ce niveau que s'est noué le débat ; le statut accordé à la théorie révolutionnaire était riche d'ambiguïtés ; aussi la discussion du concept d'idéologie a-t-elle eu pour objet de montrer qu'en aucun cas ne pouvait être postulée cette immanence du sens à la praxis humaine qui est l'affirmation centrale du marxisme. Toute description phénoménologique peut saisir ce qui affleure à la conscience, plus encore tout l'implicite que véhiculent ses actes ; mais ceux-ci ne deviennent objets de savoir qu'après une série d'opérations qui brisent la continuité intentionnelle jusque-là conservée ; du vécu à la conceptualisation scientifique, il y a solution de continuité.

Cette mise au premier plan de la rationalisation scientifique renvoie, une fois de plus, à l'œuvre de Hegel ; car celui-ci a clairement aperçu à quelles conditions l'Esprit pouvait révéler sa propre essence. Certes, les problèmes ne se posent plus dans les mêmes termes, mais c'est encore de Hegel que peuvent se réclamer les remarques qui suivent ; elles portent sur la situation particulière des sciences de l'homme.

Toute définition est différentielle ; elle marque l'existence d'un écart entre ce qui est défini et un certain nombre d'autres éléments qui ont été — toujours provisoirement — inclus dans le même champ sémantique. Réfléchir sur le statut des sciences de l'homme c'est d'abord les distinguer des sciences de la nature ; c'est aussi reconnaître que les unes et les autres sont science, c'est-à-dire qu'elles cherchent à mettre en évidence par des moyens appropriés, variables suivant les domaines, l'existence d'un ordre au sein des phénomènes ; le fait qu'il s'agit d'êtres humains ne peut donc en aucun cas mettre en question cette idée d'ordre qui définit la science comme telle ; si cela était, nous nous situerions sur un tout autre plan. Par contre, une fois cette exigence reconnue, les différences au sein de l'ensemble ainsi considéré deviennent pertinentes, permettant seules la discrimination des sous-ensembles qui particularisent le domaine de la science.

Penser celle-ci, c'est l'opposer à la métaphysique, au mythe ou à la poésie. Penser les sciences de l'homme, c'est les distinguer des sciences de la nature. Penser la linguistique, c'est la différencier de l'ethnologie ou de la psychologie. Ainsi des écarts sont posés qui se trouvent abolis au niveau supérieur, dépendant de l'échelle où s'opère le découpage ; mais seul le parcours de toutes les échelles pourra nous faire accéder à tout ce qui, dans l'objet, est pensable en termes rigoureux. Or les sciences de l'homme sont ici considérées sous un angle particulier, il ne s'agit pas des difficultés rencontrées au cœur du travail scientifique ou plutôt celles-ci ne sont prises en considération que par référence à une problématique plus centrale portant sur ce que l'homme peut attendre de ces mêmes sciences lorsqu'il essaie de fonder et de légitimer son activité, de lui donner un sens ; ceci revient d'ailleurs à s'interroger négativement sur la portée des autres types de discours (1). A bien des égards la science s'impose aujourd'hui comme le mode de pensée dominant, mais il n'est pas le seul, et c'est dans le champ déterminé par sa spécificité même que prennent racine des formes d'expression différentes.

Cette spécificité, on peut la saisir à un triple niveau :

a) conséquences découlant de l'identité essentielle entre le sujet et l'objet, caractéristique des sciences humaines ;

b) immaturité de l'objet dont l'inachèvement foncier oppose une limite, sans cesse repoussée, mais toujours présente, à l'analyse scientifique ;

c) difficultés résultant de cette théorisation de l'individuel qui reste une exigence première de toute science de l'homme.

C'est sur la première de ces propriétés qu'on a pris l'habitude d'insister le plus couramment. Disons, pour en dessiner le contour, que le sujet et l'objet, termes commodes qui doivent être utilisés avec précaution ne peuvent pas dans leur cas être pensés séparément (2). Non pas que pour leur part la physique ou la biologie n'impliquent pas une étroite imbrication de l'observateur et de ce qui est observé ; en ce registre des gradations peuvent être introduites, sûrement par une ligne de démarcation (3). Par contre, dès qu'on se préoccupe de remonter des modes de conceptualisation qui sont le propre d'une science au lieu où cette conceptualisation a pris figure, la rupture devient sensible. Elle peut se caractériser comme suit :

Les conditions d'apparition des sciences de la nature et donc leur légitimation ultime sont extérieures au contenu de ces sciences. Les sciences de l'homme se doivent, par contre, sur le strict plan de l'exigence scientifique, de rendre compte de leur propre genèse.

Ce n'est pas là une simple variation quantitative dans l'extension de la recherche. L'astronomie ne s'est pas développée à la suite de

---

(1) Nous ne prétendons nullement traiter ici ces problèmes qui feront l'objet d'un travail ultérieur mais simplement fixer quelques points de repère.

(2) Cette imbrication vaut évidemment pour les sciences de l'homme envisagées comme système total et non pas pour telle ou telle recherche limitée.

(3) Il nous apparaît d'ailleurs qu'à bien des égards les sciences de l'homme sont dans une situation plus avantageuse que celle des sciences de la nature, car l'échelle du phénomène et celle de l'observateur sont toujours, même lorsqu'il s'agit d'une réalité relevant d'un traitement statistique, de même grandeur.

bouleversements dans la voûte céleste, la géologie à partir de transformations de l'écorce terrestre. L'objet naturel ne livre jamais les raisons pour lesquelles un jour l'homme a décidé de l'étudier. Il a toujours été là. La mutation brusque qui caractérise la constitution d'une science ne devient intelligible que rapportée à un déplacement complet des relations de l'homme avec son milieu ; un tel déplacement se trouve toujours impliqué par le travail scientifique, aussi grande que soit sa complexité. Sans doute à partir d'un certain stade de développement apparaît-il comme recouvert par cela même qu'il a rendu possible ; dans le monde où nous vivons, la physique ou la biologie sont acceptées comme valeurs constituées, comme activités allant de soi. Tout physicien ne réassume pas l'intention constitutive qui a permis la détermination de l'objet propre à cette science et la compréhension de sa possibilité d'être traité mathématiquement ; il se laisser porter par elle. Cette intention le régit certes, mais à titre de système plus ou moins inconscient dans lequel il baigne et auquel il obéit. Qu'une crise grave survienne pourtant, ébranlant jusque dans ses fondements le statut d'une science, et c'est vers ce moment original ou ce qui constitue l'essence du fait physique en est venu à être défini que se tourne le physicien (1). Ce retour à l'intention fondatrice légitime seul en dernière instance l'ensemble des résultats acquis par cette science ; l'explicitation de cette intention n'est cependant pas de l'ordre de la physique.

Les sciences de l'homme ne sont pas confrontées à la même situation : la décision scientifique est partie intégrante de ce qui est étudié ; l'économie politique est inconcevable sans l'existence d'un ordre de causalité proprement économique qui modifie la signification de l'activité productive, l'histoire sans une transformation profonde des rapports de l'homme à la temporalité, la psychologie sans une objectivation de la psyché qui doit d'abord être une réalité directement vécue par les individus. Dans chaque cas, la *problématique constitutive se trouve articulée au sein même de l'objet engendré par une telle problématique* ; et cela parce que c'est en raison de changements intervenus dans l'objet même que celui-ci a pu être étudié. Ce qui plus est, les centres d'intérêt, la délimitation des thèmes, le but de la recherche sont soumis à des remaniements incessants du fait même de la modification permanente des coordonnées historiques. Et c'est à la seule condition d'intégrer ces remaniements que la science répond à ses propres exigences.

Théoriquement, rien de plus normal. L'histoire des Sciences est elle-même science : elle aura pour tâche de mettre à jour les condi-

(1) Cf. HUSSERL : *La crise des sciences européennes.*

tions de possibilités psychologiques, sociales, intellectuelles des deux versants de l'activité scientifique ; elle englobera donc sciences de la nature et sciences de l'homme tout en étant elle-même par son contenu une science de l'homme. Ceci n'est pas négligeable car, dans les formes actuelles du débat qui oppose science et philosophie, cette dernière a parfois tendance à se réserver ce fondement pré-scientifique sur lequel toute science se construit. Mais c'est là une division illusoire, car si les deux disciplines peuvent se différencier — ce n'est pas par leur objet — car toute réalité peut comme telle relever d'un traitement scientifique — mais par leur méthode, par leur manière de sélectionner ce qui dans le réel est pensable ; il ne s'agit pas de deux objets, mais d'une même réalité à laquelle on s'adresse différemment.

Cette délimitation des domaines, cette part réservée à l'histoire des sciences n'épuisent cependant pas le problème, car ce qui est ici en jeu apparaît comme bien plus profond ; les effets s'en marquent dans la dépendance de la conceptualisation scientifique à l'égard des idéologies que les sociétés engendrent, cela dans la mesure où l'objet ne possède pas un poids ontologique suffisant pour échapper au découpage idéologique.

Aux yeux du physicien, ce qu'il qualifie de « fait » ne se donne comme tel qu'intégré au cadre théorique général qui est celui de sa science, théorie qui s'incarne dans une instrumentation complexe qui provoque la nature et fait surgir le phénomène sur un mode tel que son protocole d'apparition est codifié. Dans les sciences de l'homme, le recueil des faits est loin d'obéir à la même logique ; il relève de catégories qui, dans la plupart des cas, sont pré-scientifiques, d'un découpage qui affectivement et intellectuellement reste celui d'un individu, d'un groupe, d'une culture déterminée. Soit, dira-t-on ; mais ce n'est là que le signe du degré différent de développement qui a été atteint en l'un et en l'autre domaine. A la limite, une science humaine ayant parfaitement défini son langage, ses règles opératoires et son objet se penchera sur la matière qui est sienne avec la même rigueur que le physicien ou le biologiste. Ainsi l'analyse structurale de la littérature orale fait sentir combien ont été mal recueillis certains des mythes qui sont à notre disposition, l'ethnographe méconnaissant souvent l'intérêt du matériel qui lui était fourni, faute d'être en possession d'instruments conceptuels permettant de le penser ; mais en même temps, elle conduit à modifier les conditions de travail sur le terrain ; sensibilisé à tout ce qui lui est nécessaire pour pouvoir avancer une interprétation, le chercheur abordera le matériel en s'appuyant sur un appareil théorique déjà éprouvé. La grille qu'il utilisera réduira par son formalisme les préjugés qui sont les siens et qui ont toujours pour conséquence d'exclure certaines données parce que dépourvues d'intérêt à ses yeux.

En son principe donc, la relation du savant à la nature ne différerait pas de celle qu'il entretient avec les faits proprement humains ; ce qui les sépare, c'est un certain écart historique qui pourra se trouver comblé au bout d'un certain temps ; quelques disciplines n'ont-elles pas déjà franchi la barrière et ne se retrouvent-elles pas de l'autre côté. Ainsi Lévi-Strauss écrit-il : « Vis-à-vis des linguistes, nous (les anthropologues) nous sentons placés dans une position délicate. Pendant des années, nous avons travaillé côte à côte, et brusquement il nous semble que les linguistes se dérobent : nous les voyons passer de l'autre côté de cette barrière, longtemps jugée infranchissable, qui sépare les sciences exactes et naturelles des sciences humaines et sociales. Comme pour nous jouer un vilain tour, les voici qui se mettent à travailler de cette façon rigoureuse dont nous nous étions résignés à admettre que les sciences de la nature détiennent le privilège. D'où, en ce qui nous concerne, un peu de mélancolie et — avouons-le — beaucoup d'envie. Nous voudrions apprendre des linguistes le secret de leur succès. Ne pourrions-nous pas, nous aussi, appliquer au champ complexe de nos études — parenté, organisation sociale, religion, folklore, art — ces méthodes rigoureuses dont la linguistique vérifie chaque jour l'efficacité (1). »

Sur le bien-fondé d'une telle position, il n'est pas à revenir ; les sciences humaines, en dépit d'innombrables difficultés, connaissent dans nombre de domaines une rigueur croissante ; et bien des champs d'étude recensés par ce texte de l'*Anthropologie structurale* ont déjà bénéficié des progrès envisagés ici. Le reconnaître d'ailleurs ne signifie rien d'autre qu'admettre l'existence d'une science de l'homme qui ne soit pas seulement description, collecte de faits, mais introduction de relations nécessaires entre les phénomènes.

Une telle visée cependant se heurte à certaines difficultés qui ne sont pas rencontrées par les sciences de la nature ; la mise à jour de relations invariantes au sein des phénomènes renvoie à un certain découpage du réel, à un travail d'épuration opéré sur cette matière ; ainsi la distinction entre qualités premières et qualités secondes postulée dès les origines de la physique moderne indiquait la volonté de cette dernière de s'en tenir à ce qui était quantifiable et mesurable dans la nature et à éliminer de son champ toute préoccupation subjective. Non pas que les qualités secondes ne puissent pas à leur tour peut-être devenir objet de science ; mais la réalisa-

(1) *Anthropologie structurale*, p. 80.

tion de ce programme implique un tel progrès dans le développement de la rationalisation scientifique que la séparation entre les
deux entreprises est apparue comme un acte salvateur, toute confusion ayant pour conséquence de substituer de multiples formes
de mystique, d'association libre, de poésie aux démarches lentes et
raisonnées de la science (1). Une telle distinction une fois effectuée est devenue le fondement sur lequel la nouvelle science s'est
développée, le danger de retour aux errements antérieurs étant
éliminé ; et cela pour une raison dont l'importance est grande :
entre le champ phénoménal qui est celui de la physique constituée
et l'expérience qui est celle des individus existe un écart que rien
ne vient recouvrir une fois qu'il est posé : malgré les apparences ce
ne sont plus les mêmes données qui sont traitées dans l'un et dans
l'autre cas ; la science développée crée ses propres faits et travaille
sur eux ; très rapidement, il n'y a plus risque de confusion entre
l'un et l'autre plan.

Cette création des faits doit s'entendre en deux sens : d'une part,
découverte de ce qui n'était même pas pressenti ; il n'y a pas
d'expérience de l'atome antérieurement à la formulation de la théorie atomique et les progrès croissants de l'instrumentation font
apparaître un monde d'objets pour lesquels il n'existe aucune interprétation antérieurement à leur dévoilement ; d'autre part, effort
pour ne définir ce qui est qu'en relation avec le protocole d'expérience qui permet de le penser. Comme l'écrit Gaston Bachelard :
« L'expérience fait donc corps avec la définition de l'Etre. Toute
définition est une expérience (2). » De fait n'entre en ligne de
compte que ce sur quoi des expériences sont possibles, c'est-à-dire
ce qui peut être répété. Toute recherche scientifique implique cette
dichotomie entre ce qui est répétable et ce qui ne l'est pas ; ainsi
l'événement se trouve-t-il privé de toute vertu au profit des
relations nécessaires qu'il actualise ; ce passage de l'un à l'autre
plan n'est cependant pas moyen d'expliquer ce qu'il y a de
particulier dans chaque phénomène ; il est abandon de ce dernier
domaine.

Or la situation se présente d'une manière bien plus complexe
dans le domaine humain ; et cela tient à deux raisons essentielles :
l'*objet* auquel se confronte le savant et qu'il essaie de penser en
utilisant ses méthodes propres *se trouve toujours sous une forme ou
sous une autre intégré à des modèles pré-scientifiques* qui lui donnent
valeur et fonction ; *la distinction entre universalité et particularité*

---

(1) Il est évident que nous ne portons là aucun jugement de valeur ; celles-ci
sont toujours intérieures à un certain plan préalablement choisi, la rigueur scientifique ne supporte pas les mixtes ; mais à ceux-ci il est réservé d'autres domaines.
(2) *Le Nouvel Esprit Scientifique*, p. 45.

qui pose peu de problèmes pour les sciences de la nature *présente*
ici de très grandes difficultés.

Non pas que la rationalisation en devienne impossible ; elle
se heurte à certaines difficultés mais celles-ci ne rendent pas caduc
le projet qui est le sien : l'existence de modèles pré-scientifiques
portant sur des données mêmes que la science soumet à son traitement indique que le savant, chaque fois qu'il observera, recueil-
lera les faits ou les interprétera, pourra être guidé par des préjugés
souvent implicites qui infléchiront ses jugements dans des perspectives étrangères à l'objectivité qu'il vise. D'un tel danger, les
chercheurs ont depuis longtemps pris conscience ; pour le pallier,
deux voies s'ouvrent : normaliser au maximum l'observation ; soumettre la théorisation à des règles de vérification très strictes ; de
sorte que dans les deux cas, ce qu'un individu a analysé, un
autre puisse le faire dans des conditions similaires ; ou plus encore
que les résultats auxquels sont parvenus les savants appartenant à
telle orbite culturelle puissent être retrouvés par ceux qui sont
membres d'une autre culture, les uns et les autres ayant évidemment en commun leur formation scientifique. Dans le même sens,
l'effort pour automatiser les procédés d'analyse (traduction automatique, analyse sémantique, etc...) ouvre la voie à une objectivation croissante des règles utilisées.

Ainsi avons-nous indiqué que dans le domaine de l'analyse
mythologique, le principal obstacle provient de la projection par
l'anthropologue des classes sémantiques qui sont les siennes ; à
tout moment, les mots, les phrases se trouvent chargés d'une évidence qui n'est peut-être telle que pour une société déterminée ;
d'où un constant effort pour se dégager de cette familiarité qui est
prédonnée, pour s'appuyer au cours de la recherche sur des équivalences, des recoupements attestés dans la culture en question ;
c'est souvent possible ; mais aucune communauté n'explicite
jamais tous les symboles auxquels elle recourt ; souvent les plus
proches, les plus courants sont à ses yeux si évidents qu'ils n'ont
nul besoin d'un commentaire. Et pourtant chaque fois qu'existent
de telles déchirures de la toile, il y a place pour des interprétations
d'une nature différente, empruntées à notre propre système intellectuel.

C'est que familiarité et étrangeté se combinent étroitement ici
pour introduire des effets de leurre. L'histoire de l'ethnologie,
de la psycho-pathologie, de l'esthétique est pleine de cette confusion qui se manifeste doublement : soit qu'on recoure à des concepts qu'en aucun cas on n'appliquerait à sa propre culture, introduisant des discontinuités absolues qui ne sont que le reflet du refus
de l'observateur de rapprocher des mondes que sa sensibilité

oppose ; soit qu'au contraire certaines similitudes extrinsèques
(usage des mêmes termes, identité des comportements) voilent
l'hétérogénéité des champs sémantiques au sein desquels de telles
réalités se déploient. L'idée de mentalité prélogique répond mani-
festement au premier type d'erreur : la coupure opérée entre le
monde primitif et notre propre société préserve cette dernière de
toute contamination, en même temps qu'elle répond à l'étroitesse
du concept de « pensée » tel qu'il se dégage du positivisme (1) ; mais
inversement les lectures « matérialistes » des présocratiques mé-
connaissent que l'Air, l'Eau, le Feu ne peuvent pas être des concepts
physiques. Aussi, Clémence Ramnoux, dans son ouvrage « Hésiode
et les enfants de la nuit », s'interrogeant sur la signification du
terme nuit lorsqu'il apparaît chez les poètes et les philosophes, ne
distingue pas moins de sept niveaux d'interprétation, le terme
ayant ainsi une pluralité de valeurs ; c'est pourtant le même mot ;
et seule la plus patiente exégèse peut, dans chaque cas, reconstituer
les significations qu'il porte. C'est que le terme « nuit » nous parvient en désignant d'emblée un être très précis auquel nous sommes
habitués ; et c'est cette accoutumance qu'il faut vaincre.

Mais ce sont encore là des formes mineures d'idéologisation ;
par contre en indiquant que les transformations de l'objet ici confondu avec le sujet, rendent compte en un moment déterminé de la
possibilité même de la conceptualisation scientifique, nous ne vi-
sons pas une situation historique maintenant révolue mais une
donnée essentielle qui impose sa juridiction en raison de la relation
que les sciences de l'homme entretiennent au temps.

Toute réalité sociale, psychologique se donne sous une forme
autre suivant la série à laquelle elle s'intègre ; or cette série n'est
pas finie mais se développe dans le temps, il en est évidemment de
même pour la nature, mais en ce dernier cas la temporalité perd
une partie de son importance, vu les dimensions du temps déjà
écoulé.

Ceci revient à dire que la nature est déjà trop vieille, l'humanité
encore trop jeune pour que le facteur temps puisse y avoir la même
importance ; un siècle représente la soixantième partie de ce qu'on
appelle « histoire » ; il en modifie profondément l'aperception ;
plus encore lorsque c'est vers le présent que se tourne le regard ce
n'est jamais qu'un objet incomplet, partiellement chaotique qui se
donne à l'investigation, incomplétude que seul l'avenir peut faire
disparaître. Le déroulement historique, surgissement de ce qui
n'était pas, implique donc une possibilité permanente de conversion du contenu même de la connaissance. L'idéologie s'identifie

(1) Cf. notre Chapitre III.

ici au fait d'être situé en une phase particulière de l'histoire et non pas à son terme, comme l'affirmait Hegel.

Marx lui-même avait, par ailleurs, rencontré ce problème et il l'avait tranché en affirmant à la fois qu'une conceptualisation rigoureuse était impossible à une autre époque que la sienne, l'objet n'ayant pas encore développé ses principales virtualités — les sociétés précapitalistes sont telles qu'elles ne peuvent fonctionner que si le secret de leur existence reste inaccessible — et que cette conceptualisation devenait effective avec l'industrialisation, celle-ci apparaissant comme le terme à partir duquel l'origine acquiert un sens. Mais il n'est jamais de fins véritables, ou du moins celles-ci ne valent qu'à une certaine échelle, une parmi beaucoup d'autres. Or ce qui arrive implique de continuels changements d'échelle.

De fait l'événement apparaît comme un véritable révélateur qui modifie la valeur accordée aux éléments constituants des processus déjà étudiés ; il suffit de prendre conscience de ce qui est impliqué par l'évolution du monde communiste depuis une dizaine d'années pour savoir que toute compréhension du marxisme, toute appréhension de son histoire s'en trouve profondément modifiée : ce qui n'était encore qu'esquissé s'est développé d'une manière toute différente de celle qui semblait logique ; les intentions, les mots d'ordre, les programmes ont révélé leur signification en se réalisant ; l'important et le secondaire se sont trouvés déplacés ; dans les aspects multiformes d'une doctrine et d'une praxis politique, l'histoire a tranché imposant à celui qui s'efforce de la reconstituer de nouvelles perspectives.

Il n'y a pas, en effet, de travail historique sans une sélection des variables qui pose de difficiles problèmes épistémologiques ; dans la mesure où l'objet n'est historique que différent de tout autre, les règles de sélection perdent leur universalité : suivant les préoccupations du chercheur, sa morale, son origine sociale, la description s'accentuera diversement. C'est un des mérites des Philosophies critiques de l'histoire d'avoir mis en évidence cette dépendance du passé à l'égard du présent, mais il serait vain de ne voir là qu'un signe supplémentaire de l'hétérogénéité des points de vue ; ce qui reste décisif c'est l'inachèvement du réel ; le cours suivi par la réalité influera donc sur ce qui sera retenu.

On peut cependant penser que ce sont, au premier chef les sciences descriptives qui sont touchées par une telle situation : de par la singularité de leur objet, il leur serait beaucoup plus difficile de trancher entre les types possibles d'organisation du réel ; mais il faut y regarder de plus près.

Toute science est science d'un objet, elle implique que celui-ci se donne en personne, que le sujet connaissant entretienne avec lui, un rapport immédiat qui reste le fondement sur lequel s'élèveront les constructions secondaires. Se référer à un immédiat ne doit pas cependant entraîner d'illusion ; il est différents types de donation de l'objet et en aucun cas un privilège quelconque ne peut être accordé à l'un d'entre eux en particulier, toute confusion étant, de ce point de vue, dirimante ; non pas que l'universalité de la méthode scientifique en soit pour autant abandonnée ; mais son mode d'application dépend de ce rapport initial qui demande donc à être élucidé. L'objet qui se donne est toujours un objet individualisé, localisé dans le temps et dans l'espace, et cela qu'il s'agisse d'une table, de la conquête de Rome par les barbares ou de telle société existant présentement ; il se présente d'autre part comme un mixte de traits essentiels et de traits secondaires, de relations nécessaires et de conjonctions contingentes sans que rien au premier abord ne permette de distinguer les unes des autres ; la tâche que se propose le savant dès qu'il dépasse le plan de la simple description — celle-ci étant d'ailleurs toujours guidée par des préoccupations théoriques — est d'opérer un tri, de faire éclater le syncrétisme de l'objet et de mettre à jour les liens essentiels qu'actualise telle configuration factuelle. L'expérimentation est le moyen principal auquel il recourt. Expérimenter signifie faire varier méthodiquement une série de prédicats qui sont à la fois déterminés par des raisons de principe constitutives de la science en question (élimination des qualités secondes) et par les nécessités mêmes du travail en cours. Une telle procédure équivaut à construire parallèlement au donné initial une série de variantes, leur comparaison permettant d'établir, au delà des changements survenus, la constance des relations. C'est dans la mesure où le phénomène peut être intégré à l'ensemble de ses versions qu'il devient pensable. Ce qui caractérise l'activité scientifique c'est sa capacité à doubler le réel d'un univers artificiel obtenu à partir des mêmes éléments constituants organisés différemment.

Expérimenter, c'est donc faire exister ce qui n'était pas ; c'est intégrer l'être à la gamme de ses transformations possibles ; dans toute expérience, l'imagination est à l'œuvre ; car c'est à elle que revient ce pouvoir de s'arracher à la présence et de viser ce qui n'est pas. Mais ce « faire varier » n'est pas pure fiction ; il est travail effectif ; le nouvel objet obtenu n'est pas illusoire, il existe corrélativement à l'ancien. La science ne découvre qu'à condition de créer.

Cependant, il est des substituts à l'expérimentation et ceux-ci ont une importance extrême dès que la nature de l'objet, les dimensions du phénomène, le nombre des variables rendent impossible une transformation maîtrisée du réel. De fait, c'est l'être lui-même qui peut se donner à plusieurs exemplaires, les variations se détachant sur un fond de propriétés récurrentes qui permettent de dévoiler le caractère systématique de tels changements et d'extrapoler des versions réelles aux versions possibles, opération qui, pour sa part, peut être purement mentale. Il existe, en effet, deux paliers dans l'analyse ; étudiant un phénomène particulier, je dois isoler ses unités constitutives et établir la nature intrinsèque des rapports qui les rattachent les unes aux autres. Pour la chute d'un corps interviendront temps, vitesse initiale, accélération, ces diverses variables étant nécessairement liées, tout changement en A se répercutant en B et vice versa ; pour un système phonologique, le linguiste devra déterminer les différents phonèmes et dévoiler le système où ils prennent place (1). Or on aurait tendance à penser que l'opération ici nommée en premier est véritablement antérieure à celle qui est mentionnée en second ; la discrimination des variables pertinentes précédant normalement la mise à jour de leurs liens ; mais c'est l'inverse qui est vrai : c'est dans la mesure où j'atteins la relation que je suis certain d'avoir travaillé sur les véritables constituants du réel ; le rapport quantifiable entre la vitesse et l'accélération m'indique que c'est bien à ce niveau que devait se situer la réflexion scientifique.

Or, l'existence de plusieurs variantes me permet effectivement d'établir de telles relations : que dans les différentes versions d'un mythe, A et B changent simultanément et dans un certain sens m'indique que, pour la pensée indigène, ces deux traits particuliers apparaissent comme nécessairement rattachés l'un à l'autre ; le rapport ainsi découvert peut très bien ne pas être aperçu consciemment par les membres de la société en question ; il n'en demeure pas moins que chaque version du mythe suppose sa permanence et que celle-ci ne se révèle qu'après l'examen d'un corpus suffisant.

Or aucun corpus ne peut être obtenu expérimentalement ; il doit être recueilli ; et c'est donc à la seule condition qu'il existe que l'analyse scientifique pourra être menée à bien. Cette incapacité à construire des para objets tient évidemment à la nature même du phénomène ; non pas qu'il faille voir là une ligne de séparation entre sciences de la nature et sciences de l'homme ; dans les unes comme dans les autres, la possibilité de manipulations réelles et contrôlées de l'objet existe ; dans les unes comme dans les autres, elle est limitée, cette restriction tenant soit à la différence des échelles (les êtres étant tels qu'ils dépassent par leur taille toute

---

(1) Nous laissons évidemment de côté les différences profondes qui séparent les résultats obtenus, loi dans un cas, structure d'un système dans l'autre.

intervention humaine), soit à des conditions particulières à chaque
domaine : dans le domaine social, il faut tenir compte non seulement de l'impossibilité objective d'effectuer certaines expériences
sur des sociétés, mais du caractère aléatoire qui caractérise l'activité expérimentale ; celle-ci n'est pas application d'un savoir mais
moyen de l'acquérir ; elle ne se confond donc nullement avec la
planification qu'on envisage sans cesse d'étendre dans nos communautés ; elle implique une liberté complète par rapport aux fins
politiques, ethniques ou psychologiques qu'on peut chercher à
atteindre par ailleurs ; or ce sont celles-ci qui guident les transformations des sociétés, et il est vain d'imaginer que la science puisse
acquérir une véritable autonomie pratique par rapport à de tels
objectifs.

Dans la majorité des cas, c'est donc la possession d'une pluralité
de variantes qui permet de révéler l'ordre qui régit le réel, la comparaison au même titre que l'expérimentation permettant de mettre
à jour l'existence de connexions nécessaires entre entités différentes. Ce rapprochement entre les deux méthodes avait déjà été
explicité par Radcliffe Brown (1) : dans les sciences sociales, le seul
moyen d'appliquer le mode de raisonnement expérimental, c'est de
comparer les différentes formes de la vie sociale et leurs transformations. A l'encontre de la position empiriste qui est la sienne, il
nous paraît cependant qu'il n'y a pas de véritable comparaison sans
formalisation ; c'est à cette seule condition que les réalisations empiriques se trouvent intégrées à la chaîne des transformations possibles et que l'abandon des traits secondaires permet de donner
toujours plus d'ampleur au champ thématisé par la recherche ;
c'est cette formalisation qui, en réalité, apparaît comme le véritable analogon de l'expérimentation ; celle-ci, en effet, outrepasse
toujours le donné, fait surgir des combinaisons nouvelles alors que
la comparaison s'en rapporte toujours à une réalité préexistante.

L'Histoire des sciences de l'homme s'est donc trouvée très profondément liée à la découverte d'univers autres, l'écart existant
permettant d'apercevoir à la fois l'originalité et l'organisation de ce
qui m'était jusque-là présent sous une forme familière, l'effort pour
surmonter cette dualité entre moi-même et l'autre me permettant
par ailleurs de les inclure dans un système plus vaste dont ils ne
sont que des spécifications (2). C'est dans la mesure où une telle
opération a pu être menée à bien que les résultats les plus specta-

---

(1) Cf. notamment l'introduction à *African Political systems.*
(2) Cf. VUILLEMIN : *Leçon inaugurale au Collège de France,* p. 21 : « la détermination des invariants relatifs à des groupes de transformations de plus en plus
généraux fit voir comment on pouvait décomposer et stratifier les propriétés
d'un objet, en fonction de l'étendue du groupe considéré. »

culaires ont été obtenus ; et à ce titre on se doit de relever la conjonction de fait qui existe entre la psychologie de l'enfant, la psychanalyse, la psychologie animale et l'ethnologie ; dans chacun
de ces cas, il s'est agi de comprendre la réalité présente de l'homme
de notre propre société, sous sa quadruple forme humaine, normale, adulte, occidentale, en l'opposant à l'animal, au névrosé, à
l'enfant, au primitif ; mais chaque fois, les similitudes se sont ré-
vélées aussi importantes que les différences ; c'est dans la mesure
où ces dernières se détachaient sur un tronc commun qu'elles ont
pris toute leur valeur. L'Homme ne se dévoile qu'en dialoguant
avec ce qui n'est pas lui et qui pourtant, peut apparaître comme
son double ; et cela quelle que soit, par ailleurs, la forme de ce dévoilement ; sous un certain angle, les mythologies qui organisent
sur un mode similaire univers animal ou végétal et sociétés humaines, les grandes religions qui instaurent une confrontation permanente entre la finité de l'homme et l'infinité divine (1), la
science enfin qui ne pense son objet que dans la mesure où elle le
définit par une série de contrastes, se situent sur le même plan (2).
    Or la création expérimentale, lorsqu'elle se révèle possible, est
réalisation artificielle de cette altérité ; ce sont ses profondes limitations dans le domaine humain qui rendent compte de l'importance accordée aux clivages naturels ; ce sont elles aussi qui
expliquent la portée immédiatement accordée à la découverte de la
cybernétique ; car en un domaine à bien des égards essentiels, celui
de l'étude de l'intelligence humaine, la construction de machines à
penser équivalait à la mise à jour de nouvelles formes d'intelligence qui ne seraient pas simplement rencontrées, mais véritablement créées, cette création étant maîtrisée dans sa procédure comme
dans ses effets. Il en découle un changement profond de la méthodologie : lorsque je me soumets à des réalités préexistantes à toute
recherche, je pars de ce qui apparaît pour essayer de rendre compte
à la fois de son mode d'être et des conditions qui rendent possible
son apparition ; lorsque, par contre, je suis source de l'objet, les
manifestations de ce dernier et leurs causes me sont accessibles simultanément. En effet, la démarche cybernétique est double ; elle
consiste d'une part à fabriquer une machine capable d'accomplir

---

(1) Tout mouvement vers la transcendance est d'abord recherché d'une altérité qui donne sens à ma propre condition.
(2) Il s'agit là des conditions permanentes de toute pensée ; nous avons déjà
indiqué combien les déterminismes sociologiques ne pouvaient se faire jour qu'en
se réfractant à travers les conditions qui définissent le fonctionnement de l'intellect comme tel. Il est courant depuis Feuerbach et Marx de déclarer que
l'homme a attribué à Dieu son être propre sous une forme exemplifiée et que le
temps de la réappropriation est maintenant venu. Mais il serait sans doute plus
exact de dire que Dieu s'est trouvé chargé des attributs qui permettaient de penser
la réalité humaine en s'opposant à elle.

certaines opérations intellectuelles, la réussite d'un tel projet conduisant à élaborer un certain modèle du fonctionnement du cer-
veau, l'analogie des effets me permettant de postuler une relative
homogénéité des conditions de leur production ; d'autre part, à
établir un programme auquel la machine se conformera ; ce qui
revient à expliciter l'ensemble des opérations que l'homme accomplit effectivement ; la certitude d'avoir atteint leur enchaînement
réel m'étant fourni par le fait que la machine peut parvenir à des
résultats identiques aux miens en suivant la voie qui lui a été tracée.

Ces diverses références indiquent bien par quels moyens s'effectue la constitution de la rationalité dans les sciences de l'homme.
L'objet ne devient pensable qu'à sa limite ; et celle-ci n'est jamais
une limite absolue, mais une frontière reconnue provisoirement et
destinée dans une autre étape à être abolie ; lorsqu'on opère à l'intérieur de ce cadre, on confronte une pluralité de variantes en organisant leurs dissemblances sur la base du substrat commun qui leur
est reconnu. Lorsque ce cadre éclate, c'est ce substrat lui-même
qui devient une variante parmi d'autres, les distinctions précédemment traitées n'étant plus maintenant prises en considération.
Chacun de ces sauts indique que nous nous trouverons confrontés
à des difficultés particulières requérant une méthodologie propre ; les
problématiques soulevées dépendent de l'échelle où le savant a
choisi de se situer (1), échelle qui peut toujours être convertie en
une autre. Non pas que ces différents paliers soient subjectifs ; elles
sont les seules possibles, du moins pour un intellect humain ; mais
c'est leur connexion qui me révèle ce qui, dans l'objet, est
pensable. Le Savoir Achevé ne se présentera donc pas comme un
ensemble d'affirmations unitaires et ordonnées, mais comme constitué par des groupes discontinus de propositions relevant d'é-
chelles différentes ; et si l'idée de sagesse peut avoir un sens, elle
se référera à cette possibilité qui est nôtre de ne pas s'en tenir à une
échelle unique et de parcourir d'un perpétuel mouvement allant
dans les deux sens, tous les types concevables de conceptualisation. Toute praxis, toute idéologie par contre, ne peuvent se développer qu'en se maintenant à un niveau unique choisi en fonction
des fins qu'elles poursuivent.

Pluralité des variantes, pluralité des plans d'intelligibilité sont
donc profondément liées ; et le problème posé à propos de notre
communauté revient à se demander à quelle condition l'une et
l'autre peuvent être mises en évidence. A cette question, il n'y a
pas d'autre réponse que celle déjà apportée par Hegel : le savoir

(1) Au cours de nos discussions des rapports entre la mythologie keresane
et la réalité sociale, nous avons donné une illustration de ce changement d'échelle.

ne peut fournir un fondement effectif que si l'histoire touche à son terme ; mais ce que nous savons, en plus, c'est qu'il s'agit là d'une condition aussi indispensable qu'irréalisable. C'est en prenant conscience de ce fait, tout en utilisant les critères ainsi définis en un registre plus restreint, que la science affirme sa spécificité.

On voit sous quelle forme se reformule à nos yeux le débat entre Hegel et Marx : le retour à l'empirie qui s'amorce résolument avec les *Manuscrits économico-philosophiques* et l'*Idéologie allemande*, la transformation du sujet spéculatif en être réel, producteur de sa propre existence, exclut toute synthèse ontologique achevée ; mais la validité reconnue à la critique marxiste ne signifie nullement que nous substituons à la circularité du système une lecture des significations qui saisirait leur contenu en remontant à l'engendrement pratique qui est le leur. Dans le premier cas, la science est considérée comme achevée ; dans le second, elle s'intègre à un discours d'un autre type qui porte sur le mouvement même par lequel la société se constitue. Or ni l'une ni l'autre de ces possibilités ne correspondent à ce qui peut être légitimement affirmé en prenant en considération la réalité même du travail scientifique. L'inachèvement de l'objet exclut l'une et l'autre démarche.

Que faut-il entendre par cet inachèvement ? Là encore, l'écart entre le premier et le second parcours de la *Phénoménologie de l'Esprit* indique avec précision ce dont il s'agit : chaque figure particulière de la subjectivité entretient à l'Esprit qui lui sert de soubassement une relation qui suppose toujours une certaine méconnaissance ; dès l'origine, l'Esprit est défini par ses prédicats essentiels ; mais cela, la conscience ne le sait pas, et cette ignorance découle du fait que l'Esprit ne s'est pas encore pleinement développé, qu'il n'a pas actualisé toutes ses possibilités ou, pour utiliser notre langage précédent, que le nombre de ses variantes n'est pas suffisant pour permettre qu'on s'élève à la connaissance de son être.

Or, une telle situation est celle-là même que connaît tout sujet engagé dans une histoire qu'il essaie de penser, d'ordonner ; la pluralité des variantes a jusqu'alors été envisagée de deux manières : soit qu'elle soit produite expérimentalement, soit qu'on se la donne en confrontant la réalité étudiée à d'autres domaines suffisamment proches pour avoir puissance révélatrice ; les différentes sciences de l'homme auxquelles nous nous sommes précédemment référé se trouvent dans cette dernière position. Mais il ne s'agit plus seulement maintenant d'opérer sur le plan synchronique — confrontation de champs distincts donnés simultanément (enfant, adulte ; malade, bien portant ; sociétés primitives, sociétés historiques) — mais en diachronie, comparant des modalités différentes d'un type de société, dans lequel nous baignons, modalités qui ne sont pas toutes accessibles en même temps. Cette opposition entre diachronie et synchronie n'a évidemment aucune valeur absolue ; les animaux ont existé avant l'humanité ; l'homme est d'abord enfant avant de devenir adulte et les « sociétés historiques » sont sorties de ce que nous appelons « sociétés primitives » ; rien n'existe que dans le temps et l'histoire est partout présente ; mais pour nous, situés en un certain lieu, certaines parties de cette histoire peuvent, provisoirement au moins, être considérées comme achevées ; il n'en est pas de même dès que c'est à ce monde, actuellement existant, que se rapporte la recherche ; car il devient indispensable de se demander si le réel m'est déjà donné sous une forme suffisamment complète pour que je puisse le transformer en objet d'investigation scientifique.

Il ne s'agit évidemment pas de description : celle-ci est toujours possible ; de même, les obstacles que rencontre l'historien qui s'attache à retracer le déroulement d'événements contemporains sont, en partie du moins, d'ordre matériel : absence de témoignages suffisamment nombreux, non-divulgation d'un très grand nombre de documents, etc... ; cependant, l'absence de recul auquel il se réfère parfois est déjà d'un tout autre ordre : lorsqu'il l'invoque, il veut indiquer par là que le réel est encore trop prégnant pour que le secondaire puisse être dissocié du primordial, le contingent de l'essentiel ; parce que trop collé à l'objet il ne peut mener à bien son travail analytique ; plus encore, la répercussion de certains faits mineurs sur les modèles idéologiques dont disposent les membres de la société le conduit souvent à choisir des échelles d'appréciation arbitraires qui privilégient ces faits aux dépens de transformations plus profondes mais moins directement perceptibles dans l'immédiat pour les individus ou les groupes sociaux.

Mais ce qui est un inconvénient très profond pour la recherche historique devient dirimant pour l'analyse structurale ; la première, en effet, s'en tient à ce qui est : aussi grandes que soient les lacunes de son information, toute tentative menée à bien est un pas de plus dans la reconstitution du réel, reconstitution qui se veut totale — même s'il est de la nature d'une telle intention de n'être jamais remplie. L'analyse structurale vise, par contre, à établir le système qui seul permettra de penser ses spécifications ; et pour cela, je dois pouvoir, au sein d'une réalité quelconque, isoler les relations nécessaires des relations contingentes, choisir le plan de référence à l'intérieur duquel les variables choisies se laissent organiser. Or ces opérations ne peuvent être menées à bien que si le réel lui-même me livre l'esquisse d'une telle dissociation en faisant éclater les conglomérats accidentels d'événements ; et cela en multipliant la diversité de ses formes ; ce qui suppose toujours du temps.

On saisit donc la nature du problème : les praxis humaines visent à transformer le réel en s'appuyant sur une certaine appréhension de la réalité présente ; cette appréhension n'est pas scientifique mais idéologique ; ce ne sont pas les savants qui, dans la plupart des cas, sont responsables de ces pratiques ; à quelles conditions cependant une légitimation philosophique peut-elle intervenir ? Face aux idéologies une politique rationnelle est-elle concevable qui, portant sur les différents aspects de la société, se conformerait à l'être essentiel de l'homme en s'appuyant sur une science certaine de l'essence même de cette société ? A une telle question, il n'est pas de réponse absolue ; cela dépend à la fois des propriétés du phénomène en question et de son stade actuel de développement. La linguistique une fois constituée en discipline scientifique, toute théorie linguistique portant sur l'évolution des langues contemporaines peut être rapportée à une norme qui en détermine la valeur ; c'est que le grand nombre de langues étudiées et leur homogénéité de principe nous permettent dans chaque cas d'établir le système de la langue que nous parlons. Mais l'histoire de l'économie politique ferait apparaître combien les diverses théories ont été liées en leur esprit comme dans leurs conclusions à la réalité qui leur servait de point de départ ; et les transformations profondes qu'a connues cette science du fait de l'existence de plusieurs modèles de sociétés industrielles révèlent bien combien la possession d'une seule variante limite la possibilité d'une conceptualisation adéquate. Par rapport aux doctrines initiales, l'histoire a donc joué le rôle d'un véritable révélateur, faisant s'épanouir ce qui n'était qu'esquissé, reproduisant à plusieurs exemplaires ce qui ne semblait lié qu'à une unique configuration, dévoilant la permanence des choix et des réalisations sous la diversité apparente des idéologies ; et c'est de cette actualisation que dépend la possibilité pour la recherche scientifique de dépasser le plan descriptif.

Comme l'affirme la Préface de la *Phénoménologie de l'Esprit*, le savoir effectif dépend de l'achèvement de l'objet ; mais à l'encontre de toute métaphysique, cet achèvement ne doit pas être pensé absolument mais toujours relativement à l'échelle d'intelligibilité choisie ; et il ne signifie pas que l'histoire est terminée mais que la variété de ses formes est suffisante pour que je puisse légitimement passer du réel au possible. La raison analytique est bien la seule forme de rationalité scientifique, mais elle ne peut trouver un champ d'application qu'après que l'objet a développé suffisamment de ses virtualités pour qu'il devienne pensable. Si elle cherche toujours, de par sa vocation, à maîtriser le temps en y introduisant la loi, il n'en reste pas moins que c'est dans la durée qu'elle puise sa matière.

Ceci ne signifie évidemment pas que l'apparition de l'objet reste la condition de son étude, affirmation difficilement contestable, mais que le présent ne livre l'ordre qui le régit qu'à partir de son avenir ; les diverses idéologies de notre temps constituent autant de paris sur cet avenir ; l'écart entre ce qu'elles affirment et la réalité sociale qu'elles recouvrent peut donc bien être dénoncé ; il n'a pas par lui-même valeur destructrice ; ce qui est en cause, lorsque le marxisme ou toute doctrine vient à être discuté, ce n'est pas sa relation à telle ou telle forme de société à un moment donné ; l'authentification ou la critique ne pourront se faire que sur la base d'une série suffisamment longue pour qu'elle puisse être pensée à partir de son terme (1).

La science ne peut donc être connue comme source possible d'une praxis rationnelle que dans des limites bien déterminées ; par contre, la synthèse de la sphère théorique et de l'activité pratique que Marx situe au cœur même de l'histoire des sociétés industrielles est exclue en raison des conditions mêmes qui définissent la relation du savant à la réalité. La lucidité en ce domaine consiste non pas à se satisfaire d'une unification rapide, mais à recenser avec rigueur les différents plans où se déroule l'action humaine, à déterminer leur logique particulière, leur mode de légitimation, les antinomies qui les traversent, les décalages qui existent nécessairement entre chacun d'entre eux.

De fait les questions vitales auxquelles, en tant que membre d'une société déterminée, je suis confronté, possèdent une urgence, une originalité telles qu'aucune possession scientifique de l'objet ne peut m'en livrer le secret ; des savoirs particuliers peuvent être utilisés indiquant les coûts et les avantages respectifs d'entreprises déterminées, mais il s'agit toujours d'un calcul portant sur les moyens et supposant un découpage ontologique préalable, une table des valeurs acceptée sans discussion. Or c'est cette table qu'il faut fonder ; en son principe elle s'appuiera sur une certaine appréciation de ce qui est essentiel et de ce qui ne l'est pas ; or en raison des conditions mêmes de donation de l'objet, de cet inachèvement qui est radical lorsque nos préoccupations sont tournées vers ce qui se fait présentement, cette appréciation ne peut être que partiellement d'ordre scientifique.

Il est donc vain de voir dans la science le seul mode d'appréhension de ce qui est qui soit aujourd'hui valable ; la mystique posi-

_____

(1) Il n'y a évidemment pas de terme absolu ; celui-ci est toujours relatif à un certain niveau d'intelligibilité.

tiviste méconnaît les conditions qui sont celles rencontrées par la
pensée scientifique dans son effet pour ordonner les phénomènes
humains ; en se donnant pour acquise la coïncidence entre le savoir
et la praxis humaine, il rejoint sous une forme autre cette immanence du sens aux conduites postulée par le marxisme ; la conversion historique de l'un dans l'autre n'a donc rien qui puisse nous
étonner ; dans chaque cas on a méconnu l'hétérogénéité des plans
où se situe notre expérience, effacé des limites qui seules pourtant
garantissent l'authenticité. Or dans sa relation aux problèmes qui
sont ceux de la vie même, la science est greffée de profondes limitations ; engagé dans sa praxis quotidienne, l'homme ne peut en
déchiffrer le sens que par les moyens qui sont les siens ; il saura,
sans doute, qu'une science future, confrontée à une série plus vaste
pourra valider ou invalider les choix qui ont été les siens, en dévoiler les véritables contenus, la racine secrète, mais sa tâche n'en
sera pas facilitée pour autant ; que les temps futurs nous livrent
la vérité de notre histoire n'enlève rien de sa vigueur au fait que la
recherche de cette vérité habite l'histoire vivante, celle que nous
sommes en train de vivre. La valeur prise par le temps n'est donc
pas synonyme de pure créativité ; elle indique une des dimensions
de notre finitude ; savoir ce que nous sommes dépend alors de ce
que nous ne sommes pas encore, paradoxe qui situe dans des limites
étroites le champ où pensée et action humaine se rencontrent et se
fécondent mutuellement.

La marge d'indétermination ainsi reconnue ne doit cependant
pas conduire à inverser l'ordre de dépendance : si la science laisse
un espace blanc que d'autres discours sont appelés à combler, il
importe de ne pas accorder à ces derniers la possibilité d'une connaissance privilégiée et immédiate qui contrasterait avec les démarches lentes et raisonnées de la science ; tout au contraire celle-ci
ouvre une perspective rationalisante qui reste le fondement sur lequel toute autre forme d'intelligibilité peut prendre appui. Comme
l'indique Husserl :

« Si nous ne pouvons séparer le règne authentique de l'humain et
la vie vécue dans la responsabilité de soi radicale et par conséquent
aussi si nous ne pouvons séparer la responsabilité de soi scientifique de la totalité des responsabilités de la vie humaine en général,
alors nous devons dominer cette vie totale et cet ensemble de traditions culturelles et par des prises de consciences radicales rechercher pour nous, en tant qu'isolés et en tant qu'êtres faisant
partie d'une communauté, les possibilités et nécessités dernières
à partir desquelles nous pouvons prendre position à l'égard des
réalités, en jugeant, en évaluant, en agissant.

Assurément, nous atteignons ainsi, comme éléments ultimes

dont nous avons à répondre, uniquement des généralités, des « principes », au lieu que la vie consiste dans les décisions de l'instant qui n'a jamais le temps pour des activités de fondation s'effectuant dans la rationalité scientifique. Mais quand la science a pris des décisions issues d'une responsabilité principielle, ces décisions peuvent bien alors graver dans la vie des habitudes normatives qui dirigent le vouloir en tant qu'elles dessinent des formes à l'intérieur desquelles les décisions individuelles doivent, dans tous les cas, se maintenir et peuvent se maintenir, pour autant qu'elles sont réellement assumées. Pour une praxis rationnelle, la théorie *a priori* ne peut être qu'une forme délimitante ; elle ne peut que poser des barrières dont le franchissement signifie le contresens ou la confusion (1). »

Or il est un domaine où ce clivage se fait jour avec un poids particulier : il ne s'agit pas alors de la simple opposition entre le savoir et la vie, entre les principes universels et les décisions prises dans l'instant. Ou du moins celles-ci ne sont évoquées que dans la mesure où elles fournissent une voie d'accès au savoir. Nous touchons là aux problèmes découlant de cette exigence de théorisation de l'individuel qui se situe au cœur des sciences de l'homme.

En abandonnant les qualités secondes, les sciences de la nature ont pleinement répondu à la vocation qui était la leur au moment où elles se sont constituées, aux instruments qui étaient à leur disposition. La laïcisation de la nature qui en a découlé était lourde de conséquences philosophiques, religieuses, politiques, mais c'est elle qui a permis à la science de se développer en se cantonnant à ce qui, dans l'objet, était pensable par les moyens qui étaient les siens. Cette limitation correspondait d'ailleurs pleinement à la fin visée ; car il s'agissait d'une part d'expliquer, d'autre part de posséder une connaissance suffisante de la nature pour la maîtriser et pouvoir agir sur elle ; or l'un et l'autre objectif sont atteints par la prise en considération des propriétés permanentes des objets ; c'est la constance des relations entre les divers aspects du phénomène qui permet de le comprendre et de le transformer ; et elle ne peut être établie qu'après qu'aient été éliminées toutes les variations secondaires. Or cette élimination s'avère beaucoup plus difficile dans le domaine humain : non pas que les travaux portant expressément sur les relations invariables ne puissent pas être menés à bien ; mais les déchets n'en deviennent pas pour autant « inintéressants » ; ils sont, en fonction de la valeur qui leur est accordée, soumis à des investigations multiples qui, pour n'être pas scientifiques, au sens le plus fort du terme, ne s'en inspirent pas moins de cette rationa-

---

(1) *Logique formelle, logique transcendantale*, p. 9-10.

lité. Plus précisément, les sciences de l'homme accordent à la
« description » une importance qu'ignorent tout à fait les sciences
de la nature. Une fois établie la loi de la chute des corps, on ne conçoit pas l'existence d'une discipline qui se donnerait pour tâche de
décrire aussi précisément que possible comment cette pierre, ce
morceau de bois, ce vase tombent ; la chute de chaque objet ne
présente un intérêt que dans la mesure où elle actualise un certain
nombre de relations valables pour tous. Mais en supposant que les
révolutions obéissent dans leur déroulement à une loi rigoureuse,
il n'en restera pas moins que chaque révolution demandera à être
étudiée dans ses moindres détails. Ainsi l'activité scientifique pré-
sente-t-elle deux faces qui se développent corrélativement.

Dans les *Prolégomènes aux recherches logiques*, Husserl distingue
entre sciences « nomologiques » et sciences « descriptives » (1) ; il
recouvrait sous le premier terme les disciplines faisant essentiellement appel à la déduction, les autres se contentant de dévoiler l'objet sans le soumettre à un traitement logico-mathématique. Ainsi,
la géométrie s'oppose à la géographie. En fait, la différence est bien
plus générale ; certaines recherches ont pour objet de mettre à
jour des invariants au sein du réel (2) ; d'autres, au contraire,
s'efforcent de reconstituer une réalité déterminée en lui conservant
sa singularité. L'important, c'est qu'à bien des égards les unes et
les autres portent sur la même matière considérée sous deux angles
différents ; elles s'appuient d'ailleurs sur leurs résultats réciproques ; toute théorie ethnologique dépend de la valeur du matériel ethnographique, de la qualité de la description ; mais inversement, l'observation s'affine en se conformant aux exigences de la
théorisation ; l'individualité phénoménale est mise en valeur dans
la mesure où elle se détache sur un fond de propriétés récurrentes ;
mais je ne sais jamais au commencement de l'entreprise ce qui relève de l'un ou de l'autre registre.

Le problème peut être reformulé sous une autre forme ; ce qui
caractérise la construction scientifique, c'est la primauté de la méthode sur l'être ou plus précisément de la conceptualisation sur ce
qui est conceptualisé. L'Etre ne se définit que par les moyens de le
penser ; c'est la possibilité de le mesurer qui indique la pertinence
du phénomène physique ; c'est parce que je réussis à introduire
une relation quantifiée entre deux événements que l'objet scientifique se constitue ; dans le cas contraire, le réel retourne à sa
fragmentation initiale faite de la juxtaposition de faits inexpliqués
au sein d'un certain cadre théorique, de préjugés philosophiques

---

(1) *Recherches logiques* (P.U.F.), vol. I.
(2) Ces invariants peuvent alors dans certaines limites se prêter au calcul.

ou autres, de perceptions sensibles, etc. Comme l'écrit Jean Ullmo :
« la méthode scientifique mesure (par les paramètres rencontrés
dans les relations répétables) avant de savoir ce qu'elle mesure
(l'être qui sera désigné comme support de la relation répétable),
qu'elle définit dans la même entreprise (1). » Et de prendre l'exemple de l'être « pression atmosphérique » qui n'existe que lorsque est
établie la constance de la relation entre la densité d'un liquide et la
hauteur de la colonne qu'il forme lorsqu'on a fait le vide au-dessus
de lui. Or, il s'agit là d'une propriété universelle qui vaut tant pour
les sciences de la nature que pour les sciences de l'homme ; certes
dans ce dernier cas, l'objet initial présente un degré de cohérence
bien plus poussé que toute manifestation physique ; étant un produit de l'activité humaine, il se situe à son échelle et se trouve d'emblée intrinsèquement significatif : un mythe existe comme tel ;
les hommes lui attachent une certaine importance et il remplit une
fonction déterminée. Mais de la même manière, c'est dans la mesure où je peux établir un certain ordre au sein du récit mythique
que j'isole l'activité intellectuelle qui lui est sous-jacente ; en introduisant des relations significatives entre les diverses séquences, je
fais exister un certain type d'objet qui disparaîtrait si échouait la
conceptualisation scientifique. La connaissance n'est pas transformation d'une réalité de prime abord inconnue en une réalité
connue et dévoilée, mais passage d'un objet auquel nous n'entretenons qu'un rapport intuitif à un autre objet que définit l'ordre
qui est le sien.

L'unité de la visée scientifique est donc profonde ; la différence
ne surgit qu'ultérieurement : les sciences de la nature ont pour
objet ce qui peut être mesuré, c'est-à-dire les objets qu'elles constituent en les mesurant ; ce qui échappe à une construction de cet
ordre appartient à un autre registre, se trouve privé de signification au niveau qui nous intéresse, et cela tant en ce qui concerne les
fins pratiques que les fins théoriques de l'homme ; les raisons qui
font que c'est cette pierre qui tombe et non pas celle-là sont infi-
nies ; et il n'existe pas d'explication concordante pour rendre
compte de la chute de toutes les pierres qui tombent à un moment
donné ; mais cela importe peu, pourvu que l'ensemble de ces
« événements » se conforme à une relation constante entre la vitesse
et l'accélération ; or cet abandon de l'événement n'est pas le fait
des sciences de l'homme ; elles s'y attachent au contraire avec un
intérêt marqué : c'est en effet à ce niveau que se situe l'expérience
humaine. L'opposition entre sciences descriptives et sciences théoriques correspond à un clivage très profond au sein de la connaissance ; certes, très souvent le recours à la description et à la des-

(1) Jean ULLMO : *La Pensée Scientifique Moderne*, p. 28.

cription seule est le signe d'une conceptualisation insuffisante, limite qui s'effacera à une étape ultérieure du développement du savoir ; mais l'existence de tels progrès ne fera en aucun cas disparaître le hiatus qui subsiste de l'un à l'autre domaine (1) ; ce qui se trouve décrit suppose à tout moment l'interaction d'une pluralité de facteurs, la conjonction de déterminismes multiples qui, pour leur part, ne peuvent être isolés qu'après l'éclatement de l'unité primordiale du phénomène ; cette unité reconstituée déborde de toutes parts les ordres qui lui sont sous-jacents ; une transformation sociale, une révolution technologique, une guerre, l'évolution d'une névrose, supposent, quelles que soient par ailleurs les récurrences qui peuvent être constatées, une conjonction unique d'éléments diversifiés qui, par définition, possède un important coefficient d'imprévisibilité. Aussi a-t-on justement écrit à la suite d'Aristote : « Une *Science spéculative de l'individuel* est impossible, c'est vrai ; tel est le sens de l'aphorisme aristotélicien qu'il n'y a de science que du général (2). »

Mais ici les mots ne doivent pas nous tromper : l'individuel et le général ne sont pas deux classes d'objets distincts qu'il est possible de constituer *a priori*, une seule d'entre elles pouvant être soumise à un traitement scientifique ; l'individuel se donne comme ce qui résiste à la généralisation ; il n'est rien d'autre que ce qui ne peut pas être généralisé ; la notion en est donc toujours soumise à d'incessants remaniements qui se font en une double direction : progrès accomplis par la science étendant ses méthodes à de nouveaux aspects du phénomène ; rejet par cette science de ce qu'elle ne peut pas soumettre à ses techniques propres. La limite entre les deux champs ainsi délimités peut donc bien être fluante ; il n'en reste pas moins qu'au cœur même des sciences de l'homme, se trouve inscrite cette dichotomie entre sciences nomologiques et sciences descriptives ; c'est à elle que correspond l'opposition entre analyse structurale et histoire, entre la construction d'un modèle rendant compte des différents stades de développement de la névrose obsessionnelle et l'étude de tel ou tel cas, etc...

Or, cette division pose d'importants problèmes, touchant au

(1) Indiquons immédiatement que la différence entre sciences de la nature et sciences de l'homme tient tout autant à des propriétés intrinsèques aux domaines considérés, du moins dans l'état actuel de nos connaissances, qu'aux différences de valorisation.
Si par hasard la chute de chaque pierre devenait un événement essentiel, demandant à être décrit dans tous ses détails, l'opposition entre les deux types de traitement scientifique réapparaîtrait ; l'étude de chaque cas particulier ferait appel à des démarches multiples, utiliserait les résultats obtenus par les diverses disciplines en une vision synthétique s'efforçant de reconstituer le phénomène, de reproduire mentalement l'ensemble de ses spécifications.
(2) Gilles Gaston GRANGER : *Pensée Formelle et Sciences de l'Homme*, p. 185.

déroulement du travail scientifique aussi bien qu'au statut philosophique qui est le sien. La mise à jour d'invariants suppose la
possibilité de reproduire théoriquement ou pratiquement ce qui est
ainsi dévoilé, indépendamment de la fonction et des qualités
propres de l'observateur ; mais dans son individualité, le phénomène se définit justement par l'impossibilité d'une telle répétition ;
non seulement la mise à jour des éléments constituants du réel en
est rendue aléatoire mais il n'est plus possible de mesurer les effets
qu'entraîne la recherche ; l'intervention, tant théorique que pratique du savant reste elle-même profondément individualisée
puisqu'elle s'applique chaque fois à des objets différents. Il en découle une série de difficultés dont la psychanalyse offre une illustration désormais classique.

L'élaboration des concepts freudiens répond primordialement
aux besoins rencontrés au cours de traitements visant à faire disparaître certains symptômes chez des patients présentant des
troubles pathologiques graves. C'est en réfléchissant à ce qui se
passe au cours de ces cures, en cherchant à comprendre ses erreurs
d'interprétation que Freud est conduit à présenter un certain
modèle du fonctionnement de l'appareil psychique ; et durant une
période importante de son histoire, la psychanalyse se transformera en fonction des problèmes thérapeutiques rencontrés, de
l'extension de ses méthodes à de nouveaux domaines, de l'acquis
des autres disciplines. Cependant, cet incontestable primat d'une
praxis dont les fins ne sont pas exclusivement scientifiques a marqué
la discipline tout entière ; car elle est à l'origine tant de son extraordinaire fécondité que de son idéologisation et de certaines des
impasses qui sont aujourd'hui les siennes.

Le champ recouvert par la littérature psychanalytique indique
assez bien l'hétérogénéité actuelle des points de vue qui guident
tant la théorie que la pratique. Qu'y trouvons-nous :

— une ordination des différents stades de développement de la
libido infantile ; c'est initialement l'étude des adultes qui a permis
que ces diverses étapes puissent être caractérisées ; mais ultérieurement, la psychanalyse des enfants et l'observation de ces derniers
par des méthodes scientifiques plus classiques ont apporté un matériel qui a confirmé en ses grandes lignes la perspective freudienne.

— Un modèle général du fonctionnement de l'appareil psychique qui tend à rapporter les multiples aspects du syncrétisme
psychologique à des niveaux de structuration différents de la personnalité, pourvus de leur cohérence propre : suivant le langage
utilisé ou les préoccupations des auteurs, le Moi, le Çà, le Sur Moi
peuvent apparaître comme des forces dont la combinaison rend
compte de la vie psychique, ou comme une traduction commode

de ces intentionnalités antithétiques dont l'analyse révèle l'existence dans tout sujet. C'est sur ce point que les critiques les plus nombreuses ont été dirigées contre la psychanalyse, sur ce point aussi que les solutions de remplacement se sont avérées illusoires : personne ne doute de l'insuffisance du modèle freudien ; mais les tentatives pour lui substituer d'autres constructions n'ont pas donné de grands résultats, d'autant plus qu'il suffit globalement à ce qui lui est demandé.

— Une logique qui étudie le fonctionnement de l'esprit humain en certaines de ses productions — rêves, lapsus, actes manqués, jeux de mots, etc... Freud a consacré un certain nombre de ses œuvres maîtresses à cette logique qui a pour objet le type d'opérations qui caractérise le psychisme individuel. En se confrontant à un tel problème, la sémantique psychanalytique s'intègre au vaste champ des disciplines séméiologiques — linguistique, logique, mythologie, poétique, rhétorique, etc... — qui, à long terme, visent à la constitution d'une théorie générale de l'intellect qui soit véritablement universelle et n'apparaisse plus comme la simple projection des valorisations propres à telle culture ou à telle branche du savoir.

En suivant cette triple voie, la psychanalyse se maintient à un niveau rigoureusement objectif qui l'apparente aux autres sciences ; mais cette impression disparaît dès qu'on s'attache à la manière dont de tels concepts ont été obtenus ; car le primat de la praxis thérapeutique rend compte à la fois de la possibilité de descendre à un niveau d'individualisation beaucoup plus poussé que toute autre discipline et des limites permanentes que rencontre la conceptualisation. Toute réflexion scientifique part d'un certain donné qu'elle soumet à un travail d'élaboration permettant d'y introduire un ordre déterminé ; le cadre théorique ainsi obtenu constitue par la suite la voie d'accès privilégiée aux faits qui sont sélectionnés, traités, utilisés en fonction d'un certain stade d'élaboration conceptuelle. Or cette possibilité n'est pas directement donnée à la théorie analytique ; certes, le matériel recueilli sera interprété différemment suivant les époques ; de même, les analystes n'interviendront pas identiquement s'ils se réclament de doctrines différentes. Il n'en reste pas moins que les exigences médicales impliquent une complète contingence du donné ; je soigne les malades qui le demandent, et cela hors de toute exigence purement scientifique (1). Cette première limitation est encore tout extérieure ;

---

(1) Certes le choix demeure ; tel psychiatre se consacrera plutôt à certains malades ; et cela autant en fonction de ses qualités propres que des problèmes qu'il espère résoudre. Il n'en reste pas moins que — et c'est le cas pour toute pratique non exclusivement scientifique — c'est d'abord à une réalité diverse, chaotique, hétérogène que je dois m'adapter.

il en est d'autres qui touchent à la technique même de la cure.

Dans tout procès analytique, il existe deux faces qui, profondément liées, n'en doivent pas moins être distinguées : en séance, le patient produit un texte dont certaines parties (les symptômes premiers pour lesquels le malade vient se faire soigner et qu'il expose : les rêves, les actes manqués et tout ce qu'il peut dire de lui-même sans en comprendre la portée) ont valeur de message alors que ce qui suit (association, commentaire, remarques adjacentes) apparaît comme matériel dérivé devant permettre le décodage du message initial. Cette séparation est évidemment temporaire ; nous avons déjà indiqué qu'à la limite, il ne restait plus qu'un seul texte dont toutes les parties se répondent ; mais accorder une valeur absolue à cette affirmation serait absurde ; car on doit tenir compte à la fois de l'existence de parties distinctes au sein du discours (un rêve raconté n'est pas identique à un lapsus commis au cours d'une séance et celui-ci est distinct des notations qui suivent sa production) et du déroulement temporel qui exclut qu'on puisse considérer l'ensemble d'une cure comme pure simultanéité ; le formalisme ici retrouve tous ses droits : ce que le sujet dit de lui-même se laisse classer en fonction d'une multiplicité de critères qui permettent de repérer dans le déroulement d'une cure des différences de niveaux qui sont essentielles pour l'interprétation. Cependant ces clivages n'ont de valeur que dans leur rapport à la pratique de l'analyste ; non seulement c'est lui qui fixe l'espacement des séances, leur durée respective et souvent, par ses interventions, les relations qu'elles entretiennent entre elles, mais l'ensemble du discours lui est adressé et vient se façonner sur sa personne ; certes, celle-ci présente toutes les garanties de neutralité, l'écart entre sa relative abstraction et ce qu'elle évoque pour le sujet permettant de dévoiler la nature et la fonction des projections auxquelles se livre le patient. Mais l'apparition du phénomène obéit ici à sa rencontre avec une situation qui, dans la mesure où elle a pour support un individu déterminé — avec ses qualités, son univers intellectuel, etc... — ne peut en aucun cas être intégralement codifiée (1) ; si l'on préfère, le phénomène se plie à un certain cadre théorique et existentiel avant même son analyse scientifique (c'est ce dernier cas qui est courant dans les sciences de la nature) ; la

---

(1) Sans doute une cure peut-elle être retranscrite, racontée à un autre analyste (c'est ce qui se passe notamment dans une analyse de contrôle) qui possède alors tous les moyens d'intervenir efficacement. Ceci indique que l'équation personnelle de l'analyste peut très bien être maîtrisée et pensée dans ses effets. Mais c'est à un niveau plus profond que celui de la simple incarnation psychologique que se situent les remarques qui suivent.

théorie en ce cas ne détermine pas seulement la manière d'expliquer mais aussi ce qui doit l'être.

C'est que la matière traitée obéit à de curieux paradoxes : l'un des plus grands mérites de Freud est d'avoir rompu avec un certain type d'explication physiologique qui renvoyait la maladie au non-sens (1), pour la constituer dans le déroulement d'une histoire ; ainsi chaque structure symptomatique a un certain nombre de causes réelles qui ne se livrent immédiatement ni au patient ni à l'analyste, et qu'il faut progressivement dévoiler ; mais c'est ici que les difficultés les plus sérieuses se font jour : aucune remontée véritable n'est évidemment concevable : que tout se passe au niveau linguistique implique que *les causes s'articuleront postérieurement aux effets, plus encore qu'elles seront induites par les effets*. C'est patent à la lecture de n'importe quel ouvrage de Freud. Soit la *Psychopathologie de la vie quotidienne*. Qu'on se reporte au second lapsus qu'il expose, celui concernant « aliquis » : le nombre des associations provoque ici un véritable sentiment d'étrangeté ; car une question reste posée en permanence sans que rien vienne y répondre à l'échelle où nous nous situons : Qu'est-ce qui nous assure que ce raisonnement, que j'énonce ultérieurement à l'erreur linguistique qu'il est censé expliquer, ne dérive de ce lapsus, dont la production obéirait par ailleurs à un tout autre déterminisme auquel je n'ai pas accès (2). Certes ce qui vaut pour un lapsus ou un rêve considérés isolément ne s'applique pas à une analyse prise comme un tout ; mais en même temps disparaissent à ce niveau très général un certain nombre de critères heuristiques — intégration de l'ensemble de l'information, efficience logique du modèle, etc... (3) — dont on ne doit pas sous-estimer l'importance ; ces critères applicables à l'analyse de parties bien déterminées d'un discours perdent leur précision lorsque le domaine s'étend indéfiniment ; une cure reste traversée de trop de déchirures, d'incomplétudes pour qu'elle puisse être formalisée efficacement.

Cette inversion du rapport entre cause et effet exclut évidemment toute possibilité d'introduire des régularités ; plus profon-

---

(1) L'explication psycho-physiologique reste cependant une des fins vers lesquelles tendent les recherches psychopathologiques ; mais si on y parvient, elle sera évidemment d'un tout autre ordre que celles qui étaient utilisées à l'époque où Freud a commencé à réfléchir. Celui-ci a par ailleurs toujours annoncé une ultérieure harmonisation du plan psychologique et physiologique. Il nous semble cependant que, pour des raisons de principe, leur distinction sera toujours maintenue, l'universalité des processus physiologiques appelant un remplissement d'un autre ordre.

(2) On peut parfois saisir sur le vif ces explications fallacieuses élaborées *a posteriori*, soit un lapsus, un acte manqué qui n'en sont pas mais se donnent comme tels un moment, durant cette courte période de temps une interprétation rationnelle s'est imposée.

(3) Ce sont les mêmes que ceux qui sont utilisés dans les autres types d'analyse sémantique.

dément, elle rend partiellement inopérantes de telles notions (c'est
sans doute à cela que renvoie la tentation d'abolir la diachronie et
de tout traduire en synchronie) ; il est vain en effet de parler d'une
remontée temporelle qui, pas à pas, permet au sujet de retrouver
l'enchaînement qui a présidé à la formation de sa névrose : le réel
ne se reflète pas adéquatement dans le discours du malade ; il se
réorganise dans un langage qui, pris dans sa totalité, représente le
maximum de ce que le sujet peut affirmer de lui-même ; non seulement rien ne permet de postuler la concordance entre l'étiologie
d'une névrose et l'histoire que le sujet réorganise au cours d'une
cure ; mais on ne voit pas en quoi cette concordance, si elle existait,
aurait pouvoir thérapeutique. Si, comme l'écrit Lacan, il ne s'agit
pas tant de réalité que de vérité, c'est qu'une anamnèse menée à
son terme ne possède en aucun cas la fidélité d'une reproduction
photographique ; la continuité restituée par le sujet n'est que secondairement celle des événements ; elle indique non pas une succession de faits, mais un enchaînement de significations s'organisant en fonction d'une problématique présente qui est le lieu à
partir duquel tout se focalise (1).

Or, la vérité ainsi atteinte s'exprime à travers un langage qui
porte la marque de la situation analytique : le patient code sa propre
histoire en utilisant des termes que véhicule la culture de l'époque
(complexe d'Œdipe, inconscient, frustration, etc...) ; il intériorise
l'action ou la personne de son analyste, marquant du même coup
l'ensemble de ses productions d'un signe particulier ; et cela, aussi
profonde que soit la neutralité de cet analyste ; on a maintes fois
souligné que les patients peuvent parfaitement faire des rêves qui
seront Freudiens ou Jungiens suivant qu'ils sont suivis par des analystes de l'une ou de l'autre école ; non pas que nous soyons là en
pleine contingence : au delà de l'impact du signifiant, l'identité
des contenus s'imposera. Mais il n'en reste pas moins que le paradoxe de la psychanalyse, qui tient à la fois à la place accordée au
langage et à l'individualisation du phénomène, demeure : la réalité se crée dans la mesure où elle est étudiée ; c'est d'ailleurs à cette
seule condition que l'efficacité thérapeutique devient concevable ; celle-ci se confond avec une transformation du sujet qui,
en se produisant, permet d'avancer certaines hypothèses sur la ra-

(1) Certes, bien des analystes tendent à admettre une restauration des processus réels qui ont mené à la constitution de la névrose. Non seulement cela
semble, par principe, hautement improbable, mais même si cela était, nous n'aurions aucun moyen de l'établir. Le patient ordonne son passé, mais il n'est pas
possible de comparer son texte et la réalité qui est ainsi visée. Le Dr LACAN
marque nettement ce qui découle d'une telle situation lorsque dans le rapport
de Rome il écrit : « Il ne s'agit pas dans l'anamnèse psychanalytique de réalité,
mais de vérité. » (La Psychanalyse, vol. I, p. 101).

cine de la névrose. Mais ce lien entre la modification du réel et la connaissance de ce dernier situe la psychanalyse à mi-chemin entre un art et une science, faisant surgir une réalité phénoménale qu'elle interprète en se pliant à toutes les règles d'une méthode objective. Cette possibilité de créer en laquelle les sciences de la nature trouvent une *confirmation* permanente apparaît ici comme la *condition* de tout savoir. La situation analytique informe une réalité que je n'atteins qu'à travers le processus même de sa production.

Ceci explique la critique anthropologique (1) telle qu'elle a été formulée par Claude Lévi-Strauss dans son article sur « L'Efficacité symbolique (2) ». Le point de départ en est l'analyse d'un rituel qu'accomplissent les shamans Cuna lors de certains accouchements fort difficiles ; le cœur de ce rituel est la récitation d'un long texte qui rapporte à « Muu », « puissance responsable de la formation du fœtus », les obstacles que rencontre la femme en train d'accoucher et qui répond directement aux transformations physiologiques auxquelles le sujet est soumis ; le récit entraîne le patient à travers une « géographie mythique » qui évoque jusque dans ses détails la géographie réelle de l'utérus ; et c'est de la concordance entre le rythme des modifications corporelles et celui du mythe que naît la possibilité d'intégrer les phénomènes chaotiques, douloureux, non maîtrisés, qui rendent l'accouchement particulièrement dur à un ordre qui les outrepasse, leur donne sens et fait du même coup disparaître peur et appréhension. L'usage de la fonction symbolique se montre ici dans ce qu'il peut avoir d'exemplaire : structuration de contenus hétérogènes, imposition de formes à un donné qui semble d'abord rebelle à tout ordre, instauration d'un langage — c'est-à-dire d'un certain nombre de signifiants majeurs — à travers lesquels une expérience humaine acquiert valeur et permanence.

Ainsi, entre la réalité biologique et le discours, s'établit un système d'équivalences qui rend compte de l'efficacité thérapeutique du langage. Le monde divin qu'invoque le shaman est sans doute d'un tout autre ordre, mais son intériorisation par le malade entraîne une restructuration de toute sa personne. Le symbole possède ici une efficacité organique, intervenant comme moment crucial dans la constitution de l'individualité humaine. Aussi, la comparaison avec la psychanalyse se trouve-t-elle amorcée tout naturellement ; celle-ci ne fournit-elle pas un code que transmet, sous une forme diffuse, la culture de l'époque, mais qui possède un support réel,

---

(1) Il ne s'agit d'ailleurs pas d'une critique véritable, mais d'une reproblématisation de la psychanalyse à partir d'expériences qui, à bien des égards, peuvent formellement s'en rapprocher.
(2) *Anthropologie structurale*, p. 205-226.

l'analyste, qui lui donne toutes les garanties de validité. L'individu ne regroupe-t-il pas, sous un certain nombre de concepts, différents moments de son expérience qui perd ainsi une partie de sa fluidité ; et cette cristallisation qui donne à son existence la consistance et la portée d'une histoire rend le sujet plus apte à se conformer aux lois profondes de son être. Que le Dr Lacan puisse parler du « mythe individuel du névrosé » en marquant le décalage, parfois décelable, entre ce mythe et la situation réelle du sujet, indique bien qu'il s'agit là d'un problème essentiel que l'épistémologie analytique ne peut pas éviter.

Cependant, il faut y regarder de plus près ; l'efficacité du sha-man Cuna dépend de l'harmonie entre le texte qu'il récite et ce qui se passe dans le corps de la femme qui accouche ; au moment où il prononce son incantation, cet acccord existe déjà, ayant présidé à la constitution du mythe lui-même ; et il ne peut provoquer ses effets que dans la mesure où son efficience se trouve déjà inscrite et reconnue par le malade avant même que s'amorce le traite-ment (1) ; le patient se pénètre bien du texte qu'il écoute, mais par rapport à lui il ne possède aucune créativité ; d'un côté, existe un code qui a été forgé une fois pour toutes ; de l'autre, une matière qui va s'y mouler par une série d'opérations qui sont d'ordre méta-phorique. Or, toute comparaison avec la psychanalyse se heurte au fait que cette dernière se situe à la conjonction de trois et non pas de deux niveaux distincts : réalité physiologique d'une part, théorie générale de l'autre, le discours propre au sujet s'intercalant entre ces deux plans comme le véritable lieu de l'expérience analytique. Pour le psychanalyste, en effet, la matière traitée est déjà tout entière langage, les processus physiologiques qui sont à l'origine de la névrose étant inconnus ; et l'une de ses fonctions est juste-ment d'assurer la coextensivité du sujet au langage qui le définit. Aucune harmonie préétablie n'est donc concevable, d'autant plus que la généralité de la théorie, si elle lui permet de fournir quelques points de repère essentiels, exclut qu'elle informe véritablement le comportement du malade.

La comparaison avec les faits schamanistiques, si elle laisse la place à de nombreuses analogies, met cependant bien en évidence l'originalité de la psychanalyse ; l'ensemble de ses constructions théoriques — développement de la sexualité infantile, distinction entre les différents étages qui constituent la personnalité, analyse des modalités du symbolisme individuel, classification des maladies mentales en fonction de ces concepts mêmes — ont été obtenues à

---

(1) Certes, la croyance à l'efficacité analytique est une des garanties de la réussite du traitement ; mais cette croyance, même si elle existe avant toute prise de contact, ne prend forme, n'est mise à l'épreuve qu'au cours de la crise.

partir d'une praxis qui ne peut penser le phénomène qu'en lui donnant une forme particulière au sein d'un cadre qui n'est pas un cadre expérimental. (Ce sont les propriétés mêmes de l'objet qui, évidemment, rendent impossible qu'on puisse faire varier les données soumises à l'investigation en cherchant à définir un certain nombre de relations constantes.) L'insistance mise par les psychanalystes sur les notions d'abréaction, de transfert (1) indique bien qu'au cours du traitement, il se passe, entre l'analyste et l'analysé, quelque chose d'irréductible à toutes les prévisions antérieures, véritable drame, impliquant un engagement profond des protagonistes. Certes, dans la relation transférielle, le sujet reproduit les situations qui ont présidé à son évolution ; mais, là encore, il ne s'agit pas de fidélité photographique ; le sujet réincarne bien son passé — du moins dans sa forme — en faisant du médecin le support de ses investissements libidinaux : mais il s'agit non pas d'un passé réel, mais de sa restructuration au sein du discours présent du sujet. Entre la genèse réelle d'une névrose et la continuité qu'ultérieurement y redécouvre le malade, existe un décalage permanent qui tient à des raisons essentielles : en effet, la constitution d'une personnalité quelconque met en jeu une pluralité de déterminismes de nature multiple dont nous commençons à peine à soupçonner la complexité ; se situant à la conjonction d'ordres qui ne sont pensables en termes rigoureux qu'après avoir été préalablement isolés, les phénomènes individuels (2) réalisent une intégration des facteurs biologiques, sociologiques, culturels, psychologiques qui ne peut être dissoute qu'à condition de faire disparaître du même coup l'individualité elle-même.

De fait, la démarche particulière de la psychanalyse est celle de toutes les disciplines cliniques (3) qui consiste — en fonction de visées qui ne sont pas purement scientifiques — à isoler un certain plan de la réalité et à le considérer comme se suffisant à lui-même ; ce champ délimitera à la fois les interprétations possibles et le type d'efficience thérapeutique qui sera celui de la cure. On réalise ce qu'il peut y avoir de curieux dans une telle manière de procéder : la causalité psychique qui y est reconnue ne se constitue qu'à travers une négation de l'objectivité de certains registres qui ne sont

(1) Cf. PASCHE : « Le Psychanalyste sans magie ». *Temps Modernes*, déc. 1949.
(2) Nous avons déjà montré que ce syncrétisme valait également pour les processus historiques qui, en leur genre, sont des phénomènes individuels.
(3) Gilles Gaston GRANGER, dans son livre *Pensée Formelle et Sciences de l'Homme*, a développé des vues analogues dans une perspective qui nous paraît cependant différente. On ne peut que regretter que, dans cet ouvrage à bien des égards remarquable, l'auteur ait jugé bon d'exécuter en quelques lignes les travaux du Dr Lacan ; ces « brèves polémiques » n'avancent jamais beaucoup la discussion ; en ce cas, elles nous semblent indiquer une certaine méconnaissance plutôt qu'un refus véritable de la pensée de Jacques Lacan.

plus invoqués que dans la mesure où le sujet les reprend et les anime de son intentionnalité propre, et l'étonnant réside dans le fait qu'en traitant ce monde « d'apparences » qui ne tire sa consistance que de la permanence du désir du sujet, ce sont ces déterminismes eux-mêmes qui se trouvent modifiés. On peut trouver des analogies dans d'autres domaines : soit une communauté au sein de laquelle son histoire passée aurait provoqué certains traumatismes graves ; cette histoire ne serait atteignable qu'à travers les discours des membres de cette communauté, modèle idéologique qui tout à fait normalement diffère des processus objectifs qui sont à son origine. Cependant, la transformation du statut du groupe, sa normalisation ne pourront s'appuyer que sur lui ; ce sera d'ailleurs une des conditions de leur réussite. Agissant ainsi, ceux qui se consacrent à cette tâche se trouvent confrontés à une réalité présente qui peut être décrite ; analysée avec une extrême finesse, le passé lui-même se dispose suivant une perspective qui ne coïncide pas avec celle qui était donnée initialement, et cet écart permet de mesurer la capacité du groupe à récupérer son devenir, à y inscrire l'exigence d'une volonté. Il n'en reste pas moins que l'absence d'une version d'un autre type implique une marge d'indétermination dont participe toute praxis scientifique tournée vers l'individuel.

Un tel déchiffrement des significations permettrait un remaniement des conduites des membres du groupe, mais il serait vain de prétendre qu'il nous donnerait accès sous une forme objective à leur histoire. En ce dernier cas cependant ce décalage n'aurait qu'une importance mineure, mais dans les disciplines cliniques où recherche scientifique et transformation pratique se combinent étroitement puisqu'elles sont la condition l'une de l'autre, il en découle une permanente distorsion ; une analyse approfondie de la littérature psychanalytique devrait en recenser les formes (1).

En prenant ainsi conscience de certains problèmes posés par la « théorisation de l'individuel » et en marquant les limites rencontrées par la conceptualisation scientifique, il peut sembler que nous infirmions les conclusions auxquelles nous a conduit notre discussion du statut des idéologies ; celle-ci a eu pour objet de refuser toute validité à cette immanence du sens au sujet agissant, postulée tant par le marxisme que par la phénoménologie ; la science ne s'élabore qu'à travers une profonde rupture avec le monde

_____

(1) La tendance actuelle à noyer la psychanalyse dans les résultats des autres sciences suppose donc toujours une méconnaissance de la spécificité de ses effets.

vécu ; l'immédiateté et l'évidence de celui-ci ne garantissant pas sa vérité. Mais la mise au premier plan des praxis tournées vers l'individuel ne revient-elle pas à renverser une nouvelle fois notre position.

En aucun cas il ne s'agit de rejeter les diverses formes d'intuition mais de ne pas leur accorder une universalité qui est propre à la seule pensée scientifique ; il ne s'agit pas de faire de celle-ci un absolu mais de reconnaître ce qu'elle seule peut donner et de savoir à quelles conditions elle le donne ; en fait le mélange des genres porte une extrême confusion philosophique ; seule une étude rigoureuse, distinguant avec soin les différents plans où se déroule le travail de la raison, peut rompre définitivement avec une certaine incohérence des idéologies et des conceptions du monde contemporain. Aux synthèses ultimes se substituera une prise de conscience toujours renouvelée des nécessités et des limites de toute pensée, aux intuitions triomphantes qui nous livrent le sens dernier du monde une analytique de la connaissance saisissant l'intrication profonde entre ce que nous savons et les moyens intellectuels qui sont à notre disposition.

Non pas que seule nous soit ouverte la voie d'un technicisme logique et épistémologique ; tout au contraire la libre créativité philosophique retrouve ici tous ses droits. Il est courant de dire, à la suite de Marx, que nous vivons aujourd'hui le temps du dépassement et de la réalisation de la philosophie ; mais une telle proposition n'acquiert un sens que dans la mesure où l'homme des sociétés industrielles se voit chargé des prédicats qui, dans la perspective classique, étaient ceux de l'entendement. Cette identification refusée, et les raisons d'un tel refus sont innombrables et s'inspirent tant des principes que des faits, les différents plans où s'exerce la réflexion retrouvent leur autonomie ; la philosophie est à la fois le lieu où cette pluralité vient se dire et où elle s'abolit ; la diversité se trouvant dépassée dans l'unité même de la réflexion.

De fait les problèmes qui jusqu'à présent ont été débattus, débouchent sur une triple série de questions qui ne peuvent être traitées qu'en s'inscrivant dans la perspective qui traditionnellement a été celle de la philosophie : celle-ci se voudra alors critique de la raison scientifique, théorie générale de l'intuition, méditation enfin, réassumant l'unité syncrétique de l'histoire en portant aussi loin que possible ce qui peut être pensé en ce moment du temps.

Critique de la raison scientifique elle prend pour objet la diversité des modes de rationalisation ; elle n'y parvient qu'en dépassant toute praxis scientifique particulière. C'est par la conversion des méthodes les unes dans les autres que chacune d'entre elles révèle

sa spécificité; en ce sens la tâche fixée suppose une mise au premier
plan des problèmes « formels », l'idée d'ordre est sous-jacente à
toute science, mais il est une pluralité d'ordres et ils se révèlent
suivant des logiques fort diverses ; il est donc essentiel de savoir
sur quel fondement commun, s'il existe, s'opèrent de telles particu-
larisations (1). La philosophie se tourne alors vers l'acte même de la
connaissance ; à ce titre elle s'intègre à l'ensemble des études portant sur l'intellect humain et son fonctionnement : linguistique,
poétique, rhétorique, esthétique, mythologie, histoire des religions
etc... ; mais elle ne s'y réduit pas, car s'enracinant dans le lieu
même d'où jaillit l'exigence scientifique elle est porteuse d'une
normativité qui rejaillit sur l'être même de la science ; ce qui n'est
pas le cas pour les autres disciplines. Plus encore elle ne se contente
pas de dire ce qui est mais en développe toute la richesse formelle.
    Saisissant la raison en pleine productivité, elle en recense la fé-
condité comme les limites, mais les unes et les autres supposent une
donation préalable de l'objet qui dépend à la fois de sa nature et de
ce qui est visé en lui. La critique de la raison se double donc nécessairement d'une critique de l'intuition, celle-ci ne se réduisant
évidemment pas à l'intuition sensible. Pour revenir aux exemples
déjà invoqués, la manière dont le primitif, le fou, l'animal se livrent
à l'investigation définit de manière essentielle la science qui s'éla-
borera à leur propos. Paradoxes et antinomies ne sont pas le
privilège de la seule raison pure ; ils varient suivant les relations
possibles que nous entretenons avec le réel, les uns comme les
autres révèlent d'ailleurs la même propriété fondamentale ; à savoir l'impossibilité pour la pensée scientifique de se libérer totalement du contenu sensible, de réduire celui-ci à un simple signe avec
lequel on opère, calcule en toute quiétude ; l'objet étudié impose
chaque fois une certaine relation qui reste ontologiquement indépassable, — ainsi je ne pourrais jamais vivre la vie d'un animal du
dedans (2) —, plus l'intervention du sujet connaissant est toujours
lourde de conséquences pour cette même connaissance.
    Ces deux recherches se complètent : la première s'appropriera
la puissance formelle de la raison dans l'ensemble de ses manifestations ; la seconde aura pour fin de déterminer comment cette
puissance se particularise en fonction de la matière traitée. Ces
formulations n'ont rien de programmatique : de tels problèmes sont
au cœur des sciences contemporaines et attendent une élaboration
nécessaire ; tôt ou tard ils deviendront un des thèmes essentiels

---

(1) L'élucidation de la notion de structure qui se retrouve actuellement dans
nombre de disciplines appartient évidemment à ce type de recherches.
(2) L'identification reste certes un des fondements de toute science de l'homme
mais suivant les domaines elle peut être menée plus ou moins loin.

de la pensée philosophique, d'une pensée qui aura reconnu aussi bien l'importance des transformations du savoir que la permanence des exigences qui la définissent justement comme philosophie. Ceci explique qu'elle se doit d'intégrer tout ce qui est porté par les progrès de la raison scientifique et qu'en même temps, elle ne peut s'y tenir et amorce un dépassement que seul le positivisme a méconnu. C'est que la vie ne s'en tient pas aux clivages qu'une critique formelle se doit d'isoler ; en chaque existence tout vient se rassembler sur un mode qui outrepasse les limitations de l'entendement. La primauté de la méthode sur l'Etre n'exclut pas que c'est vers l'Etre en dernière instance que je me tourne. Les plus grandes œuvres scientifiques débouchent sur ce qui ne peut être intégralement fondé dans le langage de la science ; pointe ultime de la recherche qui commande souvent toutes les étapes antérieures ; de même la non-maturité de l'histoire, ôtant de sa valeur à l'idée d'une politique qui se fonderait intégralement sur un savoir, ne mène pas au quiétisme ou au scepticisme mais à un effort pour dévoiler la vérité de ces discours imparfaits auxquels notre praxis recourt ; enfin toute connaissance tournée vers l'individuel implique un engagement total du chercheur que celui-ci se doit de ressaisir et d'expliciter dans l'ensemble de ses déterminations. Il est aisé de voir que de telles entreprises ne se laissent par ramener à de simples descriptions mais demandent un appareil conceptuel approprié.

Ces thèmes et ces problèmes s'enchevêtrent et se dessinent dans le mouvement même d'une histoire, de notre histoire ; ce faisant celle-ci ne peut être pensée en sa plénitude que d'une manière qui dépasse toujours ce que l'on peut légitimement demander à la rigueur scientifique mais qui touche ce qui est essentiel en nous. A cet effort pour rassembler dans l'épaisseur d'un discours tout ce qui se fait, en ne perdant jamais de vue cela même qui a été acquis aux autres niveaux, nous réservons le nom de méditation.

TABLE DES MATIÈRES

Imprimé en France

Poitiers.— S.F.I.L. et Imp. Marc TEXIER réunies.